GESCHICHTE UND STAAT

Band 244/45 GB

Gerhard Grimm

Der Nationalsozialismus

Programm und Verwirklichung

GÜNTER OLZOG VERLAG MÜNCHEN — WIEN

ISBN 3-7892-7156-X

 Umschlagentwurf: Team 70 Hotop-Pirner, München — Gesamtherstellung: Franz Wedl OHG, Melk-Wien

Inhalt

Vorwort

Das vorliegende Buch will nicht eine Geschichte des Nationalsozialismus bieten. Dafür wären 200 Druckseiten zu wenig. Es beschränkt sich auf eine Darstellung der weltanschaulichen Grundlagen, der programmatischen Festlegungen und der Versuche, aus Programmpunkten Wirklichkeiten zu machen. Wenigstens in Umrissen mußte zur Erleichterung des Verständnisses der uns heute schon so weit entrückten Vergangenheit die politische Entwicklung in Deutschland zwischen dem Ende des Ersten und der Katastrophe im Zweiten Weltkrieg angedeutet werden.

Auch eine Geschichte des sogenannten „Dritten Reiches" (von 1933—1945) konnte hier nicht geschrieben werden. Die wesentliche Frage, wie sich denn die Masse der Deutschen zu Hitler und seiner Partei gestellt habe, würde zu ihrer halbwegs ausgewogenen Beantwortung einen wesentlich größeren Umfang erfordern. Damit entfiel auch eine Behandlung des deutschen Widerstandes gegen Hitler, der trotz seiner Erfolglosigkeit ein wichtiges Element für den politischen Neubeginn nach 1945 darstellte.

Schließlich mußte auch darauf verzichtet werden, die dem Nationalsozialismus in ihren Theorien und in ihrer politischen Praxis verwandten Bewegungen in anderen Staaten Europas — und es gab ihrer ja eine beträchtliche Zahl von der Action française bis zur Eisernen Garde Rumäniens — zu schildern.

Um dem Leser das Eindringen in den Ungeist jener nationalsozialistischen Pläne und Maßnahmen zu ermöglichen, wurden in einem Anhang ausgewählte Quellenstücke zusammengestellt, auf die sich die Darstellung zwar nur selten unmittelbar beruft, die aber doch den Text illustrieren. Der Leser, der sich in Einzelfragen weitere Auskünfte verschaffen, die Schilderung des Verfassers selbst an den Quellen überprüfen oder mit den Darstellungen anderer Autoren vergleichen möchte, findet im Anhang ein Verzeichnis der wichtigsten Werke (vergl. das Vorwort dazu auf S. 281). Ein Register der Personen, Autoren (*kursiv* gesetzt), Orte und Sachen erlaubt es, das Buch auch zum Nachschlagen zu benützen. Möge es dazu beitragen, den Geist kritischer Wachsamkeit gegen alle Ideologien (nicht nur gegen die von Rechts) im Leser zu stärken.

Der Verfasser

I. Das Programm der NSDAP

1. Voraussetzungen

Das Programm einer politischen Partei versucht einerseits die Antwort auf die politische, wirtschaftliche, soziale und kulturelle Lage eines Staates oder eines Volkes und wird andererseits geprägt von der Weltanschauung seiner Schöpfer. Wie waren die Verhältnisse in Deutschland, als am 25. Februar 1920 in München das Programm der Nationalsozialistischen Deutschen Arbeiterpartei der Öffentlichkeit vorgelegt wurde?

Die militärische Niederlage

Das Deutsche Kaiserreich hatte mit seinen Verbündeten (Österreich-Ungarn, Bulgarien, Türkei) nach viereinhalb Jahren erbitterten Ringens den Krieg gegen eine Koalition von nahezu sämtlichen übrigen Staaten der Erde verloren. Trotz einer fast ununterbrochenen Kette von militärischen Teilerfolgen auf dem europäischen Festland und auf den Weiten des Weltmeeres war seine militärische, wirtschaftliche und psychische Kraft nach dem Scheitern der Frühjahrsoffensive 1918 gebrochen. Es war nur noch eine Frage der Zeit, bis das überlegene Rüstungspotential der alliierten Mächte und die ausgeruhten, an Zahl von Monat zu Monat rasch zunehmenden US-amerikanischen Truppen die deutsche Westfront durchbrachen und damit den vollständigen Zusammenbruch herbeiführten. Noch bevor es dazu kam, konnte am 11. November 1918 in Compiègne ein Waffenstillstand unterzeichnet werden, dessen Bedingungen freilich einer militärischen Kapitulation gleichkamen. Die Verbündeten Deutschlands hatte schon vorher die Waffen niederlegen müssen[1]).

Die Friedensverhandlungen mündeten in den am 28. Juni 1919 in Versailles unterzeichneten Vertrag[2]). War er auch formal das Ergebnis von politischen Verhandlungen zwischen den Siegermächten und Deutschland, so waren doch inhaltlich nur unwesentliche Änderungen an dem von den Siegern vorgelegten Entwurf möglich gewesen. Die Annahme wurde mit der Drohung erzwungen, die militärischen Operationen gegen das bereits weitgehend entwaffnete Deutsche Reich wieder aufzunehmen. Am 22. Juni 1919 hatte der Deutsche Reichstag mit 237 zu 138 Stimmen der Regierung die Vollmacht zur Unterzeichnung des Vertragswerks erteilt und es damit ratifiziert, wobei Befürworter und Gegner sich gegenseitig die gleichen patriotischen Motive für ihre jeweilige Entscheidung zuerkannt hatten. Am 10. September 1919 mußte die aus der Niederlage des österreichisch-ungarischen Kaiserstaates hervorgegangene Republik Österreich in St. Germain einen ähnlichen Diktatfrieden unterschreiben.

Die Vertragsbestimmungen

In 440 Artikeln legten die Sieger dem Unterlegenen die Rechnung für den verlorenen Krieg vor. Die materiellen Bestimmungen waren hart. 73 485 qkm Land mit 7,325 Millionen Einwohnern mußten im Westen, Norden und Osten abgetreten werden. Verglichen mit dem Bestand des Reiches vor Kriegsausbruch war das ein Verlust von etwa 13 % an der Fläche und 11 % bei der Bevölkerung. Dem

[1]) Vgl. zur Einstellung der deutschen Öffentlichkeit Quellenstück Nr. 7.

[2]) Vgl. zur Ablehnung der Unterzeichnung durch einen hohen Offizier Quellenstück Nr. 8.

Mandat der Sieger übergeben werden mußten sämtliche deutschen Kolonien in Afrika und in der Südsee, sowie das Pachtgebiet von Kiautschou in China. Die Masse der deutschen Handelsflotte sowie sämtlicher öffentlicher und privater Besitz im Ausland, einschließlich der Rechtstitel, gingen in alliierte Hände über. Deutschland mußte die Besatzungskosten für die in den westlichen Landesteilen stationierten französischen, belgischen, englischen und amerikanischen wie für die alliierten Kontingente in den Ostgebieten bezahlen. Das waren allein bis zum 30. April 1921 3,64 Milliarden Goldmark.

Deutschland wurde nicht nur militärisch fast völlig abgerüstet (Auslieferung der Hochseeflotte, der Unterseeboote, der Flugzeuge, Panzerkampfwagen und schweren Waffen), sondern ihm auch für die Zukunft einschneidende Begrenzungen seiner Streitkräfte auferlegt. Die allgemeine Wehrpflicht und der Generalstab, sozusagen der Kopf der Kriegführung, wurden beseitigt, die Gesamtstärke von Heer und Kriegsmarine auf 116 500 Mann beschränkt, schwere Geschütze, Kriegsflugzeuge, Großkampfschiffe, Unterseeboote verboten, Festungsanlagen geschleift und Neubauten untersagt.

Psychologisch schwerwiegender als diese Einbußen im materiellen Bereich war der Artikel 231: „Die alliierten und assoziierten Regierungen erklären und Deutschland erkennt an, daß Deutschland und seine Verbündeten als Urheber für alle Verluste und Schäden verantwortlich sind, die die alliierten und assoziierten Regierungen und ihre Staatsangehörigen infolge des Krieges, der ihnen durch den Angriff Deutschlands und seiner Verbündeten aufgezwungen wurde, erlitten haben“[3]). Zum ersten Mal in der neueren Geschichte war dem Besiegten durch den Sieger im

[3]) Der Friedensvertrag vom 28. Juni 1919 ... erläutert von Dr. jur. Friedrich Wündisch. J. Bensheimer Mannheim, Berlin, Leipzig 1919, S. 137.

Friedensvertrag die Alleinschuld für den Kriegsausbruch aufgebürdet worden. Aus diesem Artikel wurde dann auch die Verpflichtung zur Wiedergutmachung abgeleitet, ohne daß die Gesamthöhe der Schäden schon ziffernmäßig genau festgelegt worden war. Hierfür war eine Frist bis zum 1. Mai 1921 festgesetzt. Schon vorher aber mußte das selbst von dem überlangen Krieg erschöpfte Deutschland rund 300 000 Stück Lebendvieh, viele Tonnen Eisenbahnmaterial, Maschinen, Werkzeuge und Fabrikeinrichtungen abliefern.

Ebenso demütigend und das Gefühl vieler Deutscher verletzend war die Vorschrift, daß Kriegsverbrecher ausgeliefert werden sollten (dies wurde dann durch das Versprechen abgebogen, die Beschuldigten vor ein deutsches Gericht zu stellen) und die im deutsch-französischen Krieg von 1870/71 erbeuteten französischen Fahnen zurückzugeben.

Ferner mußte das Deutsche Reich beträchtliche Einschränkungen seiner Souveränität hinnehmen. Das Saargebiet sollte 15 Jahre französischer Verwaltung unterstellt, das linksrheinische Staatsgebiet mit den Brückenköpfen Köln, Mainz und Koblenz von den Siegermächten militärisch besetzt und in Etappen von fünf, zehn und 15 Jahren geräumt werden, wenn Deutschland seine Vertrauenswürdigkeit erwiesen hätte. Der Nord-Ostsee-Kanal und die großen deutschen Ströme Elbe, Oder, Memel, Rhein, Mosel und Donau wurden internationalisiert. In einem Streifen von 50 km Breite entlang dem rechten Rheinufer durften keine militärischen Einrichtungen unterhalten werden.

Schließlich wurde Deutschland nicht in den neugegründeten Völkerbund aufgenommen, als Staat zweiter Klasse behandelt und auch das vom amerikanischen Präsidenten Thomas Woodrow Wilson am 8. Januar 1918 in seinen berühmten 14 Punkten verkündete Recht auf Selbstbestimmung nicht auf Deutschland angewendet. So wurde der Artikel 2 des von der Provisorischen Österreichischen Nationalversammlung am 12. November verabschiedeten Entwurfs eines Verfassungsgesetzes, der „Deutsch-Österreich“ zum Bestandteil der Deutschen Republik erklärte, durch Bestimmungen in den Vertragswerken von Versailles und St. Germain aufgehoben. Ebensowenig gab es Volksabstimmungen in Elsaß-Lothringen, im Memelland, in Teilen Westpreußens und in der Provinz Posen, obwohl in diesen Landschaften das Deutschtum entweder in der absoluten Mehrheit war oder zumindest eine beträchtliche Minderheit darstellte. So berechtigt die Kritik schon der damaligen Deutschen an dieser Verfahrensweise war, so muß doch auch darauf hingewiesen werden, daß Deutschland und seine Verbündeten in den Friedensverträgen von Brest-Litowsk (3. März 1918) und Bukarest (7. Mai 1918), die sie dem niedergeworfenen russischen Reich und Rumänien diktiert hatten, ein Selbstbestimmungsrecht ihrerseits nicht berücksichtigt hatten.

Vergleicht man die Bestimmungen des Versailler Diktats mit älteren Friedensschlüssen der europäischen Geschichte, was ja die Zeitgenossen nur tun konnten, so ist sicherlich Ausmaß und Form der Vergeltung ungleich größer gewesen als etwa beim Frankfurter Frieden vom 10. Mai 1871. Dabei ist allerdings zu berücksichtigen, daß der Weltkrieg sich über eine viel längere Zeit hinzog, was die Erbitterung auf beiden Seiten steigerte und nun auch erstmals alle Mittel einer modernen Massenbeeinflussung durch Presse und Bild dazu verwendet wurden, breiteste Bevölkerungskreise vor allem in England, Frankreich und den Vereinigten Staaten mit Haß gegen die Mittelmächte, und vor allem die Deutschen, zu erfüllen. Auf dem Boden Nordfrankreichs hatte viereinhalb Jahre der Krieg getobt und viel an Infrastruktur und Kunstwerken zerstört, von den blutigen Verlusten ganz abgesehen. Großbritannien war durch die Finanzierung des Krieges zwischen 1914 und 1918 aus einem Gläubigerland ein Schuldner der Vereinigten Staaten geworden.

Gleichwohl haben die Staatsmänner der Alliierten es an Weitblick und Großmut gegenüber den Besiegten fehlen lassen und damit den Revanchegelüsten in Deutschland Vorschub geleistet.

Der politische Neubeginn

Mit der Niederlage auf den Schlachtfeldern änderte sich auch das politische System des Deutschen Reiches. Hatten die Alliierten in der Zeit der Waffenstillstandsverhandlungen zwar durchblicken lassen, daß der bramarbasierende Kaiser Wilhelm II. kein vertrauenswürdiger Vertreter eines friedlichen Deutschlands sei und war dieser in die Emigration nach den Niederlanden gegangen (10. November 1918), nachdem ihm die Oberste Heeresleitung die Loyalität der Fronttruppe glaubte nicht mehr zusichern zu können, so war doch auch am Ende des Krieges die Mehrheit der Bevölkerung nicht republikanisch gesinnt. Dennoch waren sämtliche übrigen 21 Souveräne vom König von Bayern bis zum Fürsten von Reuß ältere Linie kampflos vor einer Handvoll revoltierender Etappesoldaten gewichen. Die Furcht vor einem Bürgerkrieg war nicht unbegründet, gleichwohl hat die mangelnde Standfestigkeit der einzelnen Monarchen mit dazu beigetragen, daß sich in den Jahren bis 1933 keine breite Bewegung für die Wiedererrichtung der Monarchie im Deutschen Reiche und in den einzelnen Ländern bilden konnte.

Hatte so das Reich den Glanz des gekrönten Herrschers eingebüßt, so waren die Symbole seiner Weltmacht, die damals zweitstärkste Flotte zur Auslieferung an die Allliierten in den britischen Kriegshafen Scapa Flow eingelaufen, die überseeischen Kolonien trotz tapferen Widerstandes der kleinen Schutztruppe und loyaler Eingeborener von den Kriegsgegnern besetzt worden. Das deutsche Ansehen in der Welt hatte durch die massive Beeinflussung der öffentlichen Meinung seitens britischer und französischer Propagandisten schwer gelitten.

Die Erschütterung der innenpolitischen Verhältnisse war bereits im Kriege eingeleitet worden. Zwar hatte sich die Sozialdemokratische Partei, die bei den Wahlen von 1912 mit fast 35 % der Wählerstimmen und 110 von 397 Abgeordneten die stärkste Gruppierung gebildet hatte, gleichwohl aber nicht an der Regierung beteiligt worden war, bei Kriegsausbruch in die nationale Einheitsfront eingegliedert und zunächst geschlossen für die Bewilligung der von der Regierung geforderten Kriegskredite gestimmt, aber schon damals hatte die linke Minderheit in der Fraktion schwere Bedenken angemeldet. Je länger der Krieg dauerte und je mehr seine wirtschaftlichen und sozialen Folgen vor allem die Arbeiterschaft belasteten, um so mehr mußte eine Partei, die die Interessen dieser Schicht vertrat, unter inneren Druck geraten. Die Gegner der Parteilinie des „Burgfriedens“ sammelten sich Anfang Januar 1916 in Berlin als Gruppe „Internationale“ um Karl Liebknecht und Rosa Luxemburg. Sie formierten sich im folgenden Jahr als „Spartakusbund“. Waren sie zunächst nur eine Anzahl Führer ohne Massenbasis, so sammelte sich die Opposition in der SPD gegen den regierungstreuen Kurs der Partei Ende März 1916 um den bisherigen Parteivorsitzenden Hugo Haase. 14 Abgeordnete traten aus der Fraktion aus und gründeten im April 1917 die „Unabhängige Sozialdemokratische Partei Deutschlands“. Von der Regierungsverantwortung aber waren die Sozialdemokraten im Reich und in sämtlichen Einzelstaaten nach wie vor ausgeschlossen.

Im Bemühen, auch nach dem drohenden militärischen Zusammenbruch und der Erschütterung der Monarchie die Kontinuität der politischen Führung zu sichern, übertrug der letzte vom Kaiser ernannte Reichskanzler, Prinz Max von Baden, am 9. November 1918 entgegen der Verfassung sein Amt an den Vorsitzenden der Mehrheitssozialisten, Friedrich Ebert. Wenige Stunden später und ohne daß Ebert davon gewußt hätte, rief der bisherige Staatssekretär und Vorsitzende der SPD-Fraktion im Reichstag, Philipp Scheidemann, in Berlin die Republik aus. Er wollte damit dem Führer des Spartakusbundes zuvorkommen, der zwei Stunden später die „Freie Sozialistische Republik" ausrufen sollte. Der Übergang zum Parlamentarismus, d. h. der Verantwortlichkeit der Kabinette gegenüber der Volksvertretung, war zwar noch vom Kaiser in der „Oster-Botschaft" angekündigt und durch ein Gesetz vom 28. Oktober 1918 legalisiert, aber noch nicht verwirklicht worden, Jetzt bedrohten die Kräfte der äußersten Linken in der deutschen Arbeiterbewegung die Errichtung einer parlamentarischen Demokratie nach dem Vorbild der westeuropäischen Staaten. Nach dem Muster der russischen Revolution von 1905 und vor allem des März 1917 hatten sich in deutschen Großbetrieben Arbeiterräte gebildet, die zunächst die durch eine weitere Senkung der Brotzuteilungen im April 1917 ausgebrochenen Streiks leiteten. Im November 1918 entstanden dann auch in den Truppenteilen der Etappe und auf den seit dem Mai 1916 kaum noch eingesetzten Großkampfschiffen der Flotte Soldatenräte, die neben der Unzufriedenheit über ihre persönliche Lage auch politische Forderungen (Beendigung des Krieges ohne Annexionen, Abschaffung des Wahlrechtes nach Vermögensklassen) äußerten. Diese „Arbeiter- und Soldatenräte" wurden zum Träger der Revolution in Deutschland.

Eine Rätedemokratie nach dem Vorbild der Bolschewiki in Rußland wird für etwa sechs Wochen zu einem konkurrierenden Modell für die parlamentarische Demokratie. Indessen setzte sich auch in den Räten die Mehrheits-SPD durch, und bei der Reichskonferenz der Arbeiter- und Soldatenräte vom 18.—21. Dezember 1918 in Berlin sprach sich die überwältigende Mehrheit der Delegierten für die Übergabe der Macht an die inzwischen von Friedrich Ebert gebildete provisorische Regierung, bestehend aus je drei Mitgliedern von SPD und USPD, aus und für die Beteiligung an den vorgesehenen Wahlen zu einer Verfassunggebenden Nationalversammlung. Die in politische Bewegung gekommene Basis der Räte war freilich nicht so schnell für den Weg der Geduld und der Ordnung zu gewinnen. Bewaffnete Kräfte, vor allem Angehörige der Kriegsmarine, bemächtigten sich Ende 1918 des Berliner Stadtschlosses und drohten, die Autorität der noch kaum gefestigten neuen Staatsmacht in Frage zu stellen, während zum Jahreswechsel der Spartakusbund sich zur „Kommunistischen Partei Deutschlands" wandelte mit dem ausdrücklichen Ziel, eine Räterepublik zu errichten. Wollte die Reichsregierung sich behaupten und Sicherheit für Leben und Eigentum aller Bürger gewährleisten, so mußte sie die ein revolutionäres Recht praktizierenden Elemente zur Unterwerfung zwingen. Polizeikräfte reichten wegen ihrer zu geringen Zahl und zu schwachen Bewaffnung nicht aus, also war sie auf die Verwendung zuverlässiger Fronttruppen angewiesen. Da aber die alte Armee nach dem Waffenstillstand und dem ordnungsgemäßen Rückzug aus den besetzten Gebieten Westeuropas in voller Auflösung war, mußte teilweise auf „Freikorps" zurückgegriffen werden.

Die Aufgaben der Regierung waren groß. Einmal galt es, die Versorgung des Millionenheeres der in die Heimat zurückströmenden Soldaten zu sichern. Dann mußte möglichst rasch die Kriegswirtschaft abgebaut und die Produktion auf die Bedürfnisse der notleidenden Zivilbevölkerung umgestellt werden. Das war um so schwieriger, als einerseits bereits durch den Waffenstillstand die Ablieferung von 5000 Lokomotiven, 150 000 Eisenbahnwaggons und 5000 Kraftwagen verlangt war, andererseits die Alliierten die

Blockade des Überseeverkehrs bis zum März 1919 aufrechterhielten, so daß keine nennenswerte Einfuhr von Nahrungsmitteln und Rohstoffen erfolgen konnte. Weiter mußte so rasch wie möglich, eine neue Verfassung ausgearbeitet werden, um dem politischen Neuaufbau ein festes Fundament zu verschaffen. Schließlich waren Vorbereitungen zu treffen für die am 18. Januar in Versailles eröffnete Friedenskonferenz, auch wenn zunächst Deutschland daran nicht unmittelbar beteiligt war.

Am 19. Januar 1919 fanden die ersten Wahlen nach dem Ende des Krieges statt. Trotz der Abspaltung der USPD, die 7,6 % der Wählerstimmen für sich gewann, wurde die „Sozialdemokratische Partei" wie 1912 die stärkste Fraktion und konnte sogar ihren Stimmenanteil auf fast 38 % erhöhen. Ebenfalls wie 1912 wurde das „Zentrum" zweitstärkste Gruppierung mit 19,7 %. Nur knapp dahinter mit einem Anteil von 18,6 % lag die am 16. November 1918 aus Mitgliedern der „Fortschrittlichen Volkspartei" und der Nationalliberalen gegründete „Deutsche Demokratische Partei" (DDP), die die liberale und nationale Mitte des Parteienspektrums verkörperte. Die Rechte fand ihre Heimat in der am 22. November aus der Taufe gehobenen „Deutschnationalen Volkspartei" (DNVP), in der sich vor allem die Anhänger der konservativen Vorkriegsparteien zusammenfanden. Rund drei Viertel der Wähler hatten sich also für die parlamentarisch regierte Republik ausgesprochen und selbst die Deutschnationalen, die den Gedanken einer Wiederherstellung der Monarchie nicht aufgegeben hatten, fanden sich vorläufig mit der neuen Staatsform ab. Die drei stärksten Parteien bildeten eine Koalitionsregierung unter dem Reichsministerpräsidenten Philipp Scheidemann (SPD). Schon zwei Tage vorher hatten die Abgeordneten Friedrich Ebert zum vorläufigen Reichspräsidenten gewählt. Wegen der lebhaften politischen Unruhe in der Reichshauptstadt auch nach dem Ende der Straßenkämpfe tagte die Nationalversammlung vom 6. Februar bis zum 29. September 1919 in Weimar.

Hier wurde aus einem Entwurf des Innenministers Hugo Preuß (DDP) die neue parlamentarisch-demokratische Reichsverfassung erarbeitet. Am 31. Juli 1919 stimmten 262 Abgeordnete der Regierungskoalition für, 75 der DNVP und USPD gegen die Annahme. Obwohl diese Verfassung viel stärker als die des Bismarckreiches die Einheit des Ganzen gegenüber seinen historisch gewachsenen Teilen betonte, stimmten auch alle Länderregierungen zu und verzichteten auf die früheren Sonderrechte. Trotz der schweren Souveränitätseinbußen, die infolge der Versailler Bestimmungen von den Verfassungsschöpfern hatten hingenommen werden müssen, blieb als wichtigstes Gut die Reichseinheit erhalten, auch wenn Ostpreußen durch die Übergabe Westpreußens an das wiedererstandene Polen geographisch vom übrigen Deutschland getrennt wurde.

Neben dem ausführlichen Grundrechtskatalog vereinigte die Weimarer Verfassung mit dem Grundzug einer parlamentarischen Demokratie plebiszitäre und präsidaldemokratische Bestimmungen. So sollte der Reichspräsident durch Volkswahl in sein Amt berufen, Volksbegehren und Volksentscheide in bestimmten Fällen als Mittel einer „direkten Demokratie“ abgehalten werden. Durch den Artikel 48 erhielt das Staatsoberhaupt die Möglichkeit, auch ohne die Deckung durch eine Mehrheit der Abgeordneten Notverordnungen mit Gesetzescharakter zu erlassen. Theoretisch hätte dieses ausgewogene Gleichgewicht verschiedener politischer Entscheidungsformen (durch den Präsidenten, durch die Parteien, durch das Volk) der deutschen Republik ein hohes Maß an Stabilität gewähren können; die praktische Erfahrung der Jahre von 1919—1933 sollte aber zeigen, daß alle diese Elemente auch gegen den Bestand der politischen Ordnung eingesetzt werden konnten. Gleichwohl ist die Weimarer Republik nicht an Konstruktionsfehlern ihrer Verfassung zugrundegegangen, sondern daran, daß eine Mehrheit der Wähler von den beiden Flügeln des Parteienspektrums her diese Form des Staates nicht mehr wollte, wobei die Zielvorstellungen darüber, was an die Stelle der parlamentarischen Republik gesetzt werden sollte, bei den Vertretern der nationalen und der kommunistischen Richtung weit auseinandergingen.

Noch bevor die ersten Reichstagswahlen aufgrund der neuen Verfassung abgehalten werden konnten, zeigte sich bereits, daß tiefgreifende Meinungsverschiedenheiten in den die Verfassung tragenden Parteien auftraten. So verstärkten sich auch in der Mehrheitssozialdemokratie die Wünsche nach einer sozialistischen Umgestaltung des Reiches, während die bayerischen Zentrumsmitglieder immer stärker ihr Unbehagen an der zentralistischen Grundlinie des neuen Staatsaufbaus äußerten.

Bayern und München

Das war nicht verwunderlich, denn das Königreich Bayern hatte in der Republik am meisten verloren, vor allem seine eigene Armee, seine Post und seine Eisenbahn. Darüber hinaus war in weiten Kreisen der Bevölkerung die Abneigung gegen Preußen lebendig geblieben, die im Krieg von 1866 ihre Wurzel hatte. Diese Einstellung wurde unterlagert durch die katholische Konfession der Mehrheit der Landesbewohner, die Bismarcks „Kulturkampf" nicht vergessen hatte, und die bayerische Mentalität, die sich nicht leicht auf die norddeutsche einzustellen vermochte (auch umgekehrt nicht). Das Erlebnis der Frontkameradschaft im Ersten Weltkrieg hatte diese Gegensätze etwas verwischt, aber nicht beseitigen können.

Obwohl die Bevölkerung auf dem flachen Lande und große Teile des Bürgertums konservativ dachten und sich der Monarchie gefühlsmäßig fest verbunden wußten, wurde Ludwig III. von Bayern schon zwei Tage vor dem Waffenstillstand durch den Schriftsteller Kurt Eisner, der sich 1917 der USPD angeschlossen hatte, mit ein paar Soldaten vom Thron gestoßen. Die Radikalisierung der Arbeiterschaft und die Zersetzung der Heimattruppe hatte auch vor Bayern nicht haltgemacht. In der Landeshauptstadt gab es mehrere Zehntausende Industriearbeiter, auch wenn die meisten nicht in Großbetrieben tätig waren. Daneben war sie aber nächst Berlin die geistig und künstlerisch lebendigste Stadt Deutschlands, so daß sich hier vor dem Weltkrieg sowohl der spätere Führer der Oktoberrevolution in Rußland wie der nachmalige Chef der NSDAP in jener eigenartigen Mischung von bürgerlicher Wohlanständigkeit und liberalster Schwabinger Bohème sehr wohl fühlten.

Zwar ging auch in München ähnlich wie in Berlin die Macht reibungslos aus den Händen der monarchischen in die der „revolutionären" Regierung über, aber anders als im Reich war in Bayern der erste Ministerpräsident nach dem Waffenstillstand ein USPD-Vertreter. In der zweiten Februarhälfte schied Kurt Eisner (am 21. Februar 1919 in München auf offener Straße von dem Grafen Arco-Valley erschossen) aus dem Amte, sein Nachfolger wurde der Mehrheitssozialist Johannes Hoffmann. Es schien, als würde auch im Süden des Reiches der radikale Flügel der alten Arbeiterbewegung seinen Einfluß auf die Gestaltung der politischen Verhältnisse verlieren. Dem war aber nicht so. In der Nacht vom 6./7. April 1919 wurde in München, in Augsburg und in einigen anderen Städten Oberbayerns eine Räterepublik ausgerufen. Die Machtbasis der neuen Regierung bildete der „Zentralrat der Arbeiter-, Bauern- und Soldatenräte", in dem sich die Unzufriedenheit der unteren Volksschichten mit den bisherigen Ergebnissen sozialistischer Politik am stärksten äußerte. Während die Regierung Hoffmann nach Bamberg floh, um von dort aus den Gegenschlag einzuleiten und notfalls Rückhalt bei der Reichsregierung zu finden, waren in der Exekutive der Räterepublik allein drei Dichter und Literaten (Erich Mühsam, Ernst Toller und Gustav Landauer) vertreten, die reich an bizarren Einfällen, aber arm an praktischen Regierungserfahrungen waren. Der Außenminister nahm sofort telegraphischen Kontakt mit den Räteregierungen in Rußland und Ungarn auf, was bei den Gegnern der Räte den Verdacht fördern mußte, daß es sich um ein von außerhalb der deutschen Grenzen gesteuertes Unternehmen handele. Demgegenüber muß festgehalten werden, daß die Kommunistische Partei diese „anarchistische" Räterepublik nicht nur nicht unterstützte, sondern im Gegenteil bekämpfte.

Allerdings benützte die KPD nun die Schwächung der politischen Führung dazu, um ihrerseits an die Macht zu gelangen. Gegen den Zentralrat, in dem sie keine Mehrheit hatte erlangen können, richtete sie den „Rat der revolutionären Betriebsobleute und der revolutionären Soldatenvertreter" ein, mit dessen Hilfe sie den Zentralrat auszuschalten hoffte. Die Chance bot ihr ein dilettantischer Putsch der „Münchner Garnison" (was sich genau hinter dieser Bezeichnung verbarg, ist bis heute nicht klar zu erkennen) gegen die anarchistische Herrschaft. Nach kurzen Straßenkämpfen vor allem am Hauptbahnhof setzten sich die von Kommunisten geleiteten oder mit ihnen sympathisierenden Betriebs- und Kasernenräte durch. Am 13. April 1919 wurde nun die (kommunistische) Räterepublik ausgerufen, die mit mehr Energie und Wirklichkeitsnähe die Macht im Lande an sich zu reißen suchte. Ihre führenden Köpfe waren Max Levien und Eugen Leviné, beide in Rußland geboren und Mitglieder der KPD, aber nicht einfach Sendboten Lenins. Sie bemühten sich, reguläre Streitkräfte aufzustellen, wobei auch eine Anzahl russischer Kriegsgefangener eingereiht wurde, und durch Beschlagnahme von Lebensmittelvorräten einerseits die Versorgung der ärmeren Schichten zu sichern, andererseits die wirtschaftliche Macht der Bourgeoisie einzuschränken. Die Banken wurden verstaatlicht. Darüberhinaus aber auch die Produktionsbetriebe zu nationalisieren, hielt man nicht für zweckdienlich.

Die Regierung Hoffmann in Bamberg war nicht imstande, mit den kümmerlichen Restbeständen zuverlässiger Truppen gegen die Räteregierung vorzugehen. Sie wandte sich um Unterstützung an die Reichsregierung. Zusätzlich bildeten sich auf dem flachen Lande Freikorps aus ehemaligen Soldaten und Bauern, die dem bolschewistischen Unfug ein Ende zu bereiten wünschten und von der Regierung ermuntert und mit Waffen versorgt wurden. Seit der letzten Aprilwoche begannen diese Verbände, konzentrisch auf München vorzurücken, nachdem sie in Nordbayern kaum Widerstand zu überwinden gehabt hatten. Am 29. April 1919 war die Stadt eingeschlossen. Der Oberbefehlshaber der „Roten Armee", der Matrose Rudolf Egelhofer, hatte aus der Schicht seiner bürgerlichen und adligen Gegner Geiseln nehmen lassen. Als seine eigenen Truppen am 30. April bei Dachau Verluste erlitten, ließ er etwa ein Dutzend dieser Geiseln zur Vergeltung erschießen. Unter den Opfern befanden sich neben einer Frau vor allem Mitglieder der „Thule-Gesellschaft", eine Art von Geheimzirkel, der sich den Kampf gegen den Bolschewismus in jeder Form zum Ziel gesetzt hatte.

Die Nachricht über diesen Gewaltakt verbreitete sich mit Windeseile in München und löste innerhalb der Stadt am folgenden 1. Mai an verschiedenen Stellen bewaffnete Aktionen gegen die „roten" Verteidiger der Stadt aus. Gegenüber dem am Nachmittag beginnenden Angriff der Reichstruppen und Freikorps hatte die „Rote Armee" nun keine wirkliche Chance mehr. Trotz hartnäckigen Widerstands vor allem in Giesing wurden die Kämpfer der Räterepublik überrannt und in drei bis vier Tagen die letzten

Widerstandsnester ausgeräumt. Dabei ließen sich die Sieger in vermehrtem Umfange das zuschulden kommen, was sie am Verhalten Egelhofers so empört hatte. Eine größere Anzahl Gefangener wurde kurzerhand erschossen, ohne daß auch nur der Versuch einer gerichtlichen Untersuchung über Schuld oder Unschuld im Einzelfalle unternommen worden wäre.

Man wird diese Untaten sicherlich nicht entschuldigen, wenn man feststellt, daß die Beteiligten in ihrer überwältigenden Zahl Kriegsteilnehmer oder sehr junge Leute waren, also einerseits gewohnt, Gegner zu erledigen, andererseits unter der besonderen nervlichen Belastung eines Bürgerkrieges standen, während die Disziplin auf beiden Seiten noch bei weitem nicht so gefestigt war, daß die Führer sich darauf verlassen konnten, daß ihre Untergebenen Befehle auch in Krisenlagen befolgten. Für die folgenden Jahre in Bayern und München war es aber bedeutsam, daß die Bevölkerung sowohl mit revolutionären Exzessen unmittelbare Erfahrungen gesammelt hatte als auch die Erkenntnis gewann, daß offenbar die „Rechten" die einzige zuverlässige Barriere gegen eine Machtergreifung von Links darstellten. Daß in der Auseinandersetzung mit der sozialen Revolution die Konservativen über das Ziel hinausschossen und sich zu einer wirklichen Aussöhnung nicht in der Lage sahen, wurde dem gegenüber vergessen.

2. Form und Inhalt

Das war in groben Zügen der zeitgeschichtliche Hintergrund, auf dem das Programm der NSDAP verkündet wurde. Sehen wir, was es an Antworten auf die Herausforderung der Zeit enthielt.

Gliederung

Das Parteiprogramm besteht aus einer kurzen Präambel und 25 Einzelforderungen, die ohne eine ausformulierte Systematik lose aneinandergereiht werden. Teilweise werden zu den Forderungen Begründungen mitgeliefert. In den meisten Punkten fehlen sie, offenbar weil die Verfasser die Berechtigung dieser Postulate für so einleuchtend hielten, daß eine Rechtfertigung überflüssig erschien. Eine Unterscheidung nach einem grundsätzlichen Teil und einem „Aktionsprogramm", wie sie beispielsweise das spätere Heidelberger Programm der Sozialdemokraten vom September 1925 enthielt, wurde nicht vorgenommen. Lediglich zwei Sätze sind durch Fettdruck hervorgehoben, nach Aussage Gottfried Feders habe dies Hitler selbst veranlaßt: Sie stellen gleichsam die „Eckpfeiler" dar[4]). Allerdings lassen sich die Einzelpunkte nach ihrem Inhalt doch verschiedenen Sachgebieten zuordnen und folgen so einer gewissen Systematik. Es erscheinen nacheinander: Außenpolitik — Bürgerrechte — Wirtschafts- und Sozialpolitik — Rechtspolitik — Bildungspolitik — Wehrpolitik — Kulturpolitik und Verfassungspolitik. Originell ist die Folgerung, die in dem Vorspruch aus der Feststellung, daß es sich um ein „Zeitprogramm" handele, gezogen wird: „Die Führer [der Partei] lehnen es ab, nach Erreichung der im Programm aufgestellten Ziele neue aufzustellen, nur zu dem Zweck, um durch künstlich gesteigerte Unzufriedenheit der Massen das Fortbestehen der Partei zu ermöglichen". Wenn man bedenkt, wie fern im Jahre 1920 die Aussicht war, z. B. Punkt 3 des Programms, die Gewinnung von Kolonien, zu erreichen, dann wird freilich der Verzicht auf die Aufstellung neuer Ziele weniger schwer gefallen sein. Ein-

[4]) Der originale Wortlaut findet sich als Nr. 12 der Quellenstücke.

drucksvoll für den zeitgenössischen Leser des Programms dürfte es geklungen haben, daß im Schlußsatz „Die Führer der Partei versprechen, wenn nötig unter Einsatz des eigenen Lebens für die Durchführung der vorstehenden Ziele rücksichtslos einzutreten".

Inhalt

In der Außenpolitik berufen sich die Programmverfasser auf das Selbstbestimmungsrecht der Völker und verlangen, daß alle Deutschen zu einem Großdeutschland zusammengeschlossen werden. Die Friedensverträge von Versailles und St. Germain sollen aufgehoben und dem deutschen Volk die Gleichberechtigung mit den übrigen Nationen zuerkannt werden. Die Forderung nach „Land und Boden (Kolonien)" wird mit den Bedürfnissen nach Nahrungsmitteleinfuhr und Ansiedelung des Bevölkerungsüberschusses begründet.

Die folgenden Punkte kreisen alle um die Rechte und Pflichten der Staatsbürger. Nur sie sollen Zugang zu den öffentlichen Ämtern haben. Dafür sind sie zur Arbeit verpflichtet, wobei körperliche und geistige Arbeit gleichgestellt werden. Die Tätigkeit keines Staatsbürgers darf sich gegen das Gemeinwohl richten. Da nach Meinung der Autoren die Entfaltungschancen der Staatsbürger bedroht sind, soll ihre Zahl vermindert werden. Nur wer deutschen Blutes sei, könne Staatsbürger sein. Die weitere Einwanderung Nichtdeutscher solle unterbunden und alle seit dem Ausbruch des Weltkrieges eingewanderten Nichtdeutschen sofort ausgewiesen werden. Darüberhinaus seien auch Angehörige fremder Nationen auszuweisen, wenn die Erwerbs- und Lebensmöglichkeiten für die Staatsbürger nicht gegeben seien. Für die Nichtstaatsbürger müsse Fremdenrecht gelten. Nicht ganz passend in Punkt 6, der die Staatsämter den deutschen Volksgenossen vorbehält, aber gleichwohl ausdrücklich dort festgelegt, ist auch das Bekenntnis: „Wir bekämpfen die korrumpierende Parlamentswirtschaft einer Stellenbesetzung nur nach Parteigesichtspunkten ohne Rücksichten auf Charakter und Fähigkeiten."

Die Punkte 11—17 und 20—21 sind der Wirtschafts-, Sozial- und Bildungspolitik gewidmet. Leitsatz ist die „Brechung der Zinsknechtschaft". Sie ist nicht näher erklärt, aber folgende Forderungen hängen damit zusammen: Abschaffung des arbeits- und mühelosen Einkommens, Einziehung der Kriegsgewinne, Verstaatlichung der Trusts (Holdings von Aktiengesellschaften), Abschaffung des Bodenzinses und Unterbindung der Bodenspekulation. Der Mittelstand solle gefördert werden, indem die großen Kaufhäuser in den Besitz der Gemeinden übergeführt und an kleine Gewerbetreibende zu billigen Preisen vermietet werden, der Bauernstand, indem eine „den nationalen Bedürfnissen" angepaßte Bodenreform durchgeführt wird. Arbeiter sollen am Gewinn der Großbetriebe beteiligt, begabte Kinder aus der Unterschicht auf Staatskosten ausgebildet werden. An einen großzügigen Ausbau der Altersversorgung ist ebenso gedacht wie an die Verbesserung der Volksbildung und die Pflege der Volksgesundheit. In den Schulen soll mehr Rücksicht auf die Bedürfnisse der Lebenspraxis genommen und so früh wie möglich der Staatsgedanke in die Kinder eingepflanzt werden. Der Schutz von Mutter und Kind, das Verbot der Jugendarbeit, eine gesetzliche Turn- und Sportpflicht (gemeint ist offenbar für die Jugendlichen) und Förderung von Vereinen mit Jugendsportabteilungen sind Einzelforderungen in diesem Bereiche.

Im Rechtswesen soll ein deutsches Gemeinrecht an die Stelle des römischen Rechtes treten, weil dieses der materialistischen Weltordnung diene. Die Todesstrafe wird gefordert für Verbrechen gegen das Gemeinwesen (Wucher,

Schiebungen, gemeine Volksverbrechen). Die Wehrpolitik ist abgedeckt durch das Verlangen, das durch Versailles geforderte Berufsheer (abschätzig heißt es: „Söldnerheer") durch ein Volksheer zu ersetzen. Im Bereich der Kulturpolitik wird eine deutsche Presse verlangt: Nur Deutsche sollen als Schriftleiter und Mitarbeiter an deutschsprachigen Zeitungen tätig sein dürfen, nichtdeutsche Zeitungen dürfen sich nicht der deutschen Sprache bedienen, Nichtdeutsche dürfen auch keinen finanziellen Einfluß auf die deutsche Presse haben. Das alles soll dem Ziele dienen, die bewußte politische Lüge aus der veröffentlichten Meinung zu verbannen. Kunst und Literatur dürfen in ihren Äußerungen nicht das Volksleben zersetzen, die Zeitungen und Zeitschriften nicht gegen das Gemeinwohl verstoßen. Das religiöse Bekenntnis darf sich nur insoweit frei äußern, als es weder den Bestand des Staates noch das Sittlichkeitsgefühl der germanischen Rasse verletzt. Im übrigen ist die Partei konfessionell neutral, aber für ein „positives" Christentum.

Zweiter Leitsatz des Programms — und auch in mehreren Einzelpunkten ausdrücklich erwähnt — ist „Gemeinnutz vor Eigennutz". Um die 24 Einzelpunkte verwirklichen zu können, wird im 25. eine starke Zentralgewalt und die unbedingte Autorität des Zentralparlaments (offenbar über die Länderparlamente) gefordert. Stände- und Berufskammern sollen die Rahmengesetze des Reiches in den einzelnen Bundesstaaten ausführen.

Dauer

Die Generalmitgliederversammlung der NSDAP faßte am 22. Mai 1926 den Beschluß: „Dieses Programm ist unabänderlich." Gottfried Feder kommentierte parteiamtlich: „Es heißt dies nicht etwa, daß jedes Wort genauso stehen bleiben muß, wie es steht, es heißt dies auch nicht, daß eine Arbeit an der Vertiefung und dem Ausbau des Programms verboten sein soll, es heißt dies aber mit aller Entschiedenheit und unbeugsamer Deutlichkeit: An den Grundlagen und Grundgedanken dieses Programms darf nicht gerüttelt werden. Es gibt kein Drehen und Wenden aus etwaigen Nützlichkeitserwägungen, es gibt kein Versteckenspielen mit wichtigsten, der heutigen Staats-, Gesellschafts- und Wirtschaftsordnung besonders unangenehmen Programmpunkten und es gibt kein Schwanken in der Gesinnung"[5]).

Und in der Tat ist auch trotz lebhafter Auseinandersetzungen innerhalb der Partei um die Ziele das Programm nie geändert worden. Lediglich im April 1928 sah sich Hitler zu einer öffentlichen Erklärung zu Punkt 17 des Programms genötigt, in dem ein „Gesetz zur unentgeltlichen Enteignung von Boden für gemeinnützige Zwecke" gefordert worden war: „Gegenüber den verlogenen Auslegungen des Punktes 17 des Programms der NSDAP von Seiten unserer Gegner ist folgende Feststellung notwendig. Da die NSDAP auf dem Boden des Privateigentums steht [was sie in ihrem Programm gerade nicht bekannt, sondern vielmehr die Verstaatlichung von Trusts und die Kommunalisierung von Großwarenhäusern gefordert hatte], ergibt sich von selbst, daß der Passus ‚Unentgeltliche Enteignung' nur auf die Schaffung gesetzlicher Möglichkeiten Bezug hat, Boden, der auf unrechtmäßige Weise erworben wurde, oder nicht nach den Gesichtspunkten des Volkswohls verwaltet wird, wenn nötig, zu enteignen. Dies richtet sich demgemäß in erster Linie gegen die jüdischen Grundspekulationsgesellschaften"[6]).

[5]) Gottfried Feder, Das Programm der N.S.D.A.P. und seine weltanschaulichen Grundgedanken. 96.—100. Aufl. Franz Eher, München 1933, S. 22 = Nationalsozialistische Bibliothek, Heft 1.
[6]) Ebenda, S. 21.

Der Forderungskatalog des Programms ist so reichhaltig, daß mit Ausnahme der Nichtdeutschen fast jeder Staatsbürger sich etwas davon erwarten durfte. Allerdings enthielt es eine deutliche Spitze gegen diejenigen, die sich eines scheinbar mühelosen Einkommens erfreuen konnten. Die Besitzer von Warenhäusern und die Aktionäre mußten befürchten, daß sie entweder bei der „Kommunalisierung" oder bei der „Verstaatlichung" der Betriebe würden Haare lassen müssen. Über eine mögliche Entschädigung war nichts gesagt. Geradezu sozialrevolutionär war Punkt 14, der Gewinnbeteiligung an Großbetrieben vorsah. Die Masse der sozial- und wirtschaftspolitischen Forderungen zielte auf die Mittel- und Unterschichten, denen eine Verbesserung ihres Loses verheißen wurde.

Sehr stark betont ist die Absicht, das Deutschtum und Deutschland zu stärken. Daß man das besiegte Reich völkerrechtlich wieder in die Gemeinschaft der Völker zurückführen und seine Wehrkraft durch ein Heer der allgemeinen Wehrpflicht stärken wollte, war nicht gerade sensationell. Ein deutsches Recht zu schaffen schon eher. Darüberhinaus eine deutsche Presse, eine Bevorzugung deutschblütiger Bürger vor nichtdeutschblütigen, wobei zunächst ganz offen blieb, wie das deutsche Blut bei dem Einzelnen festgestellt werden konnte, und eine ausgesprochene Frontstellung gegen Nichtdeutsche im Innern des Reiches. Sie sollten, wenn nicht schlicht ausgewiesen, auf den Rang von Bürgern zweiter Klasse hinabgestuft werden. Dabei werden nur an einer, aber entscheidenden Stelle (Punkt 4) die ins Auge gefaßten Opfer der staatsbürgerlichen Deklassierung mit Namen genannt: „Kein Jude kann daher Volksgenosse [und damit Staatsbürger] sein." In der Tat hatte das durch Versailles zurückgeschnittene Deutsche Reich keine nennenswerten nichtdeutschen Minderheiten (etwa die seit den achtziger Jahren als Arbeitskräfte ins Ruhrgebiet eingewanderten und meist in der zweiten Generation assimilierten Polen oder die auch südlich der deutschen Nordgrenze in Schleswig noch wohnenden Dänen). Aber Juden gab es immerhin verstreut über das ganze Land, aber mit deutlichen Schwerpunkten in den städtischen Siedlungen.

Auch die „Deutschnationale Volkspartei" hatte in ihren 1920 verabschiedeten „Grundsätzen", die etwa die Stelle eines Parteiprogramms einnahmen, bekannt: „Wir wenden uns nachdrücklich gegen die seit der Revolution immer verhängnisvoller hervortretende Vorherrschaft des Judentums in Regierung und Öffentlichkeit. Der Zustrom Fremdstämmiger über unsere Grenzen ist zu unterbinden"[7]). Aber von da bis zu den unmißverständlichen und harten Bestimmungen der NSDAP war es doch ein weiter Schritt. Dabei waren sich die beiden Parteien weitgehend darüber einig, daß die Juden in Deutschland einen ihren zahlenmäßigen Anteil weit übersteigenden politischen, wirtschaftlichen und kulturellen Einfluß besäßen, aber die Vorschläge der NSDAP, dies zu ändern, waren wesentlich radikaler.

Als einziges Parteiprogramm dieser Jahre spricht das der NSDAP von der „germanischen Rasse", die ein eigenes und zu schützendes Sittlichkeitsgefühl besitze. Dieses Wort ist nicht etwa gewählt, um nicht immer wieder vom deutschen „Volk" sprechen zu müssen, sondern hier taucht ein weltanschaulicher Begriff auf, der für den Charakter einer Menschengruppe als ausschlaggebend angenommen wurde. Nicht ausdrücklich gesagt, aber unterstellt war, daß das deutsche Volk in seiner überwiegenden Mehrheit dieser germanischen Rasse angehöre.

Eine politische Stoßrichtung ist aus dem Programm gegen die Verfassung der Weimarer Republik herauszulesen.

[7]) Wilhelm Mommsen (Hrsg.), Deutsche Parteiprogramme. Olzog Verlag, München 1960, S. 528 = Deutsches Handbuch der Politik, Band 1.

Wenn (nach Punkt 25) in den Ländern „Stände- und Berufskammern" gebildet werden sollten, die die Rahmengesetze des Reiches auszuführen hatten, so bedeutete das doch, daß die vorhandenen direkt gewählten Volksvertretungen in Bayern, Preußen, Württemberg usw. aufgelöst werden mußten, obwohl das wiederum nicht unmißverständlich gesagt ist. Auch nicht erkennbar ist, auf welchem Wege diese „Kammern" konstituiert werden sollten, etwa durch Wahlen aus dem jeweiligen Stand (Handwerker, Arbeiter, Geistesschaffende) oder durch ein Quotenverfahren für die einzelnen Berufsgruppen auf Listen, die von den Berufsorganisationen zusammengestellt würden.

Sieht man von der vorgesehenen gesetzlichen Einschränkung des Privateigentums ab, so war man im übrigen mit der Verfassung, die sich das Deutsche Reich in Weimar gegeben hatte, einverstanden. Was man an der Praxis der Politik ändern wollte, war „die korrumpierende Parlamentswirtschaft einer Stellenbesetzung nur nach Parteigesichtspunkten ohne Rücksichten auf Charakter und Fähigkeiten". Da im vorausgehenden Satz von den öffentlichen Ämtern „gleichgültig welcher Art, ob im Reich, Land oder Gemeinde" die Rede ist, bezieht sich diese Aussage zunächst auf die politischen Wahlämter, also Bürgermeister, Minister und dergleichen. Der deutliche Vorwurf, in die entsprechenden Positionen seien unter dem Regime der Weimarer Verfassung „nur" Persönlichkeiten eingerückt, die es an „Charakter und Fähigkeiten" mangeln ließen, dafür aber das jeweils richtige Parteibuch besessen hätten, ist nicht nur eine grobe Verfälschung des tatsächlichen Zustandes — ein Mann wie der erste Reichspräsident, um nur ein Beispiel zu nennen, verfügte in hohem Maße über Fähigkeiten und Charakter — sondern auch eine Ablehnung des Prinzips der parlamentarischen Demokratie, die im Wechselspiel von Regierung und Opposition den einzelnen Parteien die Aufgabe zuweist, aus ihren jeweiligen Anhängern den möglichst bestqualifizierten für ein Amt vorzuschlagen in der Erwartung, daß er sich darin entweder bewährt oder durch einen Tüchtigeren von einer anderen Partei ersetzt wird. Der Vorwurf ist außerdem insofern ungerecht, als infolge der Verfassungsbestimmungen des Bismarckreiches, und vor allem aufgrund des Dreiklassen-Wahlrechts im größten Einzelstaat Preußen, die Vertreter der Sozialdemokratie nur ganz geringe Chancen hatten, die für die Ausfüllung höherer Regierungsämter nötige Erfahrung zu sammeln. Ganz abgesehen davon ist es gar nicht so einfach, Charaktereigenschaften für ein öffentliches Amt zu messen. In welchem Umfang in den Monaten nach dem deutschen Zusammenbruch von 1918 Beamtenstellen mit von Parteien vorgeschlagenen neuen Männern besetzt wurden, ist nicht bekannt. Sehr groß war die Zahl sicher nicht und daß dabei generell an die Stelle Geeigneter Ungeeignete gerückt wären, kann man auch nicht sagen. Auf jeden Fall hatte die NSDAP selbst hier ein Maß gesetzt, an dem sie sich später messen lassen mußte.

3. Urheber

Ein Programm mit derart vielseitigem Inhalt erwächst in der Regel nicht aus einem Kopf. Einzelne Forderungen sind gleichsam Allgemeingut einer Zeit, beispielsweise die Förderung der Volksbildung in einem modernen Industriestaat, der auf eine höhere intellektuelle Qualifikation von immer mehr Mitbürgern angewiesen ist im Vergleich etwa zu einem rückständigen Agrarstaat. Andere Postulate zielen auf eine bestimmte Gegenwartslage in einem Staat und tauchen in den Programmen ganz verschiedener Parteien auf, so in Deutschland die Zurückweisung der durch Versailles geschaffenen Verhältnisse. Die innige Verbindung weitgespannter sozialistischer Forderungen mit dem Verlangen einer Stärkung der nationalen Eigenart im Programm der NSDAP hat aber ihre besondere Vorgeschichte.

Vorväter

Der Gedanke eines „Deutschen Sozialismus“ als Widerpart zum internationalistischen Sozialismus von Karl Marx und Friedrich Engels, der seit der Mitte des 19. Jahrhunderts in der Arbeiterschaft der meisten europäischen Länder einen scheinbar unaufhaltsamen Vormarsch angetreten hatte, war auf dem Boden der viele, nicht gleichberechtigte Nationen unter ihrem Dache vereinigenden Doppelmonarchie Österreich-Ungarn erwachsen. Schon im August 1904 konnte eine „Deutsche Arbeiterpartei“ in dem überwiegend von Deutschen bewohnten Städtchen Trautenau im nordöstlichen Böhmen ihren ersten Parteitag abhalten. In ihrem Programm heißt es: „Wir verwerfen die internationale Organisation, weil sie den vorgeschrittenen Arbeiter durch den niedriger stehenden erdrückt und vollends in Österreich jeden wirklichen Fortschritt der deutschen Arbeiterklasse unterbinden muß“[8]). Den Hintergrund solcher Aussagen bilden die erbitterten Auseinandersetzungen zwischen Deutschen und Tschechen seit der Mitte des 19. Jahrhunderts. Während die Tschechen um die politische Gleichrangigkeit ihrer Nation mit den Deutschen kämpften, versuchten die Deutschen, die Gleichstellung zu verhindern. Übermäßig erfolgreich ist freilich die „Deutsche Arbeiterpartei“ nicht, 1911 kann sie ganze drei Abgeordnete in den Wiener Reichsrat entsenden. Ein gewisser Unterbau mit eigenen Zeitungen, Konsum- und Wohnbaugenossenschaften ist allerdings entstanden. Auf dem letzten Parteitag, am 5. Mai 1918, nimmt die Partei den neuen Namen „Deutsche Nationalsozialistische Arbeiterpartei“ an.

[8]) Ernst Deuerlein (Hrsg.), Der Aufstieg der NSDAP in Augenzeugenberichten. 2. Aufl. München 1976, S. 41 = dtv 1040.

Anton Drexler

Geht man von dem späteren Parteinamen aus, so ist der unmittelbare Vorläufer der NSDAP auf dem Boden Deutschlands die „Deutsche Arbeiterpartei", die der Schlosser Anton Drexler am 5. Januar 1919 gegründet hatte. Sein wichtigster Mitstreiter und späterer Parteivorsitzender war der Sportjournalist Karl Harrer. Die ersten Parteimitglieder waren Kollegen aus Drexlers Betrieb, die ersten Förderer der Partei Mitglieder der „Thule-Gesellschaft" (Thule ist eine antike Bezeichnung für Skandinavien). Drexler war wirklich ein Proletarier, nach seiner eigenen Aussage hatte er vor dem Weltkrieg schmerzliche Erfahrungen mit gewerkschaftlich organisierten, marxistischen Arbeitern und mit einem jüdischen Brotgeber gemacht. Während des Weltkrieges, von der Bayerischen Staatsbahn als unabkömmlich erklärt, machte er sich Gedanken über einen guten Frieden und häufte in sich Groll gegen die Schieber und Kriegsgewinnler an. Als er 1919 eine Broschüre mit dem Titel „Mein politisches Erwachen" veröffentlichte, war sein Weltbild bereits fertig. Er brauchte nicht mehr die seit dem Februar 1920 zu den österreichischen Nationalsozialisten bestehenden Verbindungen, um mit einer „judenfreien" deutschen Arbeiterpartei das Schicksal seines besiegten Vaterlandes zum Besseren wenden zu wollen. Die dafür maßgebenden „Richtlinien"[9]) aus der Feder Drexlers enthielten bereits die „Gewinnbeteiligung der Arbeiter städtischer und ländlicher Betriebe" und auch die später in der nationalsozialistischen Propaganda so vielfach verwendete Formel von der „Adelung des deutschen Arbeiters". Die Aufgabe, in der Öffentlichkeit die Partei zu repräsentieren,

[9]) Franz A. Six (Hrsg.), Dokumente der Deutschen Politik. Reihe: Die Zeit des Weltkrieges und der Weimarer Republik, Band 3, 1 (Junker und Dünnhaupt, Berlin 1942), S. 283—286.

Versammlungen zu leiten, übernahm der gewandtere Karl Harrer, der freilich schon im Juli 1921 auf den Posten eines (einflußlosen) Ehrenvorsitzenden abgeschoben wurde.

Gottfried Feder

Zu den frühen Mitgliedern der Partei gehörte der spätere Rechtsanwalt und nachmalige Generalgouverneur in Polen, Hans Frank. Er nimmt für sich in Anspruch, die von Drexler entworfenen „Richtlinien" überarbeitet zu haben[10]). Ist dies auch quellenmäßig nicht abzusichern — Frank war damals erst 19 Jahre alt — so ist so viel gewiß, daß er sich der Verwirklichung der juristischen Forderungen später ganz besonders annahm. Sicherer ist der Anteil Gottfried Feders an der Ausformulierung des endgültigen Programms zu ermitteln. Der studierte Eisenbetonfachmann hatte vor und während des Weltkrieges eine leitende Stellung in einem Baubetrieb inne und dabei mancherlei Schwierigkeiten mit der Beschaffung von Krediten und der Konkurrenz von Großfirmen gehabt. Auch er betätigte sich als Gründer, nämlich 1917 als der eines „Deutschen Kampfbundes zur Brechung der Zinsknechtschaft". Er war der typische Fall des Theoretikers — unbeschadet beachtlicher Fähigkeiten auf seinem Spezialgebiet des Betons — und vermochte nicht, seinem Bunde eine zahlenmäßig ins Gewicht fallende Basis zu schaffen. Nachdem er sich der „Deutschen Arbeiter-Partei" angeschlossen hatte, konnte er seine Gedanken in einen weiteren Kreis tragen. Der nachmalige Parteiführer Adolf Hitler hielt ihn gleichzeitig für so wichtig und seine eigene Stellung so wenig bedrohend, daß er ihn gewissermaßen zum Chefprogrammatiker machte. Auf der Reichskonferenz von Bamberg im Februar 1926 übertrug er ihm

[10]) Hans Frank, Im Angesicht des Galgens. 2. Aufl., Brigitte Frank, Neuhaus bei Schliersee 1955, S. 31.

die letzte Entscheidung „über alle Fragen, die sich auf das Programm beziehen"[11]). Bei der Umsetzung seiner Vorstellungen in die Praxis ist Feder dann kläglich gescheitert. Im Juni 1933 zum Staatssekretär im Reichswirtschaftsministerium berufen, zog er sich im Dezember 1934 mit 51 Jahren ins Privatleben zurück und nahm nur noch eine Honorarprofessur an der Technischen Hochschule zu Berlin wahr, die es ihm erlaubte, einer Lieblingsidee, dem Bau von Betonschiffen, nachzugehen. Sicher ist, daß Feders antikapitalistische Einstellung den Gehalt des Programmes und auch die Frühzeit der Partei nachhaltig beeinflußte.

Alfred Rosenberg

Nicht viel später als Feder trat mit Rosenberg einer der in den höheren Parteirängen vergleichsweise zahlreichen Volks- bzw. Auslandsdeutschen ein, auch dies ein Hinweis darauf, wieviel an nationalsozialistischem Gedankengut aus jenem Gebiet der ostmittel- und osteuropäischen Nationalitätenkämpfe erwachsen ist. Rosenberg stammte aus dem Baltikum, hatte in Riga und Moskau Architektur studiert, seine Heimat wenige Monate nach dem Sieg der Bolschewiki verlassen und sich in München der „Thule-Gesellschaft" angeschlossen. Daß er dem Bolschewismus keine vorteilhaften Züge abzugewinnen vermochte, liegt auf der Hand. Daß er hinter den Sowjets die „grinsende Fratze des internationalen Judentums" zunächst in einzelnen Figuren, dann generell erblickte, mag nach seinen russischen Erlebnissen noch erklärlich sein. Von da aus aber der Schritt zur allgemeinen Ablehnung des Christentums und der Freimaurer läßt sich biographisch kaum erklären. Rosenberg wurde neben Hitler selbst zum wichtigsten Ideologen des Nationalsozialismus und zum Schriftleiter des „Völkischen

[11]) Feder, a. a. O., S. 23.

Beobachters", der frühesten und insgesamt breitenwirksamsten Zeitung der Partei. In den Folgen von Rassenvermischungen erblickte er die Hauptursache für Auf- und Niedergang im Leben der Völker und er kämpfte mit unermüdlicher Feder für seine, von vielen Parteigenossen, gelegentlich auch von Hitler, mit mildem Spott oder schlichter Geringschätzung betrachtete Weltanschauung. Schließlich war er aber auch leidenschaftlich an Außenpolitik interessiert und konnte bis 1933 als der vermutliche Außenminister für eine zu bildende Regierung Hitlers gelten. Hierzu kam es freilich nicht und als er dann 1941 doch noch Reichsminister, nämlich „für die besetzten Ostgebiete" wurde, da scheiterte er ähnlich wie Feder an der Unfähigkeit, seine Anschauungen gegenüber den ungleich robusteren und geschickteren Konkurrenten in die Wirklichkeit umzusetzen.

Adolf Hitler

Von ganz anderem Zuschnitt war der Mann, der seit dem 16. September 1919 nach zögerndem Beitritt die Geschicke der NSDAP und seit 1933 die des deutschen Staates lenken sollte. Dabei hatten die ersten 30 Lebensjahre dem am 20. April 1889 in Braunau am Inn, nahe der bayerischen Grenze, geborenen Adolf Hitler keinen Aufschluß darüber gegeben, was aus ihm werden würde. Seine äußere und innere Entwicklung hat er selbst teils vage und verhüllend, teils verfälschend in seinem „Mein Kampf" dargestellt. Unter den späteren Historikern hat sich vor allem Werner Maser darum verdient gemacht, Legende und Wahrheit von einander zu trennen, so daß wir uns heute ein einigermaßen gesichertes Bild der frühen Jahre Hitlers machen können. Eine abgeschlossene Ausbildung hat er nicht erworben, den Vater mit 14, die Mutter mit 19 Jahren verloren. Gleichwohl brauchte er nicht Not zu leiden, weil das elterliche Erbe und seine Talente als Maler ihm für ein bedürfnisarmes Leben eine ausreichende Grundlage boten. Daß Erbmasse und Erziehung nicht sonderlich günstig waren, mag man ihm zugute halten. Dafür hatte er als ausreichendes Äquivalent für eine erfolgreiche Lebensbahn eine hohe Intelligenz, ein sehr gutes Gedächtnis und ein beachtliches Geschick, sich mündlich auszudrücken.

Im März 1913 verläßt er sein österreichisches Vaterland und begibt sich nach München. Sicher hat ihn diese Stadt auch als Künstler gereizt, aber noch mehr drängte es ihn, den österreichischen Kaiserstaat zu verlassen, in dem er allenthalben die Anzeichen des Verfalls sehen und das ungeduldige Pochen von ihm verachteter Nationalitäten auf Gleichstellung mit den Deutschen hören mußte. Daß er zunächst sich der Musterung durch die österreichischen Militärbehörden entzog, war weniger aus Wehrunwillen zu erklären als aus der Abneigung, in einer Armee zu dienen, in der er mit Juden, Tschechen, Polen usw. die gleiche Uniform hätte tragen müssen.

Ein erkennbares Lebensziel hat Hitler bis zu seinem 30. Lebensjahr nicht verfolgt. Da sollte der Ausbruch des Ersten Weltkrieges seine Einstellung schlagartig verändern. Vom patriotischen Aufschwung breitester Schichten der deutschen Bevölkerung mitgerissen, meldete er sich freiwillig zur bayerischen Armee und focht die ganze Kriegszeit über als Infanterist an der Westfront. Es erscheint als überraschend, daß dieser geistig überdurchschnittlich begabte und sicher auch nicht feige Mann es nicht weiter als zum Gefreiten brachte. An Führereigenschaften hat es ihm gewiß nicht gemangelt. Das Fehlen einer abgeschlossenen Schulbildung hat wohl dazu beigetragen, aber sicher noch mehr seine Neigung zum Einzelgängertum. Was ihn später auszeichnen sollte, das feine Gespür für die Stimmungen der Masse, konnte sich in dem geordneten, nach gleichsam bürokratischen Regeln ablaufenden Alltag an der Front nicht auswirken. Der Aufstieg aus dem Mannschaftsstand in die Offizierslaufbahn, der im Ersten Weltkrieg noch vergleichsweise selten im deutschen Heer war, erfolgte meist nur in Spezial-Einheiten, etwa bei den Jagdfliegern.

Jedenfalls kam Hitler als einer der rasch zahlreicher werdenden Vertreter der Frontkämpfer des Weltkrieges in die „Deutsche Arbeiterpartei" und das schlichte, meist undifferenzierte Schwarz-Weiß-Denken des Mannes im Granathagel sollte zunehmend auf die Haltung dieser Partei abfärben. Die sich neu formierende bewaffnete Macht des Weimarer Staates hatte diesen Frontsoldaten zunächst als Vertrauensmann mit der Aufgabe beschäftigt, die verschiedenen politischen Grüppchen und Zirkel in der bayerischen Landeshauptstadt daraufhin zu beobachten, ob sie sich für die Wiederherstellung der Wehrfähigkeit verwenden ließen. In dieser Eigenschaft — weniger höflich ausgedrückt: eines Spitzels — lernte Hitler die „Deutsche Arbeiterpartei" kennen. Von der betulichen Vereinsmeierei wollte er sich zuerst absetzen. Als er aber erkannte, wie es ihm gelang, als Redner eine größere Menschengruppe in seinen Bann zu schlagen, hatte er seine Aufgabe gefunden und widmete sich ihr mit jener Ausschließlichkeit, der die übrigen Parteigenossen, die zumeist noch einem Brotberuf nachgingen oder die durch den Krieg versäumte Berufsausbildung nachzuholen sich bemühten, nicht in der Lage waren.

Hitler war es, der sich dafür einsetzte, daß die junge Partei den Weg in eine breitere Öffentlichkeit ging, auf einer „Massenversammlung" ihr Programm vorstellte — als „Nationalsozialistischer Deutscher Arbeiterverein" war sie ins Vereinsregister eingetragen worden — und schließlich im August 1920 auf einem „Parteitag" in Salzburg zusammen mit Gesinnungsgenossen aus Österreich „zwischenstaatliche" Zusammenarbeit probte. Wie bei Drexler dürfte zu diesem Zeitpunkt auch Hitlers Weltbild bereits im wesentlichen fertig gewesen sein. Sieht man von seinem Bekenntnis zum Parteiprogramm ab, so hatte er es aber noch nirgends ausführlich niedergelegt. Das holte er erst in der unfreiwilligen Ruhepause des Jahres 1924 nach. Damals schrieb er in der Gefängniszelle zu Landsberg den ersten Teil seines Bekenntnisbuches „Mein Kampf". Auch wenn in der einen oder anderen Form an der endgültigen Fassung des Manuskriptes Vertraute beteiligt gewesen sein sollten, so stammen doch alle wesentlichen Gedanken bis in die Formulierungen hinein von ihm selbst. Im Unterschied aber etwa zu Rosenberg, der seinem Mythusbuch den Anschein der Wissenschaftlichkeit zu verleihen gesucht hatte, in dem er in Fußnoten Buchtitel anführte, und gerade dadurch gegenüber den Fachleuten verriet, wie unmethodisch seine Lektüre gewesen war, wie er sich gutgläubig auf Autoren verließ, deren Ergebnisse innerhalb der Fachwelt umstritten, wenn nicht überhaupt abwegig waren, verzichtete Hitler auf derlei Beiwerk und verkündete mit ungehemmtem Selbstvertrauen seine Ansichten über Volk und Rasse. Es mag mit seiner Grundhaltung zusammenhängen, aus gelesenen Büchern immer nur das zu entnehmen, was in seine einmal gezimmerte Weltanschauung hineinpaßte, daß er auch bei seinen Lesern diese Einstellung erwartete. Immerhin ist „Mein Kampf" eines der wenigen Bücher, bei dem das Inhaltsregister vor dem eigentlichen Text abgedruckt ist, gleichsam zum Herausholen der jeweils gerade gebrauchten Einzelheiten verlockend, nicht zur systematischen Auseinandersetzung mit dem Ganzen.

4. Weltanschauung

Hinter dem, was sich in den einzelnen Punkten des Parteiprogramms und den Reden oder Schriften der Parteiführer niederschlug, standen geistige, oder besser ungeistige, Strömungen, die im wesentlichen das 19. Jahrhundert hervorgebracht hatte. Die vorherrschende Denk- und Empfindungsrichtung war dabei der Nationalismus.

Nationalismus

Das 18. Jahrhundert hatte die Nation und den von ihr abgeleiteten „-ismus“ noch kaum gekannt. Die Auseinandersetzungen spielten sich damals zwischen den Fürsten ab. Anteil nahmen daran die Höfe und die Streitkräfte, während die Bürger ihren Geschäften und die Bauern der Nahrungserzeugung nachgingen. Die Französische Revolution von 1789 hatte dann nationweit das städtische Bürgertum als politischen Faktor ins Spiel gebracht, und die Eingliederung von Massen von Bürgern in die bisherigen Söldnerheere hatte nicht nur die Kopfzahl der Armeen mächtig gesteigert, sondern auch die innere Beteiligung eines größeren Teiles des Volkes an Sieg oder Niederlage des eigenen Staates erreicht. Als sich Napoléon I. als der nicht ganz legitime Erbe der Revolution mit seinem militärischen Genie anschickte, Europa sein Gesetz aufzuzwingen, beflügelte er nicht nur seine Soldaten mit dem Geist der „grande nation“, sondern bewirkte auch unfreiwillig, daß in den besiegten Völkern von Spanien bis Rußland als Gegenreaktion sich das Nationalgefühl entzündete und die militärischen Operationen auf beiden Seiten mehr und mehr von Volksheeren getragen wurden. Die Romantik hat das wachsende Nationalgefühl bei den Deutschen vertieft — von Deutschland auch auf die östlichen Nachbarvölker ausstrahlend. Aber nach dem Wiener Kongreß (1815) wurde weder der ersehnte deutsche Nationalstaat geschaffen, noch die demokratische Beteiligung der Gesamtheit der Staatsbürger an der politischen Macht errungen. Erst 1871 hat der preußische Ministerpräsident Otto von Bismarck in einem raffiniert ausgelösten Krieg mit Frankreich die deutsche Einheit schmieden können. Mit der fiebrigen

Leidenschaft der „verspäteten Nation“ ergaben sich nun breite Kreise des deutschen Volkes dem Stolz auf das eigene Vaterland, der ja so häufig begleitet wird von der Geringschätzung anderer Vaterländer, auch wenn dies nicht zwangsläufig der Fall ist. Im Zeitalter des Imperialismus wurde zunehmend die eigene nationale Größe daran gemessen, wieviele Millionen des Nationalvermögens in Kriegsschiffen und Geschützen angelegt und wieviele Quadratkilometer außereuropäischer Territorien in politische Abhängigkeit von den Mutterländern gebracht worden waren. Es wäre ungerecht, hierbei zu übersehen, daß das nationalistische Fieber mehr oder weniger alle Nationen Europas erfaßte. Für Deutschlands Entwicklung war es nur so besonders schmerzlich, daß der gewaltige Aufstieg von 1871 bis 1914 nicht ohne beträchtliches eigenes Verschulden seiner Führungsschicht in der Katastrophe des verlorenen Weltkrieges abgebrochen wurde. Für den Nationalisten war es unerträglich mitanzusehen, wie Deutschland von der Höhe seines weltweiten Ansehens und seiner kriegerischen Erfolge herabgesunken war auf den Rang eines wehrlosen Mittelstaates, aus tausend Wunden blutend und sich überdies noch selbst zerfleischend. Das konnte einfach nicht mit rechten Dingen zugegangen sein.

Antisemitismus

Man könnte die Judenfeindschaft als eine Äußerung des Nationalismus betrachten, wäre sie nicht viele Jahrhunderte älter. Die Juden hatten das Unglück, ihre älteste Heimat geographisch an einer Stelle des Nahen Ostens zu haben, an der sich die Großmachtinteressen der beiden Siedlungszentren des Niltales und des Zweistromlandes überschnitten. Hatten die Israeliten schon im 6. vorchristlichen Jahrhundert die Verpflanzung eines großen Teils ihrer Bevölkerung nach Mesopotamien hinnehmen müssen, so zerstörte das Römische Imperium bis ins 2. nachchristliche Jahrhundert die letzten Reste einer staatlichen Selbständigkeit. Schon vorher, und verstärkt nach der Eroberung Jerusalems im Jahre 70, verbreiteten sich Juden in den Städten des östlichen Mittelmeerraumes, dabei zumeist die ältere Lebensweise als Bauern oder Viehzüchter gegen die von Handwerkern und Kaufleuten eintauschend.

Das zweite Unglück der Juden bestand darin, daß der hohe Anspruch der ihnen offenbarten Religion in Konflikt geriet zunächst mit dem vergleichsweise toleranten römischen Kaiserkult, dann aber mit der auf dem Mutterboden des alttestamentlichen Judentums erwachsenen christlichen Religion. Als sich letztere im 4. Jahrhundert zur Staatskirche des Reiches entwickelte, begann sie — um der reinen Wahrheit willen — alle die zu verfolgen, die ihr nicht angehörten. Unter dieser Feindseligkeit, die gespeist war von einem allzu wörtlichen Verständnis der neutestamentlichen Überlieferung, hatten die Juden, die sich im Laufe des frühen Mittelalters über weite Teile des westlichen und mittleren Europa ausgebreitet hatten, immer wieder schwer zu leiden. Von Diskriminierungen der verschiedensten Art bis zur gewaltsamen Austreibung, vor allem aus Spanien Ende des 15. Jahrhunderts, und zum Gruppenmord, vor allem während der Kreuzzüge, reichte die Skala, wobei sich blinder Glaubenseifer mit individuellem Sadismus und Wirtschaftsneid mit nationalen Minderwertigkeitskomplexen paarten. Seit dem hohen Mittelalter verlagerte sich der Schwerpunkt des europäischen Judentums von den alten Zentren am Mittel- und Oberrhein in das Staatsgebiet des historischen polnischen Reiches. Allerdings hielten sich kleinere Gruppen von Juden sehr verschiedenartiger Herkunft und in sehr unterschiedlichen sozialen Stellungen in Deutschland. Im 18. Jahrhundert ist etwa der „Hofjude" (Jud Süß) geradezu ein Typus geworden, wobei die stets gefährdete Ausnahmestellung dieser Männer gern übersehen wird.

Im 19. Jahrhundert setzte sich mit den übrigen liberalen Veränderungen der europäischen Gesellschaft schrittweise auch die „Judenemanzipation" durch, wodurch jetzt Angehörige des mosaischen Glaubens überhaupt erst einmal die Möglichkeit erhielten, Beamtenposten zu besetzen und ihnen bisher verschlossene Berufe zu ergreifen. Dank der harten Auslese im „Ghetto" und der den kritischen Verstand schärfenden Schulung an den Texten des Talmud erwiesen sich viele emanzipierte Juden ihren beruflichen Konkurrenten als überlegen, was auf deren Seite dann entsprechende Abwehrreaktionen erzeugte, wobei sich der einzelne Christ natürlich nicht darüber klar wurde, wie viel seine Vorfahren zu diesem Ergebnis selbst beigetragen hatten.

Ende der siebziger Jahre des 19. Jahrhunderts entsteht der Begriff „Antisemitismus", insofern schief, als er sich ja nicht gegen alle Völker semitischer Sprache wendet, sondern nur gegen ihren in Europa vertretenen Zweig, die Juden. Es entstehen nun antisemitische Parteien, die versuchen, auf dem Weg über das Parlament die Juden zurückzudrängen. Im Deutschen Reich war dies vor allem die „Christlich-Soziale Arbeiter-Partei" des Berliner Hofpredigers Adolf Stöcker, die 1887 einen, 1907 sogar 16 Abgeordnete in den Reichstag brachte, um sie freilich 1912 bis auf drei wieder zu verlieren. Dieser Rückgang war aber weniger ein Ergebnis einer verminderten Judenfeindschaft als das innerer Auseinandersetzungen unter den Antisemiten über den richtigen Weg zur Lösung des jüdischen Problems. Neben der offiziellen Parteipropaganda zur Zurückdrängung jüdischen Wirtschaftseinflusses[12]) lief freilich ein trüber, in viele Rinnsale aufgespaltener Strom von judenfeindlicher Hetze, der

[12]) Vgl. hierzu als Vorläufer den Wiener Bürgermeister Karl Lueger, Quellenstück Nr. 4.

sicherlich nicht ohne Wirkung auf die lesende Bevölkerung blieb. So wurden von dem „Antisemiten-Catechismus" Theodor Fritschs, von Hause aus Techniker, schon bis 1893 mehr als 90 000 Exemplare abgesetzt. Die Politik der Reichsregierung hielt sich zwar davon frei, aber auf gesellschaftlicher Ebene, bei der Zulassung zur Offizierslaufbahn waren die Juden in Deutschland auch 1914 noch nicht völlig gleichgestellt mit ihren deutsch„blütigen" Mitbürgern. In dem Augenblick, wo allerdings der Jude seine Religion zu Gunsten des Übertritts in eine der christlichen Kirchen aufgab, galt er als Deutscher. Das änderte sich erst, als die Judenfeindschaft auf die angebliche rassische Grundlage zurückgeführt und mit der Artverschiedenheit von Germanen und Juden begründet wurde[13]). Jetzt gab es für den Juden nur noch die Möglichkeit, auszuwandern oder sich erneut in ein Ghetto abdrängen zu lassen.

Rassenlehre

Daß Menschengruppen sich nach ihren biologischen Eigenschaften unterschieden, hat schon die Antike beobachtet. Daraus aber den Schluß zu ziehen, daß unterschiedliche Haut- oder Haarfarbe ein Beweis für geringeren oder höheren Wert der Träger dieser Merkmale liefere, blieb dem späten 17. Jahrhundert vorbehalten. Dabei ist es bemerkenswert, daß einer der ältesten Vertreter dieser Denkweise Henri Graf de Boulainvilliers (1658—1722) insofern politisch motiviert war, als er den französischen Adel auf die im Frühmittelalter in das von den Römern beherrschte Gallien eingedrungenen fränkischen Stämme zurückführte, die damals den unterworfenen Kelten die Freiheit gebracht hätten und deren Nachkommen deshalb zur Herrschaft berechtigt seien. Der Göttinger Völkerkundler Chri-

[13]) Vgl. eine charakteristische Stelle bei Alfred Rosenberg, Quellenstück Nr. 5.

stoph Meiners (1747—1810) ging dann einen Schritt weiter, indem er die abendländischen Rassen, einschließlich der Slawen, als allen anderen Völkern physisch und geistig überlegen erklärte. Für die Vorgeschichte der nationalsozialistischen Rassenlehre war dann am wichtigsten der Franzose Arthur Graf de Gobineau (1816—1892). Er hatte als Diplomat in Griechenland und Persien gelebt und mit wachsendem Staunen die großartigen Kulturleistungen der alten Griechen und Perser mit dem relativ bescheidenen geistigen Niveau dieser Völker in seiner eigenen Zeit verglichen. In seinem „Essai sur l'inégalité des races humaines" (4 Bände, 1853—1855) versuchte er, diesen Niedergang als die Folge der Vermischung von kulturschöpferischen Rassen mit Kulturzerstörern zu erklären. Er kam zu dem Ergebnis, daß einzig die „arische" Rasse in der Lage sei, eine Hochkultur aufzubauen. Durch mehrfach aufgelegte Übersetzungen wurde sein Werk in Deutschland breiteren Kreisen bekannt als in seinem Vaterland selbst. Dabei haben die deutschen Leser allerdings seine Auffassung nicht angenommen, daß die Deutschen das Produkt einer keltisch-slawischen Rassenmischung seien. Den Lobpreis der Germanen[14]) sang dann ein Brite, Houston Stewart Chamberlain (1855—1927), der seit 1885 in Dresden lebte, sich Jahre in Wien aufhielt und 1908 Richard Wagners Tochter Eva heiratete. Aus ihm, der zumindest ein naturwissenschaftliches Studium abgeschlossen, sich später aber nur noch mit kulturphilosophischen Fragen befaßt hatte[15]), schöpften viele nationalsozialistischen „Denker" ihre Argumente. Man muß diesen Theoretikern einer Überlegenheit der arischen Kultur zugutehalten, daß viele bedeutende Schöpfungen z. B. in Afrika damals noch nicht oder nicht so gut bekannt waren wie heute, man muß auch darauf hinweisen, daß die Wis-

[14]) Vgl. einen Auszug aus Hans F. K. Günthers „Rassenkunde des deutschen Volkes", Quellenstück Nr. 2.

[15]) Ein Zitat von Chamberlain, siehe Quellenstück Nr. 1.

senschaft vom Menschen, die Anthropologie, damals über die außereuropäischen Rassen viel weniger auszusagen vermochte, als dies heute möglich ist. Das Ausschlaggebende war jedoch, daß diese methodisch unvorsichtigen, voreiligen Verallgemeinerungen in die Köpfe von Politikern gerieten, die daraus blutige Konsequenzen zu ziehen bereit waren.

Sozialdarwinismus

Angesichts des bunten Erscheinungsbildes der Menschenrassen auf der Erde mußte auch die Frage auftauchen, aus welchen Ursachen das Überleben der einen und das Untergehen der anderen Rasse zu verstehen sei. Hierbei knüpften Gelehrte, darunter etwa der deutsche Geograph Alfred Kirchhoff (1838—1907), an die Erkenntnisse an, die der britische Zoologe Charles Darwin am Tierreich gewonnen hatte. Dort setzt sich innerhalb einer Gruppe und zwischen verschiedenen Gruppen im gleichen Lebensraum jeweils das Individuum oder die Gruppe durch, die biologisch stärker, gesünder, fruchtbarer ist. Der Naturwissenschaftler nahm dies als gottgegebenes Prinzip hin, weil hierdurch allein die Arterhaltung gesichert sei. Dies nun auf den Menschen anzuwenden, der ja nicht nur durch biologische Instinkte, sondern als ein sittliches Wesen von ethischen Grundsätzen geleitet ist, besser, sein soll, hieß wiederum eine unzulässige Verallgemeinerung in der Wissenschaft vorzunehmen oder die Unterschiede zwischen Menschen und Tieren bewußt zu verwischen. Die sich daraus für den Politiker ergebenden Schlußfolgerungen einer solchen pseudowissenschaftlichen Lehre hießen: alles zu tun für die Erhaltung der eigenen Art, im Innern des Volkes alles Schwache auszuscheiden oder nicht zur Entwicklung kommen zu lassen, nach außen sich mit allen Mitteln zu rüsten für den Kampf mit möglichen Konkurrenten, und wenn man sie besiegt hatte, dafür zu sorgen, daß ihre biologische Kraft gebrochen würde[16]).

Deutsche Kirche

Parallel etwa zur Verbreitung des Kultes der germanischen Rasse begann eine intensive Beschäftigung mit „nordischen" Glaubensvorstellungen. Die Grundlagen hatten schon die Gebrüder Grimm mit der Erforschung der älteren deutschen Sprachdenkmäler gelegt. Dazu kam ebenfalls noch vor der Jahrhundertmitte die Aufarbeitung des in den ältesten historischen Überlieferungen steckenden Materials über die Germanen. Schließlich erschloß man auch das Sagen- und Liedgut der europäischen Nordländer, vor allem durch Übersetzungen von Karl Simrock und Felix Genzmer. Hier trat dem Leser eine andere Götterwelt entgegen als in den Zeugnissen des Alten und Neuen Testaments. Heldische Götter, die sich nicht ans Kreuz schlagen lassen und ihren Peinigern verzeihen, sondern Götter, die kämpfen und lieber mit einer Verwünschung untergehen, als sich geschlagen zu geben. Wenn nun die germanische Rasse schon so weit über den anderen Rassen stand, lag es nahe, die geistige Verkörperung ihres Wertes, die Religion, auch für die heutigen Deutschen zu übernehmen. Das fügte sich auch mit der antisemitischen Stimmung zusammen. Wollte man die Juden aus dem deutschen Sozialkörper entfernen, dann mußte man auch das Erzeugnis ihrer rassischen Eigenart, den Glauben an den Gott Jahwe, aus dem Christentum entfernen. So hat es einerseits nicht an Versuchen gefehlt, Christus für die arische Rasse in Anspruch zu nehmen, andererseits einen neuen deutschen Glauben aus arischen Glaubenselementen aufzubauen[17]). Daß solche Be-

[16]) Vgl. dazu aus Hitlers zweitem Buch Quellenstück Nr. 3.
[17]) Vgl. Quellenstück Nr. 10.

mühungen am Wesen dessen, was eine Offenbarungsreligion ist, vorbeizielen, liegt auf der Hand; aber auch, daß mit der Säkularisierung des Glaubens seit dem Zeitalter der Aufklärung und der liberalen Theologie eine tiefe Erschütterung der christlichen Substanz des deutschen Volkes einherging. Sowohl Laien als auch Theologen haben an dieser neuheidnischen Bewegung mitgewirkt.

5. Konsequenzen

Über Weltanschauungen läßt sich trefflich streiten, wenn Intellektuelle in hochgestochener Sprache unter Verwendung eines anspruchsvollen Wortschatzes ihre Visionen in dickleibigen Büchern niederlegen. Sehr viel gefährlicher für einen Staat und eine Gesellschaft wird es, wenn der Ideengehalt auf griffige und grobe Schlagworte reduziert in die Masse einer mit ihrer Lage nicht zufriedenen Bevölkerung geschleudert wird. Und genau das geschah nun nach 1918 in Deutschland.

Der Dolchstoß

Dreieinhalb Jahre Krieg hatte das Deutsche Reich durchgestanden, dann, wenige Wochen vor dem geplanten Entscheidungsschlag an der Westfront, zu dem eine beträchtliche Zahl der durch den Zusammenbruch Rußlands freigewordenen Verbände nach dem Westen transportiert worden war, streikten in Berlin und einer Reihe anderer Städte die Munitionsarbeiter. Sieben Tage lang, vom 28. Januar bis 4. Februar 1918, blieb der Nachschub an Granaten und Patronen für die Front aus. Dann hatten Truppen und die Mehrheitssozialisten in den Streikkomitees die Arbeiter veranlaßt, die Produktion wieder aufzunehmen. An der Tatsache des Streiks kommt man nicht vorbei. Es kommt nur darauf an, wie man sie interpretiert. Mißt man den Produktionsausfall an der Gesamtleistung der überanstrengten, mit Nahrungsmitteln schlecht versorgten Arbeiterschaft während des Krieges, so fällt er überhaupt nicht ins Gewicht. Wägt man seine Rückwirkungen auf die Soldaten an der Front, vor allem aber auf die Offiziere und diejenigen Politiker, die immer noch in Träumen von einem Siegfrieden schwelgten, dann war hier doch ein tiefsitzender Groll gegen diejenigen, die anscheinend für die Niederlage verantwortlich waren, nicht unverständlich. Es war ja nicht der Streik allein, sondern es waren die Meutereien auf der Hochseeflotte Anfang November 1918, es war kriegsfeindliche Agitation in der Truppe, vor allem durch die sogenannten „Spartakus-Briefe", es war das Versagen in der Etappe auf der einen und die Bereicherung von Schiebern auf der anderen Seite, die die innere Front geschwächt, ja dem kämpfenden Siegfried an der Front den Dolch (Speer) von hinten an seine einzig verwundbare Stelle gestoßen hatten.

Das Rohmaterial für die „Dolchstoßlegende" lag also bereit, und die besiegten obersten Führer des deutschen Heeres, der Generalfeldmarschall von Hindenburg und der General Ludendorff, zögerten nicht, in ihren schon 1919 und 1920 erschienenen Memoiren diese falschen Behauptungen zu verbreiten[18]). Daß solche Aussagen, mit der Autorität der verantwortlichen militärischen Fachleute vorgetragen, in Bürgern ohne den großen Überblick verheerende Folgen haben mußten, war klar. Die Volksvertretung hat deshalb einen Untersuchungsausschuß eingesetzt, der die Aufgabe erhielt, die Ursache des deutschen Zusammenbruches von 1918 durch Vernehmung von politischen und mili-

[18]) Generalfeldmarschall von Hindenburg. Aus meinem Leben. S. Hirzel, Leipzig 1920, S. 403; Erich Ludendorff, Meine Kriegserinnerungen 1918—1919, Ernst Siegfried Mittler, Berlin 1919, S. 619.

tärischen Sachverständigen unparteiisch zu erforschen. Einstimmig nahmen die Mitglieder dieses Ausschusses folgende Beurteilungen an (in anderen gab es abweichende Meinungen): „... Das durch die Niederlage am 8. August [1918] deutlich gewordene Scheitern der Gesamtoffensive erklärt sich daraus, daß durch die unerhörten, fortgesetzten Kämpfe die seelische und körperliche Leistungsfähigkeit der Truppen erschöpft war und daß an der Front der Mannschaftsersatz und die Vorräte an Kriegsmaterial nicht mehr ausreichten ..." Und weiter: „Der Krieg war militärisch verloren, als während der Rückverlegung der deutschen Westfront im September 1918 der Zusammenbruch Bulgariens, dem der Österreich-Ungarns folgte, auch die Lage des deutschen Feldheers völlig verändert hatte. Von da an erschien jeder Versuch, mit nur militärischen Mitteln zum Frieden zu kommen, zwecklos ..."[19]). Diese nüchternen Feststellungen wurden freilich erst im Jahre 1928 publiziert, nachdem die Legende von dem tödlichen Dolchstoß fast zehn Jahre hatte wirken können.

Der Jude im Hintergrund

Und hinter den verführten Meuchelmördern der deutschen Front erblickten die Antisemiten den Juden. Seine Rasseneigenart verdammte ihn dazu, alles Große und Schöne zu zersetzen, damit er aus dem Niedergang Profit schlagen könne. Auch hier gab es Anhaltspunkte für eine solch absurde Schlußfolgerung. Da waren die bekannten Führer auf dem linken Flügel der deutschen Sozialdemokratie, die sich zwar längst vom Glauben ihrer Väter gelöst hatten, aber „naturgemäß" nicht ihre Rasseneigenschaften hatten abstreifen können. Und hinter ihnen standen ihre

[19]) Das Werk des Untersuchungsausschusses ... Band IV, 1 (Deutsche Verlagsgesellschaft für Politik und Geschichte, Berlin 1928), S. 23—24.

Gesinnungsgenossen, die das Zarenregime unterwühlt und dort die soziale Revolution herbeigeführt hatten. Das war ein einheitlicher Weltplan der Juden Marx und Engels, sich mittels ihrer Revolutionslehre alle arischen Staaten untertan zu machen. Gegenüber diesem Bolschewismus konnte es nur eines geben, Kampf bis aufs Messer. Daß die kaiserliche Regierung selbst wesentlich dazu beigetragen hatte, daß Lenin im November 1917 den Sieg in Petrograd hatte erringen können, indem sie die Durchreise der Revolutionäre durch Deutschland aus der neutralen Schweiz gestattet hatte, war demgegenüber vergessen worden. Man dachte auch wenig darüber nach, welche Anstrengungen die Mehrheitssozialisten in Deutschland unternommen hatten, um nach dem Zusammenbruch das deutsche Staatsschiff auf ruhigen, nichtrevolutionären Kurs zu bringen. Ganz zu schweigen davon, daß übersehen wurde, daß der Mann, der die entscheidenden gedanklichen Anstöße dafür geliefert hatte, daß sich die deutsche Sozialdemokratie auf den Kurs der Evolution begab, nämlich Eduard Bernstein, auch ein Jude war.

Bemerkenswert ist nun, daß für die eingeschworenen Antisemiten die Juden nicht nur den Bolschewismus als Werkzeug ihrer Weltherrschaftspläne steuerten, sondern gleichzeitig auch dessen Hauptgegner, das kapitalistische Wirtschaftssystem, sich dienstbar gemacht hatten. Juden beherrschten die Londoner Börse und damit die Regierung. Das britische Oberhaus war verjudet. In den Vereinigten Staaten hatte die von Juden beherrschte Presse den Kriegseintritt gegen die Mittelmächte bewirkt und so weiter. Auch hier war die Erklärung wieder ganz einfach. Die das Kapital steuernden Juden erwarteten sich von der Niederwerfung Deutschlands die Vernichtung einer Wirtschaftskonkurrenz und damit erhöhte Gewinne aus der zu erwartenden Monopolstellung. Wenn das so stimmte, dann hätten aber diese britischen, französischen, amerikanischen Juden ja praktisch gegen das Interesse ihrer Rassegenossen in Deutschland und Österreich gewirkt. Auch gegen einen solchen schlichten Einwand, wußte der Antisemit etwas zu sagen. Einerseits hätten die deutschen Juden auch aus dem unterliegenden Deutschland genügend Profit geschlagen, andererseits hätten nach dem Kriege die Juden in den Siegerstaaten dazu beigetragen, daß ihre heimlichen Verbündeten in Deutschland durch den Krieg nicht ruiniert wurden.

Es darf nun nicht der Eindruck entstehen, als hingen gewisse antikapitalistische Tendenzen nur mit der Vorstellung zusammen, hinter dem Geld- und Goldsystem stünde die internationale Verschwörung der Juden. Ein allgemeines Unbehagen gegenüber der Konzentration von Kapital in wenigen Händen, über die Bildung immer größerer Betriebe und Firmenzusammenschlüsse war in weiteren Kreisen des Mittelstandes durchaus verbreitet. Aber es war, einfacher, diese Erscheinungen, die mehr oder weniger alle Industriestaaten kannten, auf eine leicht identifizierbare Bevölkerungsgruppe zurückzuführen, als sich zu fragen, welche ökonomischen und sozialen Zwänge hinter diesen Vorgängen standen, und sich Gedanken darüber zu machen, wie man ihnen nötigenfalls entgegensteuern könnte.

Der dritte Hauptfeind der Antisemiten und Nationalisten war schließlich der Liberalismus. Hatte nicht das liberale Bürgertum sich lange gegen den starken und einheitlichen Staat gestemmt, bis schließlich die Nationalliberalen zu Bismarcks Fahnen übergelaufen waren? War nicht die liberale Denkweise entscheidend dafür verantwortlich, daß die staatsbürgerliche Gleichstellung der Juden vorgenommen wurde? Und erst als deren Folge waren diese „Fremdrassigen“ in die Lage gekommen, ihr Zersetzungswerk, getarnt durch das Mäntelchen äußerlicher Assimilation, am deutschen Wesen zu vollenden. Eine gerade Linie verband solche Zersetzer von Heinrich Heine, der vom französischen Exil aus sein Heimatland verspottete, bis zu Maximilian Harden, dessen Enthüllungen das Ansehen der höchsten preußischen Gesellschaftsschicht erschütterten. Gewiß konnten auch hier die Judenfeinde eine ganze Reihe klingender jüdischer Namen aufzählen, die die liberalen Parteien und Gruppierungen geziert hatten, aber keineswegs hatten sie je auch nur in einer Organisationseinheit einen nennenswerten Anteil, geschweige denn etwa eine absolute Mehrheit besessen.

Der Antisemit traute seinem erfundenen Feind wirklich allerhand zu. Gleichsam alles, was seit der Mitte des 19. Jahrhunderts modern und zukunftsweisend im politischen und wirtschaftlichen Bereich war, hatten Juden teils selbst als teuflisches Werkzeug ihrer Weltherrschaftspläne erfunden, teils zu diesem Zweck ausgenutzt. Er glaubte, und davon war auch Hitler nicht ausgenommen, an die Echtheit der „Protokolle der Weisen von Zion", die immerhin noch der Brockhaus-Ergänzungsband von 1935 schamhaft als „angebliche Protokolle"[20]) bezeichnet und die längst als Fälschung der zaristischen Geheimpolizei erwiesen waren. Stellt man dem gegenüber, daß um 1920 die Zahl der Juden in Deutschland nicht ganz 600 000 oder noch nicht einmal 1 % der Gesamtbevölkerung ausmachte, so kann man nur annehmen, daß die Judenfeinde einen gewaltigen Minderwertigkeitskomplex hatten. Sie konnten allerdings darauf hinweisen, daß die genannten Zahlen sich immer nur auf die Juden bezogen, die sich bei den Volkszählungen zum mosaischen Glauben bekannten, die Zahl der „Rassejuden" aber viel größer gewesen sei und überdies die Juden in einflußreichen Stellungen es verstanden hätten, Nichtjuden zu ihren gehorsamen Handlangern zu machen.

[20]) Der Große Brockhaus, 15. Aufl. Ergänzungsband. Leipzig 1935, S. 626.

Schaut man sich die Ministerlisten der Weimarer Republik von 1919—1933 an, so finden sich im Reichskabinett insgesamt fünf Juden. Sicher gab es Berufe, in denen der Anteil der Juden ihren Anteil an der Gesamtbevölkerung weit überstieg, etwa der Prozentsatz jüdischer Medizindozenten an der Berliner Universität im Jahre 1931 mit mehr als 50 %. Neben diese Zahl muß man aber eine andere stellen: Unter 183 Nobelpreisen, die bis 1936 vergeben wurden, fielen 9 % an Juden aus Österreich und Deutschland[21]). Mit anderen Worten, aus der verhältnismäßig geringen Zahl deutscher und österreichischer Juden erwuchs eine sehr hohe Zahl von Spitzenkönnern. Und wenn den Juden die Schuld an der militärischen Niederlage Deutschlands 1918 zugeschoben wurde, dann ist auf die fast 100 000 eingezogenen Juden hinzuweisen, von denen 12 000 für ihr deutsches Vaterland fielen. Die Antisemiten haben aus diesen Zahlen errechnet, daß der Anteil gefallener Juden unter dem Prozentanteil der im Felde gebliebenen Christen gelegen habe. Dabei ist ihnen aber entgangen oder sie haben bewußt unterschlagen, daß die jüdische Bevölkerung im Vorkriegsdeutschland zum größten Teil in städtischen Siedlungen wohnte. Wollte man ihren Opferanteil also statistisch fair mit dem der Christen vergleichen, hätte man diesen Anteil bei der deutschen Stadtbevölkerung dem jüdischen gegenüberstellen müssen. Da hierfür die Unterlagen nicht vorhanden sind, hat Arnold Paucker den Opferanteil der Juden in Deutschland mit dem der Bevölkerung von München verglichen und siehe da, es ergab sich kein nennenswerter Unterschied[22]). Schließlich sei noch auf die Leistung des jüdischen Chemikers Fritz Haber

[21]) Wolfgang Scheffler, Judenverfolgung im Dritten Reich. 1933—1945. Colloquium Verlag, Berlin 1960, S. 14.

[22]) Arnold Paucker, Der jüdische Abwehrkampf gegen Antisemitismus und Nationalsozialismus in den letzten Jahren der Weimarer Republik. Leibniz Verlag, Hamburg 1968, S. 66 und 216 = Hamburger Beiträge zur Zeitgeschichte, Band 4.

hingewiesen, der während der Kriegsjahre als Leiter der chemischen Abteilung im preußischen Kriegsministerium gewirkt und durch die von ihm vorgeschlagene Verwendung von Chlorgas gehofft hatte, den Krieg eher und siegreich für Deutschland zu beenden.

Betrachtet man das nationalsozialistische Gedankengut, wie es sich im Parteiprogramm von 1920 und der dahinter stehenden Weltanschauung äußert, so sind vielerlei Strömungen und Vorstellungen darin eingegangen. Nicht die Originalität, sondern die „eiserne" Entschlossenheit das, was theoretisch zusammengeschustert war, in politische Wirklichkeit umzusetzen, hat die NSDAP zu dem gemacht, was sie 1945 war: Die Trägerin eines der blutigsten und grausamsten Ausrottungsfeldzüge in der Weltgeschichte.

So wenig selbständig und einfallsreich die Partei in der Prägung ihrer Leitbilder war, so wenig war sie es in der Wahl ihrer Worte. Das in der Sozialdemokratie seit 1879 als Anrede unter den Mitgliedern verwendete „Genossen", wurde von der NSDAP zu „Parteigenossen" erweitert. Die viel beschworene „Volksgemeinschaft" findet sich schon bei dem Gründer des erfolglosen „National-Sozialen Vereins" und späteren Freisinnigen, Friedrich Naumann. Den „Volksgenossen" als Gegenstück zum „Parteigenossen" hat Kurt Eisner in seiner Proklamation vom November 1918 benützt. Die später beliebte Formel von „Blut und Boden" als den Grunderfordernissen für ein gesichertes Deutschtum hat der ehemalige Sozialdemokrat August Winnig geprägt. Wiederum aber gilt: Es kommt in der Politik nicht so sehr auf die einfallsreichen und geglückten Wortschöpfungen an, sondern darauf, daß die Bürger und Wähler die Übereinstimmung zwischen Wort und Tat glauben erkennen zu können. Daß sie sich dabei gerade im Falle des Nationalsozialismus so fürchterlich täuschten, gehört mit zu den Warnungen, die uns das Studium unserer jüngeren Geschichte zuteil werden läßt.

II. Der Weg der NSDAP von 1918—1933

1. Die Anfänge

Für die NSDAP in ihrem frühesten Stadium erwies es sich als günstig, daß die Regierungsverantwortung in München früher als in Berlin von den Mehrheitssozialisten auf eine weiter rechts stehende Partei überging, nämlich die „Bayerische Volkspartei" (BVP). Bei der Landtagswahl von 1920 hatte die SPD rund zwei Drittel ihrer Abgeordnetensitze verloren, während die BVP mit Abstand die stärkste, wenn auch nicht mit absoluter Mehrheit ausgestattete, wurde. Ihr aus der Verwaltung kommender Ministerpräsident Gustav Kahr hielt entgegen den Forderungen der Reichsregierung seine schützende Hand über so manche politische und militärische Gruppierung in seinem Lande, für die nach dem Ende der Räterepublik ein unmittelbares Bedürfnis nicht mehr bestand.

Mitgliederpotential

Das Parteiprogramm der NSDAP wandte sich an ein breites Spektrum von Bürgern von gemäßigten Konservativen über nationale Sozialisten bis zu radikalen Antisemiten. Von diesen gab es im zweitgrößten Land des Deutschen Reiches naturgemäß eine ganze Menge. Darüberhinaus bestanden aber schon eine Reihe von Organisationen, für deren Mitglieder ein Anschluß an die neue Partei zumindest keine große geistige Überwindung bedeutete. Dazu zählten zunächst die verschiedenen Wehrorganisationen, die mit Unterstützung der Regierung am Rande der sich formierenden, aber noch sehr schwachen Reichswehr geschaffen worden waren. Am weitesten verbreitet waren die sogenannten „Einwohnerwehren", die sogar noch über schwere

Waffen verfügten, und auch in kleineren Orten Einheiten bildeten. Erst Anfang Juni 1921 konnte die Reichsregierung, die unter dem Druck ihrer Versailler Vertragspartner stand, die Auflösung dieser Verbände erreichen. Daneben gab es verschiedene „Freikorps", die nach der Tradition der Befreiungskriege von 1813 von einzelnen militärischen Führern aus dem Kreise der ehemaligen Frontkameraden und der Bevölkerung aufgestellt wurden. Zu ihnen zählten z. B. das Freikorps Epp, geleitet von dem ehemaligen Kommandeur des bayerischen Infanterie-Leibregiments, und die „Organisation Escherich" (Orgesch), aufgestellt von einem Forstrat und hervorgegangen aus der Einwohnerwehr. Gegenüber dieser hatten die Freikorps den Vorteil, weniger lokal gebunden zu sein. Klare politische Vorstellungen von der in Bayern zu schaffenden Ordnung dürften die meisten Mitglieder dieser locker organisierten Verbände nicht gehabt haben. Sie folgten ihren Führern, wie die meisten es schon im Kriege getan hatten. Aber die Wiedereinführung eines Volksheeres und die Beseitigung der Einschränkungen von Versailles waren sicherlich ihnen sympathische Forderungen.

Ein Feldherr gleichsam ohne Armee war Erich Ludendorff, der sich aus seinem schwedischen Exil 1921 nach Bayern begeben hatte. Trotz der Niederlage war sein Ansehen in militärischen Kreisen im allgemeinen ungebrochen und öffnete ihm viele Türen. Er war durchaus nicht abgeneigt, nun einmal eine politische Rolle zu spielen und stand zunächst noch nicht unter dem Einfluß seiner zweiten Frau Mathilde, die ihn schließlich zu einem Don Quijote werden ließ, der für seine „Deutsche Gotterkenntnis" mit Pamphleten und Traktaten gegen die großen Kirchen, die Juden und Freimaurer zum Kampfe antrat. Er traf auch bald mit Hitler zusammen und das kurzzeitige Zusammenspiel der beiden Männer sollte, wenn auch nur episodisch, einen Abschnitt der Parteigeschichte prägen. Vorläufig mußte er sich aber noch darauf beschränken, gleichsam passiv nur durch seinen Namen als deutscher Lenker des Weltkrieges Männer aus anderen Teilen Deutschlands nach Bayern zu locken, die ihm auch politisch folgen würden.

Schließlich rekrutierte sich ein beträchtlicher Teil der in Bayern neu gebildeten Reichswehreinheiten aus Männern ähnlichen Zuschnitts, wie sie sich in den Freikorps und Einwohnerwehren fanden. Im Gegensatz zu diesen brauchten sie sich aber nicht zu tarnen, verfügten über wenn auch nicht allzu üppige Geldmittel. In ihren Reihen stand z. B. der Hauptmann Ernst Röhm, der später in der Partei noch eine wichtige Rolle spielen sollte. Ein schneidiger Frontoffizier, aber auch ein Mann mit taktischem Geschick und bereit, sich Hitler zu unterstellen.

Neben diesen Auffangbecken für Soldaten des Weltkrieges gab es Gruppierungen, die den Antisemitismus parteipolitisch vertreten wollten. Genannt sei hier die im Sommer 1919 in München gegründete, auch in Norddeutschland mit einer Reihe von Zellen vertretene „Deutsch-sozialistische Partei", an deren Spitze der Dipl.-Ing. Alfred Brunner stand. Für die bayerische Entwicklung war wichtiger der ehemalige Volksschullehrer Julius Streicher, der von Nürnberg aus Anhänger für ein Programm sammelte, das dem der NSDAP sehr nahe verwandt war. Am 2. Oktober 1922 hat er sich dann auch formal der Münchner Richtung angeschlossen.

Das Scheitern des Kapp-Putsches vom 13. März 1920 am Widerstand der Verwaltung und am Generalstreik der Arbeiterschaft hatte die in den Streitkräften vorhandenen, an eine Militärdiktatur denkenden Köpfe darauf hingewiesen, daß ein solcher Versuch zwangsläufig scheitern müsse, wenn er sich nicht auf eine politische Bewegung stützen könnte, die mindestens einen Teil der Bevölkerung hinter sich zu scharen vermöchte. Daß diese Rolle von der NSDAP übernommen werden könnte, war 1920 noch nicht abzusehen. Zunächst war sie noch ein eingetragener Verein, dessen Vorsitzender sich nach der Satzung jährlich der Wahl durch die Mitglieder zu stellen hatte.

Führung

Den ersten Wechsel hatte es bereits Anfang Januar 1920 gegeben. Karl Harrer, bis zu diesem Zeitpunkt Reichsvorsitzender, hatte seinen Posten zur Verfügung gestellt. Ihm behagte die ganze Richtung nicht mehr. Er hatte die Vorstellung gehabt, als Oberhaupt eines Geheimbundes hinter den Kulissen die Erneuerung Deutschlands zu betreiben. Jetzt aber drängte der „Arbeiterverein" in die Öffentlichkeit. Schwierigkeiten entstanden durch diesen Rücktritt nicht. Nachfolger wurde Anton Drexler, der bisher die Münchner Ortsgruppe geleitet und die Hauptarbeit geleistet hatte. Außerhalb Münchens gab es ja auch noch gar nichts zu organisieren. Am 1. April 1920 schied Adolf Hitler aus den Diensten der Reichswehr, wohl kaum ohne Rücksicht darauf, daß die Siegermächte immer energischer bei der Reichsregierung auf die Beseitigung dessen drängten, was am Rande der vorläufigen Reichswehr an „Schwarzer Reichswehr" entstanden war. Hitler wurde der „Werbeobmann" in Drexlers Partei und begann schon bald, die Fäden der Organisation über das Münchner Netz hinaus zu spinnen. Im September 1920 hielt er erstmals öffentliche Reden in seiner österreichischen Heimat. Bezeichnenderweise reiste er erst rund ein Jahr später nach Berlin, das ihm nach seinem Lebenslauf ja ungleich fremder erscheinen mußte als der bayerisch-österreichische Raum.

Innerhalb der Partei war er der „Trommler", wie er das gesprächsweise selbst nannte und bestritt eine große Anzahl von Auftritten als Redner in politischen Versammlungen. Neben ihm wirkten in derselben Weise eine ganze Reihe weiterer frühester Mitglieder, so der Redakteur des „Völkischen Beobachters“ Hermann Esser, der bereits genannte „Brecher der Zinsknechtschaft“ Gottfried Feder, nicht zuletzt Dietrich Eckart, der in München eine leicht skurrile Lokalberühmtheit dargestellt hatte. Als Dramatiker sehr erfolgreich, hatte er sich nach Kriegsende der Politik zugewandt und seit Dezember 1918 ein Wochenblättchen „Auf gut Deutsch“ herausgebracht, dessen judenfeindliche Agitation immerhin von etwa 30 000 Käufern bezahlt wurde. Gehörte er so zu den damals recht zahlreichen Publizisten, die von den dumpfen antisemitischen Stimmungen nicht schlecht lebten, so sollte er für die Partei wichtig werden, weil er ihr zu einem eigenen Presseorgan verhalf, und für Hitler, weil er ihn mit Gesellschaftskreisen in Verbindung brachte, denen dieser bisher ferngestanden hatte. So wurde der „Werbeobmann“ mit dem Kunstverleger Hugo Bruckmann und dem Verleger alldeutscher, kolonialpolitischer und rassentheoretischer Schriften Julius Friedrich Lehmann und vor allem auch mit ihren Frauen bekannt. In deren Salons eignete er sich gesellschaftlichen Schliff an, er erhielt Informationen, die in keiner Zeitung standen, und er bekam auch finanzielle Unterstützung, die seinen bis dahin noch recht unsicheren Lebensunterhalt auf eine festere Basis stellte.

Hitler sah aber bald ein, daß er mit dem biederen Drexler als Vorsitzendem und der Satzung, die Entscheidungen von der wechselnden Mehrheit in einem Hauptausschuß abhängig machte, seine Vorstellungen nicht würde verwirklichen können. Es gelang ihm, Drexler, der schon stark in seinen Bann geraten war, zum Verzicht auf seine Stellung zu bewegen. Eine außerordentliche Generalversammlung wählte am 29. Juli 1921 Hitler daraufhin zum ersten, den Kaufmann Oskar Körner, der im November 1923 sein Leben bei der Feldherrnhalle verlieren sollte, zum zweiten Vorsitzenden. Drexler wurde auf Lebenszeit zum Ehrenvorsitzenden ernannt. Noch war Hitler nicht „Der Führer“, aber von einzelnen Parteimitgliedern in München wurde er seit 1920 bereits so genannt.

Die bei der gleichen Versammlung geänderte Satzung stellte den ersten Vorsitzenden über den Hauptausschuß. Das Prinzip der „Verantwortlichkeit“, so vage das immer sein mochte, war an die Stelle der Mehrheitsentscheidung getreten, auch wenn noch einige Vorbehalte der Willkür des Vorsitzenden Grenzen setzten. So konnte auch gegen seinen Willen eine Mitgliederversammlung zur Aussprache über die von ihm eingeschlagene politische Richtung einberufen werden. Darüber hinaus hatte der Ehrenvorsitzende eine Fülle von Eingriffsmöglichkeiten, aber Hitler hatte Drexler wohl von vornherein richtig eingeschätzt, wenn er annahm, daß dieser von seinen Rechten keinen Gebrauch machen würde. Wie stark Hitlers Position bald werden sollte, zeigte sich Ende Januar 1923, als er kurzerhand den Straßenbahnangestellten Hans Jacobs an die Stelle Körners als zweiten Vorsitzenden berief.

Außen- und innenpolitische Ereignisse boten reichlich Stoff für polemische Agitation in den Versammlungen der NSDAP. Im Juni 1920 hatte in Teilen Ost- und Westpreußens die vom Versailler Vertrag vorgesehene Abstimmung stattgefunden und mit über 90 % der Stimmen für den Verbleib bei Deutschland entschieden, was um so bemerkenswerter war, als in den fraglichen Landschaften ein beträchtlicher Prozentsatz der Bevölkerung polnische Dialekte als Muttersprache hatte. Hatte hier der polnische Staat das Ergebnis hingenommen, so weigerten sich Teile der polnischen Öffentlichkeit, das Abstimmungsergebnis für Oberschlesien, das knapp zu Gunsten Deutschlands ausgegangen war und das die Alliierten entgegen dem Versailler Vertrag durch eine Teilung des betreffenden Gebietes zwischen Polen und dem Deutschen Reich korrigiert hatten, zu akzeptieren. Polnische Freischärler unter Führung von Wojciech Korfanty, der sinnigerweise der polnische Abstimmungskommissar gewesen war, überschritten bewaffnet die Teilungslinie und lieferten sich im Mai 1921 heftige Gefechte mit dem aus Freiwilligen aufgebauten „Selbstschutz Oberschlesien“. Während die Reichsregierung unter dem Druck der Siegermächte versuchen mußte, den Zustrom von Freikorps-Leuten aus dem Reich zu unterbinden, sympathisierte vielfach die untere Verwaltung und naturgemäß die überwiegende Mehrheit der deutschen Bevölkerung in Oberschlesien mit ihren „Befreiern“.

Auch im Innern des Landes waren die Unruhen wieder aufgeflammt. Die starken sozialen Spannungen in den großen Industrierevieren, angeheizt durch die weitere Radikalisierung der linken Arbeiterführer von USPD und KPD, führten im Frühjahr 1920 zu Streiks und Aufruhr in Sachsen und dem Ruhrgebiet, im März 1921 in Mitteldeutschland. Teilweise konnte hier die Reichswehr aus Kräftemangel gar nicht wirksam werden, so daß Freikorps, unter anderem aus Bayern, an die Ruhr geschickt werden mußten, die zwar der Erhebungen Herr wurden, aber das Verhältnis zwischen den äußersten politischen Extremen in Deutschland weiter vergifteten.

Organisation

Allein mit öffentlichen Versammlungen, in denen die Besucher mehr aufgeputscht als überzeugt, immerhin aber auf eine gewisse Grundhaltung eingestimmt werden konnten, war die Verwirklichung des Parteiprogrammes nicht zu schaffen. Hierzu bedurfte die Partei einer Organisation, die im Januar 1920 mit der Errichtung einer Geschäftsstelle begründet wurde. Ganze 64 Mitglieder waren damals eingeschrieben. Ein Jahr später waren es nach offiziellen Angaben rund 3000. Da die Partei Einzelmitglieder aber schon bald auch außerhalb Münchens fand, wurde die Geschäftsstelle im November 1921 erweitert und eine

Zentralkartei für alle Parteigenossen aufgebaut. Sehr verdient um diese Hitler nicht liegende, trockene Büroarbeit machte sich sein ehemaliger Feldwebel aus den Kriegsjahren Max Amann. Er übernahm auch im April 1922 die Geschäftsführung des 1919 gegründeten Franz Eher-Verlages, in dem die Partei ihre Zeitungen und Flugschriften druckte. Da Amann nicht nur Hitler treu ergeben, sondern auch geschäftstüchtig war, erwirtschaftete er später Überschüsse, die es Hitler erlaubten, bei Unstimmigkeiten innerhalb der Führungsgremien der Partei auch gezielt Gelder einzusetzen, um widerborstige Anhänger auf seine Linie zu bringen.

Im April 1920 wurde die erste „Ortsgruppe" der Partei außerhalb Münchens in Rosenheim errichtet, im Oktober des folgenden Jahres folgte die erste Zelle der NSDAP jenseits der bayerischen Landesgrenzen in Zwickau. Im Spätjahr 1923 konnte die Münchner Zentrale bereits 283 Ortsgruppen, davon 177 in Bayern registrieren. Über deren Kopfzahl ist freilich nichts bekannt; man darf aus vielen Gründen annehmen, daß die bayerischen Ortsgruppen auch kopfstärker waren als die in den übrigen deutschen Ländern. Bei der Bildung solcher Organisationseinheiten legte Hitler Wert darauf, daß sich die soziale Schichtung der Gesamtbevölkerung in ihnen widerspiegele. Eine Anweisung des Parteivorsitzenden aus dem Jahre 1922 legte fest, daß zwei Drittel der Mitglieder aus den handarbeitenden Berufen und höchstens ein Drittel Akademiker oder aus anderen geistigen Berufen gewonnen werden sollten[23]). Wie das freilich in der Praxis bewerkstelligt werden sollte, geht aus dem Schreiben nicht hervor. Immerhin ist ein deutliches Mißtrauen gegen die Intellektuellen, das für Hitler später so charakteristisch werden sollte, hier schon früh dokumentiert, was nicht heißt, daß nicht grundsätzlich eine Volks-

[23]) Albrecht Tyrell (Hrsg.), Führer befiehl ... Droste Verlag, Düsseldorf 1969, S. 39.

partei danach streben sollte, ein ausgewogenes Verhältnis der sozialen Schichten in den Reihen ihrer Mitglieder zu haben.

Eine überörtliche Organisation bestand bis Ende 1923 unterhalb der Zentrale nicht. Die noch stark demokratisch angehauchten Generalversammlungen traten allmählich in den Hintergrund. Ende 1923 wurde in München der erste Parteitag abgehalten, zu dem auch Teilnehmer von außerhalb Bayerns hatten anreisen wollen, aber an der thüringischen Landesgrenze an der Weiterreise gehindert wurden. Diese Parteitage dienten der Selbstdarstellung, der Demonstration von Stärke und Geschlossenheit, während die Willensbildung immer mehr von der Zentrale, und das hieß schon bald, von Hitler allein wahrgenommen wurde.

Neben die Partei, aber unter ihrer Kontrolle, trat im August 1921 die „Turn- und Sportabteilung", die wenig später in „Sturmabteilung" (SA) umbenannt wurde. Darin waren die seit dem April 1920 unter der Leitung von Emil Maurice, einem Uhrmacher, gebildeten Ordnertrupps zusammengefaßt worden, deren Aufgabe es war, die Versammlungen der Partei von Störungen durch politische Gegner freizuhalten. Daran hatte es nicht gefehlt, Anhänger von USPD, aber auch von den Mehrheitssozialisten erschienen beim Auftritt von nationalsozialistischen Rednern und versuchten, den Ablauf durch Zwischenrufe, Lärm und nicht selten auch durch Anzettelung von Schlägereien zu stören. Diese Prügeleien wurden teils mit den Fäusten, teils aber auch mit Waffen (vom Gummiknüppel bis zur Pistole) ausgetragen. Aber es ist festzuhalten, daß trotz der immer wiederkehrenden Klagen Hitlers über den Terror der Linksradikalen gegen seine Partei bis Ende 1921 nicht ein einziger Parteigenosse sein Leben verlor. Beim Aufbau der SA wirkten Mitglieder der Marinebrigade Ehrhardt entscheidend mit. Hermann Ehrhardt war ein ausgezeichneter Torpedobootsoffizier im Weltkrieg gewesen, hatte dann eine Marinebrigade als Freikorps aufgestellt und sich am Kapp-Putsch wie an der Niederschlagung der Räterepublik beteiligt. Unter seinem Schutz gedieh auch die berüchtigte „Organisation Consul" (OC), die durch Attentate auf Politiker (Fememorde), die sich für die Erfüllung des Versailler Vertrages einsetzten, diese Politik zu hintertreiben suchte. Wenn Ehrhardt auf Vermittlung von Ernst Röhm Hitler für den Aufbau der SA Offiziere zur Verfügung stellte, so hatte er dabei wohl die Absicht, mit seinen illegalen Verbänden unter den noch legalen Mantel der NSDAP zu schlüpfen, während es umgekehrt Hitler nur recht sein konnte, wenn er die Erfahrungen und die Verbindungen Ehrhardts zur Reichswehr nutzen konnte. Im Januar 1923 trat die SA erstmals mit einer Großkundgebung an die Öffentlichkeit. Zwei Monate später begann sie bereits mit militärischer Ausbildung, nachdem an die Stelle des Ehrhardt-Mannes Hans-Ulrich Klintzsch der letzte Kommandeur der berühmten Jagdstaffel Richthofen, der Hauptmann und Träger des Pour le mérite Hermann Göring getreten war.

Im März 1922 rief Hitler durch den „Völkischen Beobachter" zur Gründung eines Jugendbundes seiner Partei auf. Sein erster Führer war Gustav Adolf Lenk, der vorher Mitglied der Jugendorganisation der DNVP gewesen war. Hier sammelten sich vor allem Studenten, ohne daß ihre Zahl gegenüber den im Durchschnitt recht jungen Parteigenossen ins Gewicht gefallen wäre.

Werbung

Das wichtigste Mittel, mit dessen Hilfe die Ideen der NSDAP in den Jahren seit 1920 in die Öffentlichkeit hineingetragen wurden, waren „Massenversammlungen". Hitler scheute sich nicht, die größten Säle Münchens, z. B. das Hofbräuhaus und den Zirkus Krone hierzu zu verwenden. Mit Plakaten und durch Mund-zu-Mund-Propaganda wurde darauf hingewiesen, griffige Ankündigungen der Rede-Inhalte lockten und so waren die Säle meist gefüllt. Gelegentlich saßen auch Gegner in größerer Zahl an den Tischen. Dann kam es zu Saalschlachten, wie der vom 4. November 1921, bei der Hitler über das Thema sprach „Wer sind die Mörder?“ (gemeint waren die Attentäter, die im November 1919 den sozialdemokratischen Innenminister Auer schwer verletzt hatten). Über Hitlers Ausführungen gerieten sich SPD-Anhänger und Saalschutz der Partei in die Haare, der Saalschutz behielt die Oberhand. Der „Sieg“ stärkte nicht nur das eigene Selbstvertrauen, sondern verbreitete den Ruf einer Partei, die sich vor den Marxisten nicht fürchte.

„Juden ist der Eintritt verboten“ stand oft an der Eingangstüre solcher Polit-Abende. Naturgemäß konnte kaum jemals ein jüdischer Besucher als solcher an seinem Aussehen erkannt werden — das propagierten erst später die Rassen-„forscher“ des „Stürmer“ — aber auch auf diese Weise wurde die antisemitische Einstellung weiter verbreitet. Vor dem Beginn der Reden spielte vielfach eine Kapelle zündende Märsche und stimmte so die Hörer auf einen markigen Ton ein. Dann folgten die mit Leidenschaft vorgetragenen Angriffe auf die Juden, das jüdisch durchsetzte „System“, auf das verbrecherische Bemühen, den Versailler Vertrag zu erfüllen usw. Hitler gab selbst massenpsychologisch geschickte Hinweise, was bei der Vorbereitung solcher Veranstaltungen zu beachten sei: Lieber ein kleiner überfüllter als ein großer, halbleerer Saal, besser keine als eine ungenügend vorbereitete Versammlung, Männer für den Ordnungsdienst, Frauen für den Verkauf der Eintrittskarten, Aufspaltung gegnerischer Gruppen schon durch die Platzanweisung und dergleichen mehr.

Hitler scheute sich aber auch nicht, die politischen Gegner seinerseits zu provozieren. So störte er ein Treffen des

Bayerischen Bauernbundes so, daß ihn ein Gericht im Januar 1922 zu einer dreimonatigen Gefängnisstrafe verurteilte, von der er freilich dank seiner heimlichen Sympathisanten im bayerischen Justizministerium (Franz Gürtner) nur einen Monat im Sommer 1922 absitzen mußte.

Das zweite wichtige Werbemittel waren Flugblatt und Zeitung. Im Dezember 1920 gelang es der Partei, den „Völkischen Beobachter" (VB) für sich zu erwerben. Er war 1887 gegründet worden als „Münchner Beobachter", ein Lokalblatt mit allmählich völkischen Tendenzen, nach der Revolution zeitweilig von „Thule-Gesellschaft" und „Germanenorden" betrieben und schließlich im November 1921 nach Auszahlung Drexlers völlig in den Besitz der NSDAP übergegangen. Die Mittel, um die verschiedenen privaten Vorbesitzer zu bezahlen, stammten teils von der Reichswehr, teils von Parteimitgliedern, die jeweils Darlehen gaben, ohne daß diese zurückgezahlt worden wären. Unter dem ersten Schriftleiter Hermann Esser erschien das Blatt zuerst zweimal wöchentlich, seit dem Februar 1923 täglich. Gedruckt wurde bald auf einer in der Inflationszeit günstig erworbenen amerikanischen Rotationsmaschine, weshalb der VB die Zeitung mit dem (äußerlich) größten Format in Deutschland wurde. Daneben wurden Flugblätter in großer Zahl gedruckt und verbreitet, von denen heute naturgemäß nur noch wenige erhalten sind. Jedem Parteigenossen war die Pflicht auferlegt, Abonnenten für die Zeitung zu werben, Flugblätter in Versammlungen und Verkehrsmitteln, in den Arbeitsstätten und bei sonstigen Gelegenheiten zu verteilen. Sie sollten auch jede Möglichkeit ausnützen, mündlich die Bürger mit den Gedanken der Partei vertraut zu machen. Die Wirkung dieser Propaganda ist zwar nicht nachzumessen, aber sie dürfte doch nicht erfolglos gewesen sein; denn Hitlers Name und der seiner Partei wurden bekannter. Das ging so weit, daß der Botschaftsrat der nordamerikanischen Botschaft in Berlin eigens einen jüngeren Diplomaten im November 1922 nach München entsandte, damit er sich einen persönlichen Eindruck von diesem aufsteigenden Stern am deutschen Parteihimmel mache[24]).

Zur Werbung für die Partei gehörte auch das äußere Erscheinungsbild. Hier hatte es zunächst an einem verbindenden Symbol gefehlt. Das Hakenkreuz sollte es werden. Erstmals politisch verwendet wurde es im Mai 1920 bei einer Veranstaltung der österreichischen Nationalsozialisten auf der Ruine von Burg Pürnstein. Aber sie waren nicht die Erfinder dieses Zeichens. Vor ihnen hatte es den Antisemiten verschiedener Schattierung (z. B. Guido List) als die Verkörperung der arischen Wiedergeburt gegolten und sie hatten es vielfach benutzt. Zeugnisse für das Vorkommen dieses Symbols gibt es in verschiedenen Kulturen. Ohne jeden antisemitischen Beigeschmack wurde es in Estland und Finnland gebraucht, und möglicherweise haben auch die heimkehrenden Freikorpsleute aus dem Baltikum dazu beigetragen, daß die NSDAP sich mit diesem Zeichen identifizierte. Auf einer Armbinde diente das Hakenkreuz zunächst als Kennzeichnung der SA-Mitglieder. Hitler ging dann noch einen Schritt weiter, indem er selbst eine Fahne entwarf, in deren Mittelpunkt ein schwarzes Hakenkreuz gestickt war. Als Farben wählte er einen kreisrunden weißen Untergrund und füllte das übrige Fahnenrechteck mit Rot aus. Hiermit hatte er die Farben des Kaiserreiches, unter der die Front den Weltkrieg ausgefochten hatte, für seine Bewegung beschlagnahmt. Die Verfassungsväter von Weimar hatten sich dagegen mit 190 : 110 für die Farben der Revolution von 1848 „Schwarz-Rot-Gold“ entschieden. Im Sommer 1920 wurden die ersten Fahnen den SA-Einheiten verliehen, zwei Jahre später durch die römischen Feld-

[24]) Ernst Hanfstaengl, Zwischen Weißen und Braunem Haus. R. Piper & Co. München 1970, S. 33.

zeichen nachempfundenen, noch eindrucksvolleren, senkrecht getragenen Standarten ergänzt. Eine Uniform gab es dagegen erst 1924.

Die Parteigenossen begrüßten sich untereinander mit „Heil!". Das war in österreichischen Antisemitenzirkeln schon lange üblich und ging auf altdeutsche Gewohnheiten zurück. Bergsteiger hatten den Brauch übernommen und auf dem einen oder anderen Wege war er der neuen Partei vermittelt worden. Ins Allgemeine erhoben lautete der Gruß dann „Heil Deutschland". Nachdem die Partei in den späten zwanziger Jahren die ersten großen Erfolge davongetragen hatte, sagte man „Sieg Heil!" und schließlich wurden Hitler und Deutschland gleichgesetzt. Nach 1933 endete fast jeder offizielle Brief mit „Heil Hitler!".

Ende 1922 fühlte sich die NSDAP stark genug, auch im nördlichen Bayern öffentlich aufzutreten. Mitte Oktober wurde von ihr der „Deutsche Tag" in Coburg, das ja erst durch ein Reichsgesetz 1920 zu Bayern gekommen war, begangen, von wo aus die Wirkung auf das angrenzende Thüringen und das dahinter liegende Sachsen leichter war als von München aus. Elf Monate später hielt man den „Deutschen Tag" in Bayreuth ab. Der Vorbeimarsch von 4000 SA-Männern vor ihrem Führer zeigte, was inzwischen aus der Saalordnungstruppe von einer Handvoll Leute geworden war.

Finanzierung

Die Frage, wie die beträchtlichen Aktivitäten der NSDAP in den Jahren 1920—1923 finanziert worden sind, ist bis heute nicht in den Einzelheiten geklärt und wohl auch nicht mehr klärbar. Das hängt einerseits mit dem Verlust von Akten zusammen, andererseits damit, daß es damals eine ganze Anzahl verborgener „Töpfe" gab, aus denen bestimmte politische Richtungen „Zuschüsse" erhalten konnten, aber nicht mußten. Hitlers Partei hatte zunächst reguläre Einnahmequellen. Jeder Parteigenosse mußte monatlich RM 2,-- für seine Partei spenden, so sah es die Satzung vor. Hier war auch bestimmt, daß von diesem Betrag 20 % zuzüglich RM -,50 Pressesteuer an die zentrale Geschäftsstelle abzugeben waren. Leider können wir die sich aus den Mitgliedsbeiträgen ergebenden Summen nicht genauer errechnen, weil für die Jahre 1922—1924 die Zahl der Parteigenossen nicht genau bekannt ist. Sicher ist auf diesem Wege eine Grundfinanzierung der Parteiaktivitäten möglich gewesen. Das war auch nötig; denn der festangestellte Geschäftsführer, die Kosten für Fahrten, Satz und Druck der verschiedenen Schriften und des „Völkischen Beobachters", nicht zuletzt auch die zahlreichen Prozesse wegen Beleidigung politischer Gegner verschlangen beträchtliche Summen. Daß Hitler ein besonders sorgsamer Haushalter mit dem Gelde der Partei gewesen wäre, kann man nicht sagen, ebensowenig, wie er es später mit den Finanzmitteln des Reiches war.

Vom Oktober 1922, als die Inflation bereits auf Touren gekommen war, gibt es von ihm eine Denkschrift[25]), in der er den unbedingt erforderlichen Finanzbedarf für den Ausbau der Partei auf 53,2 Millionen = 95 000 Vorkriegs-Reichsmark berechnete. Dabei waren nur rund 10 % für Personalkosten (Geschäftsführer und „Wanderredner") angesetzt, die restlichen 90 % für Sachmittel. Im Vergleich zu unserer heutigen Situation läßt sich das nur verstehen, wenn man auf die vergleichsweise viel niedrigeren Löhne und Gehälter jener Jahre hinweist. Inwieweit dieser Finanzplan der rasch in Galopp geratenden Inflation zum Opfer fiel, ist unsicher, aber doch zu vermuten.

Eine zweite Einnahmequelle waren die „Wahl- und Werbebeiträge" der Ortsgruppen, von denen die Hälfte

[25]) Tyrell, a. a. O., S. 47—55.

für die Geschäftsstelle bestimmt waren. Bei den Versammlungen wurden entweder Eintrittsgelder erhoben oder Spenden eingesammelt und auf diese Weise die entstandenen Kosten gedeckt, aber auch die Werbung der Gesamtpartei finanziell unterstützt.

Der „Völkische Beobachter" warf keine nennenswerten Gewinne ab; er geriet angesichts nur langsam steigender Einnahmen aus Anzeigen, aber erhöhtem Papierverbrauch immer wieder in Schwierigkeiten, aus denen er durch Spenden auch von Nichtmitgliedern gerettet werden mußte.

Hitler selbst kostete die Partei kaum etwas. Zwar steigerten sich auch bei ihm allmählich die Ansprüche an das Leben (Kleidung, Fahrten), aber er hatte um sich einen ganzen Kreis von Gönnern gesammelt, unter ihnen einige ältere Damen, die ihm immer mal wieder mit Bargeld oder Sachwerten unter die Arme griffen. Zu ihnen zählten unter anderem Helene Bechstein, die Gattin des Klavierfabrikanten, und eine Frau Gertrud von Seidlitz. Für öffentliche Vorträge außerhalb seiner Partei erhielt Hitler auch ansehnliche Honorare.

Innerhalb der Partei gab es uneigennützige Spender, so der vermögende Dietrich Eckart und auch Ernst Hanfstaengl, der in der Inflation Hitler ein Darlehen über 1000 Dollar gegeben hatte, das für den Ankauf der Druckerpresse verwendet wurde. Naturgemäß achteten auch die politischen Gegner darauf, wie die Konkurrenz ihren Aufstieg wirtschaftlich möglich machte. Es gibt zeitgenössische Behauptungen, daß Hitler auch von französischen Regierungsstellen insgeheim Unterstützung erhalten habe. Wenn das wirklich zutreffen sollte, so hat sich Hitler dadurch sicherlich nicht in seiner Einstellung gegenüber Frankreich beeinflussen lassen. Sicher ist dagegen, daß in der ersten Zeit, die Reichswehr aus geheimen Fonds Beträge zu Verfügung stellte, aber schon bald die Unterstützung beendete.

Man wird letztlich den Aufbau der Parteiorganisation

und die Ausweitung der propagandistischen Bemühungen nicht verstehen können, wenn man nicht auch eine beträchtliche Opferbereitschaft der Parteigenossen annimmt. Der Idealismus vieler Einzelner, der Plakatkleber, Flugblattdrucker und Fahrer, aber auch der Rechtsanwälte, die ohne Honorar für ihre Kameraden vor Gericht auftraten, der Angestellten, die unbezahlte Überstunden leisteten, ist weniger aus den Forderungen des Parteiprogramms abzuleiten — trotz der Formel: Gemeinnutz vor Eigennutz — als aus einem Glauben, daß ihre Anstrengungen einem erneuerten, schöneren und besseren Deutschland dienten. Für Konjunkturritter war bis zum Spätherbst des Jahres 1923 noch kaum Platz; denn die Chancen, zur Macht zu kommen, und dann auch Ämter vergeben zu können, waren noch verschwindend gering.

2. Staatsstreich

Als am 6. Juni 1920 die ersten regulären Wahlen zum deutschen Reichstag abgehalten wurden, war die NSDAP in München noch ein Splitterverein am äußersten konservativen Flügel mit wenigen Dutzend Mitgliedern. Die nächste Wahl sollte erst im Mai 1924 stattfinden. Die gleiche Situation in Bayern — eine beträchtliche Durststrecke bis zu dem Zeitpunkt, an dem man an die Gesamtbevölkerung um Unterstützung appellieren konnte. Nicht unbegreiflich, daß man sich in den Kreisen um Hitler Überlegungen hingab, es auf dem außerparlamentarischen Wege zu versuchen.

Reichskrise im Jahre 1923

Die Regierung des Deutschen Reiches war in den Jahren 1921—1922 zwar stabiler geworden, die Verhältnisse hatten sich etwas gefestigt. Doch noch weit war man entfernt von einem Wechsel zwischen zwei großen Parteien in Regierung und Opposition, wie sie England kannte. Nach den hohen Stimmenverlusten der Mehrheitssozialdemokraten bei der Juni-Wahl 1920 waren die folgenden Kabinette bis zum November 1922 von wechselnden Koalitionen von Zentrum, DVP und SPD getragen worden. Inzwischen hatte aber die rechte Opposition, die DNVP schon über 15 % der Wähler hinter sich gebracht. Als echte Bedrohung des Staates mußten die Attentate irregeleiteter junger Männer und ihrer von Haß verblendeten Hintermänner gegen führende Politiker der Republik gelten. Nach der Ermordung des Außenministers Walther Rathenau erließ das Parlament ein Gesetz zum Schutz der Republik, mit dem man dem Unwesen zu steuern hoffte. Noch wichtiger war es, daß im September 1922 auf dem Nürnberger Parteitag der größere Teil der USPD sich wieder mit der Mutterpartei vereinigte, während der kleinere Teil von der KPD aufgenommen wurde. Der Zentrumspolitiker Joseph Wirth, der entschlossen die Bedingungen des Versailler Vertrages zu erfüllen strebte, trat im Herbst 1922 wegen innerparteilicher Auseinandersetzungen zurück.

Das neue Kabinett bildete Wilhelm Cuno, bisher Generaldirektor der HAPAG, einer großen Schiffahrtslinie, zum Teil aus parteilosen Fachleuten. Er versuchte, die Forderungen der Siegermächte durch zähes Verhandeln herabzudrücken. In Paris, wo man noch immer von Furcht vor dem geschlagenen Deutschland beherrscht war, wartete man nur auf eine passende Gelegenheit, um das Reparationsbedürfnis noch nachdrücklicher in Erinnerung zu bringen. Als das Deutsche Reich nach dem Urteil einer Alliierten-Konferenz schuldhaft mit einigen Kohlelieferungen in Verzug geriet, ließ der französische Ministerpräsident Raymond Poincaré am 11. Januar 1923 Truppen in Stärke mehrerer Divisionen den Rhein überschreiten und Teile des Ruhrgebiets besetzen. Er rechtfertigte diesen Gewaltakt damit, daß man Faustpfänder brauche, um Deutschland zur Erfüllung seiner Verpflichtungen zu veranlassen.

War dies schon ein schwerer Tiefschlag gegen das noch tödlich verletzte deutsche Nationalgefühl, aber immerhin ausgeführt von einer Großmacht, so war die einen Tag zuvor erfolgte Besetzung des Memel-Gebietes durch litauische Freischaren gleichsam der Höhepunkt der Demütigung, noch dazu, weil die deutschen Rechtskreise nicht zu Unrecht sich der Dankbarkeit der Litauer gewiß sein zu können glaubten, nachdem deutsche Freikorps dieses Land vor der Gefahr der Überwältigung durch die russische Rote Armee bewahrt hatten. Auch völkerrechtlich war das litauische Vorgehen mehr als fragwürdig; denn nach dem Versailler Vertrag war das Gebiet an die Siegermächte zwar abgetreten worden, diese aber hatten noch nicht darüber verfügt. Jetzt nahmen sie die geschaffene Tatsache ohne Protest hin. Immerhin war die Memel-Frage nach ihrem materiellen Gewicht vergleichsweise unbedeutend.

Das konnte aber nicht gelten für den französischen Griff nach der Ruhr, dem industriellen Schwerpunkt Deutschlands, zumal ja der größere Teil des oberschlesischen Industriereviers durch die erwähnte Abstimmung schon an Polen verloren gegangen war. Im Schutze der französischen Besatzung unternahmen separatistische Gruppen den letzten Anlauf, um ihre bereits seit Dezember 1918 gehegten Pläne zu realisieren. Es ist richtig, daß auch patriotische Politiker erwogen hatten, eine „Rheinische Republik im Rahmen des Deutschen Reiches“ zu errichten, um damit in dem militärischen Besatzungsgebiet der Siegermächte eine den deutschen Interessen gemäße Politik treiben zu können. Aber Männer wie Adam Dorten, Joseph Smeets und Joseph Matthes dachten daran, das linksrheinische Deutschland an Frankreich anzugliedern. Am 21. Oktober 1923 riefen Dorten und Matthes in Aachen die „Rheinische Republik“

aus. Sie scheiterten indessen am Widerstand der Bevölkerung, obwohl der französische Oberkommissar diese Regierung bereits anerkannt hatte.

Während die Reichsregierung nur wenig tun konnte, um den „Sonderbündlern" das Wasser abzugraben, erklärte Reichskanzler Cuno am 13. Januar den „passiven Widerstand". Die deutsche Verwaltung in den okkupierten Ruhrgebieten sollte ihre Tätigkeit einstellen, die Bergarbeiter sollten nicht mehr in die Gruben fahren. Dieser Widerstand kostete aber Geld und da die Ausgaben immer weniger durch Steuereinnahmen gedeckt werden konnten, wurde die Notenpresse immer mehr in Anspruch genommen.

Es gab aber auch einen illegalen „aktiven Widerstand", der teils von der einheimischen Bevölkerung, teils von eingeschleusten Freikorpsangehörigen getragen wurde und mit Sabotageakten vor allem auf Brücken und Bahnlinien zielte. Die Besatzung reagierte wie fast immer in ähnlichen Fällen. Die erwischten Täter wurden von Kriegsgerichten zum Tode verurteilt. Eines der Opfer, Albert Leo Schlageter, wurde später von der nationalsozialistischen Propaganda unter die Blutopfer der Bewegung eingereiht, obwohl er keinesfalls ein aktives Mitglied der Partei gewesen war. Alle Opfer waren freilich umsonst. Unter dem Druck der Währungszerrüttung mußte der Reichskanzler zurücktreten. Sein Nachfolger Gustav Stresemann mit einer Regierung aus DVP, Zentrum und SPD brach den passiven Widerstand ab.

Die Inflation hatte schwindelnde Höhen erreicht. Der Briefmarkensammler kennt die deutschen Postwertzeichen aus dieser Zeit, die Werte bis zu 50 Milliarden RM aufweisen. Hausfrauen gingen mit Körben von Papiergeld zum Markt und Lohnempfänger setzten täglich ihr Entgelt in Sachwerte um, weil schon der folgende Tag den Verdienst weiter entwertet hätte. Der Prozeß des Wertverlustes hatte schon 1922 sichtbar begonnen. Während dieses Jahres stieg der Index der Lebenshaltungskosten vom Januar bis Dezember um mehr als das Dreißigfache. Die Ursachen reichten freilich weiter zurück. Ein guter Teil der Finanzierung des Ersten Weltkrieges war über die Notenpresse erfolgt. Die während des Krieges auftretende überschüssige Kaufkraft hatte man nicht rechtzeitig abgeschöpft. Die Reparationsverpflichtungen hatten die Kabinette dazu gezwungen, vermehrt Banknoten zu drucken, weil Sachwerte nicht so schnell verfügbar waren. Der erfolglose passive Widerstand hatte schließlich der Währung den letzten Rückhalt genommen. Von 100 RM, die ein Sparer 1914 angelegt hatte, blieben ihm 1923 noch 10 RM. Nicht alle Bürger wurden von den Folgen der Geldentwertung in gleicher Weise getroffen. Insbesondere die Inhaber von Staatspapieren und sonstigen Geldwerten büßten wertvolle Substanz ein, während geschickte Spekulanten gute Geschäfte machten. Vor allem die Rücklagen des bürgerlichen Mittelstandes wurden durch die Inflation aufgezehrt, was dann z. B. auch dazu führte, daß die Söhne inflationsgeschädigter Eltern auf ein Studium verzichten mußten. Die Erfahrung mit einem Staat, der solches zuließ — in Wirklichkeit war die Weimarer Republik ja zum geringsten Teil für diese Entwicklung verantwortlich — führte bei nicht wenigen zu Staatsverdrossenheit oder zumindest zur Ablehnung dieses Staates. Zwischen dem 15. November 1923 und dem 24. Februar 1924 wurde durch einen ganzen Fächer von Maßnahmen die Stabilität wieder hergestellt, 1 Billion Papiermark 1 (neuen) Rentenmark gleichgesetzt und durch Verminderung des Beamtenapparates und andere Maßnahmen das Haushaltsgleichgewicht wieder erreicht. Neben dem Reichsfinanzminister Hans Luther tauchte hier erstmals Hjalmar Schacht als Reichsbankpräsident in einer wichtigen politischen Funktion auf.

Wie schon im Dezember 1921 die wirtschaftliche Gesamtlage empfunden wurde, lehrt das Vorwort eines klassischen Philologen zu einem Buch, dessen Druck sich verspätet hatte: „Der Raub Oberschlesiens und die Unmöglichkeit, Goldmilliarden zu zahlen und gleichzeitig Entente-Kommissionen [zur Überwachung des Waffenstillstandes] und ein zweckloses Okkupationsheer zu besolden, dessen gemeine Soldaten das Doppelte und Dreifache von dem Gehalte der höchsten Richter und der ersten Gelehrten Deutschlands erhalten — und unter ihnen sind die ersten der Welt — hat inzwischen eine Teuerung herbeigeführt ..."[26]).

München gegen Berlin

Das historische Mißtrauen gegen Preußen und der Wunsch nach stärkerer Berücksichtigung föderalistischer Gesichtspunkte verschoben innerhalb der Bayerischen Volkspartei, die seit dem März 1920 jeweils den Ministerpräsidenten der in verschiedener Zusammensetzung auf einander folgenden Kabinette gestellt hatte, die Gewichte nach rechts. Das war z. B. daran abzulesen, daß im September 1922 der letzte Vertreter der DDP durch den Deutschnationalen Franz Gürtner ersetzt wurde. Die parlamentarische Abhängigkeit von der DNVP im Landtag erzwang weitere Kompromisse mit deren Vorstellungen.

Zu einem ersten schweren Zusammenstoß mit der Reichsregierung kam es im Juli 1922, als der Ministerpräsident Eugen von Knilling, der 1912—1918 der letzte königliche Kultusminister gewesen war, ein Reichsgesetz für Bayern außer Kraft setzte, ein Gesetz, das die Umtriebe der rücksichtslosesten Vertreter der Gewaltanwendung im politischen Leben abschrecken sollte. Zwar einigte man sich im folgenden Monat wieder mit Berlin, aber die mangelnde

[26]) Erich Bethe, Homer. Band 2, Odyssee. B. G. Teubner, Leipzig 1922, Vorwort.

Solidarität mit der Reichsregierung war doch erschreckend sichtbar geworden. Ein anderes Symptom war der BVP-Parteitag vom Oktober dieses Jahres, auf dem die Delegierten das schon sehr föderalistische „Bamberger Programm“ noch weiter in Richtung auf eine Stärkung der Eigenstaatlichkeit Bayerns abänderten. Schließlich ein drittes Schlaglicht auf die Denkweise führender Repräsentanten des öffentlichen Lebens in dem Lande, in dem Hitler den Griff nach der Macht proben wollte: Auf dem Katholikentag in München im August 1922 hielt der Erzbischof dieser Diözese Michael Faulhaber, gerade im Vorjahr vom Papst zum Kardinal erhoben, eine Ansprache, in der er nicht nur die Auswüchse der Revolution von 1918 brandmarkte, sondern auch die aus ihr hervorgegangene Weimarer Republik mit herben Worten als Unrechtsstaat abqualifizierte. Das ging nicht nur an den tatsächlichen Gegebenheiten glatt vorbei, es zeigte auch einen unchristlichen Mangel an Gerechtigkeitssinn gegenüber den unendlichen Schwierigkeiten von Reichstag und Reichsregierung. Dafür ließ es erkennen, wie beträchtliche Teile des politisch denkenden bayerischen Katholizismus diesen Staat einschätzten.

In der Frage des Ruhrkampfes allerdings stellte sich von Knilling entschlossen an die Seite der Regierung Cuno. Bayern war ja auch dadurch von den Ereignissen besonders betroffen, daß die Separatisten ihre letzte Zuflucht in der bayerischen Pfalz fanden und die französische Besatzungsmacht die Bevölkerung nicht eben wohlwollend behandelte. Im Laufe des Jahres 1923 wurde die Abhängigkeit der bayerischen Regierung von den Vorstellungen der verschiedenen Rechtsgruppen, neben der NSDAP vor allem die großen Wehrverbände, immer stärker. Hitler, der mit seiner inzwischen zu größeren Unternehmen fähigen Sturmabteilung, gemeinsam mit dem „Bund Oberland“ (geführt von Dr. Friedrich Weber), sich vorgenommen hatte, die 1. Mai-Feier der Freien Gewerkschaften auf der Theresienwiese zu sprengen, wurde daran zwar von Einheiten der Reichswehr und der Landespolizei gehindert, aber die einmalige Chance, diesen Unruhestifter in seine österreichische Heimat abzuschieben, ließ sich die Regierung entgehen. Er stand ja noch von dem Gerichtsurteil des Vorjahres unter Bewährungsauflage und hatte noch nicht die deutsche Staatsbürgerschaft. Er zeigte bei dieser Gelegenheit auch, was er wirklich vom „nationalen Interesse" hielt, wenn er gezwungen war, zwischen diesem und seiner politischen Karriere zu wählen. Er ließ die Regierung wissen, daß er für den Fall, daß man ihn erneut vor Gericht stelle, die ihm natürlich durch seine Mittelsmänner wohlbekannten geheimen Verbindungen zwischen Regierung und Reichswehr auf der einen und den Wehrverbänden auf der anderen Seite aufdecken würde. Daraufhin sorgte der schon einmal hilfreiche Justizminister entgegen der Absicht des für die Abschiebung zuständigen Innenministers dafür, daß kein Gericht wegen dieses erneuten Landfriedensbruches Klage erhob.

Innerhalb der Bayerischen Volkspartei setzte sich immer mehr der Eindruck durch, daß an die Spitze des Freistaates eine Persönlichkeit berufen werden müsse, die mit mehr Energie und Durchsetzungsvermögen als von Knilling der brodelnden nationalen Stimmung gegen Berlin die richtige Richtung weise. Sie stand schon bereit in dem ehemaligen Ministerpräsidenten von Kahr. In bemerkenswerter Eintracht schufen das Kabinett von Knilling und der Vorsitzende der BVP-Fraktion Heinrich Held, im Einvernehmen mit dem bayerischen Kronprinzen, das neuartige Amt eines Generalstaatskommissars und besetzten es am 26. September 1923 mit Herrn von Kahr. Der fackelte nicht lange und verhängte noch am gleichen Tage den Ausnahmezustand. Der Befehlshaber im (bayerischen) Wehrkreis VII, Generalleutnant Otto Hermann von Lossow, verpflichtete die Truppen unmittelbar auf Bayern und drohte damit, die

Einheit der Reichswehr zu zerstören. Der Generalstaatskommissar verbot inzwischen die von den linken Parteien aufgestellten Schutzformationen, unterdrückte die Verbreitung von Zeitungen, die durch die Linksparteien außerhalb Bayerns herausgegeben wurden und veranlaßte weitere Maßnahmen, die den Rechtsruck bezeugten. Das alles mußte für Hitler und seine Gesinnungsgenossen Wasser auf ihre Mühlen sein.

Dafür hatte Hitler allerdings außerhalb Bayerns vermehrte Hemmnisse zu umgehen, wollte er sein Programm hier populär machen. Nach Preußen verboten nacheinander Baden, Sachsen, Thüringen, Hamburg, Hessen und Braunschweig seine NSDAP. Aber er wußte sich zu helfen. Im März 1923 schloß er mit dem Führer der im Dezember 1922 gegründeten „Deutschvölkischen Freiheitspartei", Albrecht von Graefe, einem Mecklenburgischen Rittergutsbesitzer, ein Abkommen, das die zwei Wirkungsgebiete etwa mit der Mainlinie gegeneinander abgrenzte. Das war zwar nur für eine gewisse Zeit gedacht, aber niemand hätte mit Sicherheit voraussagen können, wie die Entwicklung der Partei verlaufen wäre, hätte diese Vereinbarung Bestand gehabt. Immerhin konnte Hitler hoffen, daß das Ausgreifen nach Norddeutschland dann nicht mehr schwierig sein würde, wenn es gelungen war, sich der „Ordnungszelle Bayern" zu bemächtigen. Dann würde man zweifellos als Magnet für alle national denkenden Gruppen und Kräfte auch jenseits des Mains wirken.

Der Marsch zur Feldherrnhalle

Die Vorbereitungen auf das große Unternehmen begannen Anfang Februar 1923. Der unermüdlich hinter der Szene wirkende Ernst Röhm veranlaßte die Bildung der „Arbeitsgemeinschaft der vaterländischen Kampfverbände" in München. Zum militärischen Leiter wurde der ehemalige

Oberstleutnant Hermann Kriebel bestellt, der früher Stabschef der inzwischen aufgelösten „Einwohnerwehren" gewesen war. Eine politische Spitze fehlte noch. Rund 50 Prozent der in dieser Arbeitsgemeinschaft zusammengefaßten Männer gehörten der SA an, die jetzt erstmals einheitlich uniformiert erschien: mit grauen Skimützen und ebensolchen Windjacken. Man veranstaltete Übungen im Forstenrieder Park und in der Fröttmaninger Heide in der näheren Umgebung Münchens, teilweise auch nachts, ein deutliches Zeichen, daß die Führung jetzt auch illegale Schritte einkalkulierte.

Wie auch andere stramm national denkende Gruppen von der bayerischen Unruhe erfaßt wurden, zeigte sich, als am 15. Juli 1923 in München das 13. deutsche Turnfest abgehalten wurde. Turner und Arbeitsgemeinschaft veranstalteten einen gemeinsamen Festzug, den allerdings die Polizei auflöste, weil dabei Fahnen mitgetragen wurden. Während die Regierung sich auf der einen Seite bemühte, die „Ordnung" aufrechtzuerhalten, ließ sie auf der anderen Seite beim „Deutschen Tag" in Nürnberg Anfang September durch den Regierungspräsidenten von Mittelfranken ihr ausgesprochenes Wohlwollen für diese Demonstration nationaler Haltung ausdrücken. Nach einem Bericht der politischen Polizei sollen damals 100 000 Männer durch die Straßen Nürnbergs gezogen sein. Auch der „Jungdeutsche Orden" Artur Mahrauns, der sich später zur Weimarer Republik bekennen sollte, stand hier noch auf der Seite der sich gegen die Berliner Regierung formierenden nationalen Opposition. In Nürnberg wurde nun als Gegenstück zur militärischen „Arbeitsgemeinschaft" der politische „Deutsche Kampfbund" geschmiedet aus der NSDAP, der „Reichsflagge" des Hauptmanns Heiß und dem schon erwähnten „Bund Oberland". Geschäftsführer wurde ein Nationalsozialist, Max Erwin von Scheubner-Richter, und am 25. September mit Hitler als politischem Führer der Mann mit der größten Entschlossenheit zur revolutionären Tat bestellt.

Obwohl sich Hitler im Januar des Jahres geweigert hatte, sich mit seiner Partei in die „Einheitsfront“ des Widerstandes gegen den französischen Ruhreinfall einzureihen, nützte er propagandistisch die öffentliche Erregung für seine Ziele aus. So wurde am 10. Juni in München von der NSDAP eine Gedenkfeier für den von den Franzosen erschossenen Schlageter abgehalten, bei der der Benediktinerabt Albanus Schachleitner die Ansprache hielt.

Der Abbruch des passiven Widerstandes durch die neue Regierung Gustav Stresemanns war sicherlich nicht die tiefere Ursache, aber ein für breite Bevölkerungsschichten überzeugender Anlaß, den Unmut über die ganze Republik in Taten umzusetzen. Doch waren die „Rechten“ untereinander noch keineswegs über den einzuschlagenden Weg einig. Am 7. Oktober löste sich Hauptmann Heiß mit seiner „Reichsflagge“ wieder aus dem Kampfbund. Ernst Röhm zeigte sich der Lage gewachsen. Er gründete aus Teilen der ausgeschiedenen Organisation eine neue, die „Reichskriegsflagge“, die dem Kampfbund treu blieb. Inzwischen war die Feindschaft der von der Regierung in Berlin enttäuschten Kräfte bereits zur Tat gediehen. Der Major Ernst Buchrucker, schon am Kapp-Putsch beteiligt, dann mit dem Aufbau von „Arbeitskommandos“ als illegalen Reserven für den Fall eines bewaffneten Widerstands gegen Frankreich im Wehrkreis III (Berlin) betraut, marschierte mit 200 Mann nach Berlin, um die Regierung zu stürzen. Als reguläre Reichswehr seine Einheit auflöste, floh er nach Küstrin, um dort am 1. Oktober das Signal zum Aufstand von „Rechts“ zu geben. Doch erwies sich die Reichswehrführung als loyal. In wenigen Tagen war das frühreife Unternehmen zu Ende.

Dafür drohte nun der Reichseinheit vom anderen Flügel Gefahr. Am 12. Oktober waren mit ausdrücklicher Billigung Moskaus führende Mitglieder der KPD in die sozialdemokratischen Regierungen von Sachsen und Thüringen mit dem eindeutigen Auftrag eingetreten, für die Bewaffnung der Arbeiterschaft zu sorgen. Im Mai 1924 hatte der Anteil der KPD-Wähler in diesen beiden Ländern bis zu 15 Prozent betragen. Darüber hinaus hatte die Sowjetunion Instrukteure der Roten Armee entsandt, die den Bürgerkrieg in Deutschland als weitere Etappe auf dem Wege zur Weltrevolution vorbereiten sollten. Doch war auch hier Berlin Herr der Lage geblieben. Auf Weisung des Reichspräsidenten hatte der Reichswehrminister Geßler nichtsächsische Reichswehreinheiten nach Sachsen verlegt, die am 22. Oktober 1923 die Regierung Erich Zeigner absetzten. Dasselbe geschah 14 Tage später auch in Thüringen.

Diese Entschlossenheit Berlins mußte wieder ihre Rückwirkungen auf die so unterschiedlich zusammengesetzten Berlin-feindlichen Kräfte in Bayern haben. Während Hitler weiterhin auf ein gewaltsames Vorgehen drängte — er dachte an eine nationale Diktatur mit Ludendorff als Galionsfigur und ihm selbst als politischem Führer — zögerten Kahr und die bayerischen Reichswehrführer, wobei auch eigener Ehrgeiz eine Rolle spielte. Am 8. November war im Bürgerbräukeller eine gemeinsame Versammlung der BVP und der vaterländischen Verbände angesetzt, bei der Kahr und die meisten bayerischen Minister anwesend waren. Hitler ließ von seiner SA die Gaststätte umstellen und drang während der Rede Kahrs bewaffnet in den Festsaal ein. Unterstützt von Ludendorff erzwang er von dem innerlich noch widerstrebenden Kahr in einem Nebenzimmer die Erklärung, sich dem „Marsch auf Berlin“ anzuschließen. Dann verkündete Hitler der Versammlung, daß eine nationale Regierung für Deutschland die Macht übernommen habe, deren oberster Repräsentant Ludendorff, er selbst ihr politischer Führer sei. Für Kahr war das Amt eines Landesverwesers in Bayern vorgesehen. Der nahm die Überrumpelung allerdings übel, und während Hitler sich zur Ergreifung der Macht in München anschickte, bereitete von Kahr, von Ludendorff auf Ehrenwort entlassen, den Gegenputsch vor. Im Laufe der Nacht besetzte Hauptmann Röhm mit 400 Mann kampflos das Wehrkreis-Kommando (das ehemalige bayerische Kriegsministerium), der Oberleutnant Gerhard Roßbach rückte mit seiner Infanterieschule und sich rasch einstellenden Freikorpsleuten in die Stadt. Der Erfolg schien greifbar nahe. Der bayerische Kultusminister Dr. Matt leitete von Regensburg aus die ersten Gegenmaßnahmen. Über Funk unterrichtete Generalleutnant von Lossow die auswärtigen Reichswehreinheiten und auch Oberst Seisser, der durchaus mit Hitler sympathisiert hatte, wies nun die Landespolizei an, bewaffnet gegen die Putschisten vorzugehen. Als Hitler erkannte, daß sich das Blatt zu wenden begann, ordnete er für den Vormittag des 9. November einen großen Demonstrationszug aller hinter ihm stehenden Kräfte vom Bürgerbräukeller aus nach Westen in die Innenstadt an. In Sechzehnerreihen marschierten seine Anhänger, teilweise bewaffnet, zum Rathaus am Marienplatz und schwenkten von dort nach Norden in die Residenzstraße ein. Hier stießen sie auf eine kampfbereite Abteilung der bayerischen Landespolizei. Wer den ersten Schuß abgab, ist umstritten. Sicher ist, daß eine gezielte Salve der Polizei in die vordersten Reihen der Demonstranten den Marsch beendete und seine schnelle Auflösung einleitete.

Das Scheitern

13 Tote lagen auf dem Pflaster, zahlreiche Verwundete wurden abtransportiert, unter ihnen Hitler, der sich eine schwere Schulterverletzung zugezogen hatte. Hauptmann Röhm im Wehrkreiskommando, umzingelt von Reichswehreinheiten, mußte sich schließlich ergeben. Der Putsch war

vollständig zusammengebrochen. Der Generalstaatskommissar verfügte die Auflösung der NSDAP, die damals etwa 55 000 Mitglieder umfaßt haben soll. SA und Wehrverbände wurden verboten und das Erscheinen des „Völkischen Beobachters" untersagt. Auch das bewegliche Eigentum der Partei verfiel der Beschlagnahme. Die führenden Köpfe in Partei, SA und Wehrverbänden zerstreuten sich in alle Winde, soweit sie nicht — wie Hitler am 11. November — von der Polizei verhaftet wurden. Ludendorff war gegen das Ehrenwort, sich zur Verfügung der Gerichte zu halten, auf freiem Fuß geblieben. Hier zeigte sich bereits symptomatisch, daß die bis dahin in Bayern politisch Verantwortlichen versuchen würden, die Hochverräter glimpflich zu behandeln und ihre eigene Verwicklung in das Unternehmen mit dem Mantel der Nächstenliebe zuzudecken. Als am 23. November die vollziehende Gewalt in Deutschland an den Chef der Heeresleitung, General Hans von Seeckt, übertragen wurde, löste er für das ganze Reichsgebiet die Sammelbecken der Extremisten, NSDAP, Deutschvölkische Freiheitspartei und KPD auf.

3. Der „steile Aufstieg"

Nach dem Fiasko an der Münchner Feldherrnhalle schienen die Aussichten, daß das Programm der NSDAP einmal verwirklicht werden könnte, mehr als dürftig. Dennoch sollte die Stunde Hitlers noch kommen. Freilich mußten zuerst noch die Folgen des gescheiterten Staatsstreichs ausgebadet werden.

Neuanfang

Nicht unerwartet erwies sich der am 26. Februar 1924 beginnende Prozeß vor dem Volksgericht I in München gegen Hitler, Ludendorff und weitere acht Angeklagte als ausgezeichnete und kostenlose Werbung für die Anliegen der Partei. Hitler bekannte sich aus vollem Herzen zur Vorbereitung des Hochverrats, führte scharfe Angriffe gegen die Reichsregierung und erklärte: „Ich fühle mich nicht als Hochverräter, sondern als Deutscher, der das Beste wollte für sein Volk"[27])! Diese und andere Äußerungen der als Hochverräter Beschuldigten wurden durch die Presseberichterstattung in ganz Deutschland verbreitet. In vielen Gebieten des nördlichen Deutschlands dürfte Hitlers Name überhaupt zum ersten Mal gehört worden sein. Die Position von Anklagevertretung und Gericht war von vornherein unglücklich, weil sie alles tun mußten, um zu verhindern, daß die noch amtierenden Minister und Generale der bayerischen Reichswehr als Mitwisser oder gar als Mitschuldige erschienen. Um seiner Verdienste im Weltkrieg willen sollte auch der General Ludendorff geschont werden, obwohl er sich nicht scheute, in seiner Verteidigungsrede seine abwegigen Angriffe gegen die Kirchen, Freimaurer und Juden herauszuschleudern. Hitler nutzte die Gelegenheit, sich selbst noch weiter in den Vordergrund zu spielen, um als der einzige, wahre Führer der deutschvölkischen Gesamtbewegung, die ja viel größer war als die NSDAP, zu erscheinen.

Am 1. April wurde das Urteil verkündet. Die vier Hauptangeklagten (Hitler, Weber, Kriebel und der Polizeipräsident Ernst Pöhner) erhielten fünf Jahre Festungshaft mit der Aussicht auf Bewährungsfrist nach sechs Monaten Haft. Die übrigen Angeklagten wurden als der Beihilfe zum Hochverrat schuldig mit Gefängnisstrafen von durchschnittlich einem Jahr belegt, Ludendorff freigesprochen. Es folgte noch eine Reihe weiterer Prozesse gegen Teilnehmer des Marsches zur Feldherrnhalle vor anderen Gerichten, deren Strafmaß noch geringer ausfiel.

[27]) Der Hitler-Prozeß. Knorr & Hirth München, Band 1 (1924), S. 28.

Wenn freilich jemand geglaubt haben sollte, die hinter dem Putsch stehenden Kreise und Schichten, die in verschiedenster Weise auf eine Erneuerung Deutschlands hoffen, würden durch die zeitlich beschränkte Stillegung ihrer Führer sich nun in ihrem Denken und Handeln auf eine neue Linie einstellen, so täuschte er sich. Es kam allerdings unter den in Freiheit verbliebenen Führern zu Meinungsverschiedenheiten über die Fortführung der Bewegung. Schon am 1. Januar 1924 gründete Alfred Rosenberg zusammen mit Julius Streicher und Hermann Esser die „Großdeutsche Volksgemeinschaft". Ihre wesentliche Aussage über den Weg der künftigen Politik war auch weiterhin der Verzicht auf die Beteiligung an den Wahlen. Anders entschied der am 7. Januar 1924 im Bamberg gebildete „Völkische Block in Bayern", der dann als „Nationalsozialistische Freiheitsbewegung" für das ganze Reichsgebiet die Nachfolge der verbotenen NSDAP antreten wollte. Seine Führer waren Ludendorff, Graefe und Gregor Strasser.

Die erste indirekte Beteiligung der Hitler-Partei an Wahlen erfolgte am 10. Februar 1924 in Thüringen. Eine völkische Liste errang mit sieben von 72 Mandaten fast 10 Prozent. Unter den sieben Abgeordneten waren drei ehemalige Nationalsozialisten. Günstig für die weitere Zukunft der Partei war es, daß die Regierung in Weimar schon Anfang März das Verbot aufhob, weil sie auf die parlamentarische Unterstützung der Völkischen angewiesen war. Auch am bayerischen Wahlergebnis von Anfang April ließ sich ablesen, daß die „Völkischen" nach wie vor über einen beträchtlichen Rückhalt beim Wähler verfügen konnten: 23 von 179 Abgeordnetensitzen. Bei den Wahlen zum Reichstag schließlich Anfang Mai 1924 kamen 32 Kandidaten der NS-Freiheitsbewegung ins Parlament, unter ihnen zehn Nationalsozialisten. Jetzt fand die verbotene Partei auch Anhänger in Kreisen, die sich ihr vorher versagt hatten. Einer der zehn Abgeordneten war der Greifswalder Mathematikprofessor Theodor Vahlen. Hitler hielt sich heraus aus dem Richtungsstreit innerhalb des „nationalen" Lagers, indem er Mitte Juni die Parteiführung niederlegte. Wahrscheinlich witterte er, daß in seiner Abwesenheit seine Autorität schwand und hielt es für besser, sich bis zu seiner Entlassung die Hände freizuhalten.

Als er am 20. Dezember 1924 sein Gefängnis in Landsberg am Lech verlassen durfte, hatte er nicht nur sein erstes Buch geschrieben, sondern sich auch für den Kampf um die Macht auf dem Wege des Stimmzettels entschlossen. Als erstes Erfordernis für einen Erfolg mußte die Parteiorganisation wieder aufgebaut und die einheitliche Führung hergestellt werden. Mitte Februar 1925 hob der neue bayerische Ministerpräsident Heinrich Held das Parteiverbot auf. Andere Länder folgten. Nachdem aber Hitler in seiner ersten öffentlichen Rede am 27. Februar den gegenüber Held ausgesprochenden Verzicht auf Angriffe gegen den Staat nicht eingehalten hatte, wurde ihm das öffentliche Rederecht bis zum März 1927 entzogen. Auch hier schlossen sich die meisten anderen Länder an, die wichtigsten Ausnahmen waren Württemberg und Thüringen. Immerhin konnte Hitler jetzt wieder schreiben; denn der „Völkische Beobachter" erschien seit Ende Februar wieder. Im Sommer dieses Jahres besuchte Hitler eine Reihe von Führertagungen außerhalb Bayerns (Plauen, Stuttgart, Weimar) und konnte dabei seine Stellung festigen.

Die Nachfolgeorganisationen der Partei aus der Zeit von Hitlers Strafverbüßung lösten sich auf. Allerdings wurde doch deutlich, welche Rückwirkungen der gescheiterte Putsch auf der einen Seite und die wirtschaftliche und politische Stabilisierung des Reiches auf der anderen Seite hatten. Ende 1925 belief sich die Mitgliederzahl der NSDAP auf kaum die Hälfte der vom November 1923. Bei der Reichstagswahl vom Dezember 1924, bei der lediglich

NSDAP und KPD gegen die Annahme der von dem amerikanischen Finanzfachmann Charles G. Dawes ausgearbeiteten Vorschläge zur endgültigen Regelung der deutschen Reparationsverpflichtungen agitiert hatten, entschieden sich weniger als die Hälfte der Wähler für Hitler, als dies noch im Februar des Jahres der Fall gewesen war.

Im ersten Wahlgang zur Reichspräsidentenwahl Ende März 1925 hatte die NSDAP Ludendorff als ihren Kandidaten aufgestellt. Er erhielt wenig mehr als 1 Prozent der abgegebenen Stimmen, nachdem auch seine eigene deutschvölkische Fraktion sich gegen die Bewerbung ausgesprochen hatte. Es kam hinzu, daß sich auch innerhalb der neugegründeten NSDAP Widerstände regten, weniger gegen Hitler selbst als gegen Figuren aus seiner Münchner Umgebung. Selbst bei der SA gab es Schwierigkeiten, weil ihr Hauptorganisator Röhm trotz der Niederlage bei der Feldherrnhalle weiter an der Vorstellung festhielt, sie müsse eine Art getarnter Reichswehrreserve sein, während Hitler sie ausschließlich als politische Organisation verwenden wollte. Röhm ging als Militärberater nach Bolivien, an seine Stelle trat als Oberster SA-Führer der ehemalige Hauptmann Franz Pfeffer von Salomon. Mitte der zwanziger Jahre wurde die später so charakteristische Uniform eingeführt, Braunhemd und braune Schirmmütze. Der Stoff stammte noch aus alten Heeresbeständen, die für die Ausrüstung von Schutztruppen in Afrika vorgesehen und mit der Zeit nachgedunkelt waren.

Die Ausdehnung nach Norddeutschland

Einzelne Stützpunkte gab es bereits jenseits der Main-Linie. Jetzt wurden zielstrebig Gau-Organisationen aufgebaut, entsprechend etwa der Einteilung in Wahlkreise zum Reichstag. Die Leiter dieser Gaue kamen zunächst in der Regel aus der Mitte der örtlichen Parteizellen und unterstellten sich nur grundsätzlich der Führung Hitlers. Da sie ihre Arbeit auch selbst finanzierten, waren sie nicht ohne weiteres bereit, sich in Fragen der politischen Aussage von München aus lenken zu lassen. Doch gelang es Hitler, unterstützt von dem seit Oktober 1925 wirkenden Reichsorganisationsleiter Gregor Strasser, bei einer Tagung Mitte Februar 1926 im Bamberg Sondertendenzen, die sich in der sogenannten „Arbeitsgemeinschaft Nordwest" kristallisiert hatten, in eine einheitliche wenn auch sehr allgemeine Linie einmünden zu lassen. In Berlin wurde der „Kampf-Verlag" aufgebaut, der schon bald sieben nationalsozialistische Wochenzeitungen herausbrachte. Die Spannungen zwischen dem „völkischen" und dem „nationalsozialistischen" Konzept führten auch in der österreichischen Bewegung zu einer Spaltung, als deren Ergebnis im Mai 1926 die Vertreter des letzteren sich Hitler unmittelbar unterstellten. Das Jahr 1926 sah auch die Gründung zweier wichtiger Untergliederungen der NSDAP, dem „NSD-Studentenbund" und der „Hitler-Jugend". Den NSD-Studentenbund führte seit Juli 1928 Baldur von Schirach, die Hitlerjugend (HJ), Kurt Gruber mit dem Sitz in Plauen. Die HJ überführte ihre über 18jährigen Mitglieder in die SA.

Ende dieses Jahres war der Mitgliederstand der Partei von 1923 wieder erreicht, wobei Hitler peinlich darauf geachtet hatte, daß nicht geschlossene Gruppen mit eigenen Vorstellungen, sondern in der Regel nur Einzelmitglieder neu aufgenommen wurden.

Im November 1926 wurde der aus dem Rheinland stammende Dr. Joseph Goebbels zum Berliner Gauleiter berufen. Mit seinem rednerischen Schwung und seiner einfallsreichen politischen Werbung verstand er es bald, der Partei in der Reichshauptstadt neue Anhänger zu gewinnen. Während es ihm gelang, auch die SA voll auf seine Richtung einzuschwören, kam es in anderen Gauen zu Reibungen zwischen Partei und Sturmabteilung, nicht zuletzt deshalb, weil in zunehmendem Maße mit der verbesserten Finanzierung in der Parteiorganisation bezahlte Posten geschaffen wurden, um die dann entsprechend gerangelt wurde. Auf diesem Wege wurden auch die ursprünglich noch vorhandenen parteidemokratischen Ansätze zu Gunsten von Cliquenbildungen beseitigt.

In den verschiedenen Wahlen der Jahre 1926 und 1927 konnte die NSDAP trotz großer Anstrengungen nur Prozentanteile zwischen 1,5 und 4 erfechten. Das Potential an radikal nationalistischen Wählern verminderte sich, zumal die wirtschaftliche Konjunktur, gefördert durch amerikanische Anleihen, die Wunden des verletzten Nationalgefühls zu heilen begann. Die sozialkonservative Haltung der Partei wurde noch einmal deutlich, als sie sich mit den meisten anderen Parteien im Juni 1926 gegen einen von der KPD eingebrachten Volksentscheid zur Enteignung der deutschen Fürsten wandte. Aber auch zu einer nationalen Konkurrenz für die sozialistischen Gewerkschaften konnte sie sich nicht entschließen; die Reichsleitung lehnte im August 1928 den Vorschlag ab, eigene Arbeitnehmerorganisationen aufzubauen. Dafür konnte sie jetzt das Erbe der völkischen Gruppierungen antreten. Mitte Februar 1927 verließen die Nationalsozialisten die mit den Völkischen bestehende gemeinsame Reichstagsfraktion und erreichten bei der Wahl im Mai 1928 zwölf eigene Mandate, während die Völkischen leer ausgingen. Das bedeutete, daß die NSDAP jetzt das Monopol auf dem äußersten rechten Flügel der Parteienlandschaft erworben hatte. Zu diesem Zeitpunkt besaß sie schon 25 Gaue, die in Kreise und Ortsgruppen untergegliedert waren. Jenseits der Reichsgrenze kam noch der Landesverband Österreich mit sechs Gauen hinzu. Die Partei war nunmehr fast im ganzen deutschsprachigen Gebiet Mitteleuropas organisatorisch und publizistisch vertreten. Es kam jetzt darauf an, einen größeren Anteil an Wählerstimmen zu gewinnen. In den Monaten

November und Dezember 1929 wurde bei verschiedenen Wahlen die 10-Prozent-Grenze überschritten. Am 8. Dezember 1929 wurde bei der Stadtratswahl in Coburg mit 13 von 25 Sitzen bereits die absolute Mehrheit erreicht. Bevor solche Erfolge auf der Ebene von Ländern und des Gesamtstaates angestrebt werden konnten, mußte sich die Partei noch einer Programmdiskussion stellen.

Der Streit um das Programm

Die Frage einer Änderung des Parteiprogramms war in dem Augenblick aufgebrochen, als die NSDAP die Grenzen des noch stark agrarisch geprägten Bayern überschritten hatte und sich nun in den Industriezentren (Hamburg, Berlin, Ruhrgebiet, Mitteldeutschland, Sachsen) auszubreiten suchte. Hier waren bei dem größeren Teil der Bevölkerung soziale Fragen brennender als nationale Komplexe. Gegen Ende 1925 formulierten die Gebrüder Strasser, Goebbels und Karl Kaufmann einen Programm-Entwurf, der dieser Sachlage Rechnung tragen sollte. Darin war vorgesehen, alle Betriebe, die mehr als 20 Mitarbeiter beschäftigten, in „Aktiengesellschaften" umzuwandeln. Von den auszugebenden Aktien sollten 90 Prozent an das Reich, die Länder und Gemeinden, aber immerhin auch 10 Prozent an die korporativ zusammengefaßte Belegschaft ausgegeben werden. Im landwirtschaftlichen Bereich war vorgeschlagen, alle Güter unter 250 ha als „Erblehen" auszugeben, die dieses Maß überschreitenden dagegen aufzuteilen, was vor allem den ostelbischen Großgrundbesitz zerschlagen hätte. Gottfried Feder, der von diesem Entwurf erfuhr, alarmierte Hitler, dem es dann auch gelang, die Anhänger solcher Ideen auf der Bamberger Führertagung zu isolieren, so daß sie sich von ihrem Entwurf distanzierten. Die charakterfesteren unter ihnen hatten freilich ihren sozialistischen Ideen keineswegs abgeschworen. Vor allem Gregor Strassers jüngerer

Bruder Otto dachte in dieser Richtung weiter, wobei ihm die inzwischen in Norddeutschland geschaffenen Zeitschriften wie die „NS-Briefe" das Forum boten, seine Gedanken weiter vorzutragen[28]). Dabei spielten nicht so sehr grundsätzliche Meinungsverschiedenheiten über ein nationales und soziales Programm die ausschlaggebende Rolle als vielmehr Fragen der Reihenfolge — erst soziale Revolution, dann gleichsam automatisch Erfüllung der nationalen Sehnsüchte — und der Taktik — Verzicht auf die mögliche Beteiligung der Partei an Regierungsbildungen bürgerlicher Parteien, stattdessen Vorantreiben der revolutionären Situation.

So konnte etwa Dr. Ernst Jarmer an den Punkt 19 des offiziellen Parteiprogramms anknüpfen, wenn er 1929 schrieb: „Selbst nationale Kreise, wie die Deutschvölkische Freiheitspartei, fordern den Schutz dieses eben geschilderten individualistischen Eigentums des BGB. Wir Nationalsozialisten können dem nicht zustimmen. Wir wünschen die Aufrechterhaltung des römisch-rechtlichen, liberalistischen Privateigentums [das der Erhaltung der kapitalistischen Wirtschaftsordnung dient] nicht; vielmehr wollen wir eine Umgestaltung des Eigentums im deutschrechtlichen Sinne und den Schutz und die Erhaltung dieses nationalsozialistischen Privateigentums"[29]).

Die Verschärfung der Weltwirtschaftskrise, aber auch die soziologische Veränderung in der Zusammensetzung der NSDAP konnten solchen Überlegungen zusätzlichen Antrieb verleihen. Leider wissen wir über die soziale Zusammensetzung der Partei in den frühen dreißiger Jahren nichts Zuverlässiges. Nach den offiziellen Angaben der 1935 erstellten Parteistatistik umfaßte sie vor der Reichstagswahl vom September 1930 28,1 Prozent Arbeiter,

[28]) Vgl. hierzu das Quellenstück Nr. 13.
[29]) Nationalsozialistische Briefe 5 (1929/30), S. 59.

20,3 Prozent Selbständige in Industrie und Handwerk, 25,6 Prozent Angestellte, 14,1 Prozent Bauern und 8,3 Prozent Beamte[30]).. Diese Verteilung würde sich der statistischen Aufschlüsselung der Gesamtbevölkerung nähern, aber es gibt gewichtige Anhaltspunkte dafür, daß zumindest der Anteil der Arbeiter wesentlich geringer war.

Nachdem Otto Strasser erkannt hatte, daß Hitlers nun erkennbare Neigung, sich der Großindustrie anzunähern, mit seinen sozialistischen Vorstellungen nicht mehr zu vereinigen war, zog er einen Schlußstrich und ließ am 4. Juli 1930 verkünden: „Die Sozialisten verlassen die NSDAP". Er gründete die „Kampfgemeinschaft revolutionärer Nationalsozialisten", die als „Schwarze Front" eine Reihe beachtlicher Köpfe aufwies, aber gegenüber der hinter Hitler stehenden Parteiorganisation keine Chance mehr hatte. Während Hitler von diesen ehemaligen Parteifreunden verächtlich als „Salonbolschewisten" sprach, rächten sich die Strasser-Anhänger mit Spottversen wie diesem:

> „Vom Duce hat er die Montur, die römischen Allüren,
> von Marx die Kollektivnatur, die Lust zu nivellieren,
> beim Staat, der über Leichen geht, ist Macchiavell beteiligt
> und Sankt Ignatius Pate steht beim Zweck, der alles heiligt"[31]).

Wie das bei solchen Absplitterungen üblich ist, erklärten sich die Anhänger Otto Strassers als die wahren Nationalsozialisten. So erschien am 20. März 1932 ein Leitartikel in „Die schwarze Front" mit der Überschrift „Die Hitlerpartei sterbe, auf daß der Nationalsozialismus lebe"[32])!

[30]) Martin Broszat, Der Staat Hitler, in: Deutsche Geschichte seit dem Ersten Weltkrieg. DVA Stuttgart, Band 1, S. 532.
[31]) Otto Strasser, Exil. Selbstverlag, München 1958, S. 49.
[32]) Die schwarze Front, Nr. 5 (20. 3. 1932), S. 1.

Aber auch sein Bruder Gregor, der Hitler treu geblieben war, trug in einer Reichstagsrede vom 10. Mai 1932 Vorschläge vor, die praxisnäher und besser begründet waren als die Otto Strassers, aber den gleichen Geist sozialen bis sozialistischen Engagements für die unteren Volksschichten spüren ließen. Grundsätzlich stellte er fest: „... daß der Herrgott an sich auf der Welt für alle Menschen genug zum Leben wachsen läßt. Wenn der Verteilungsapparat des weltwirtschaftlichen Systems von heute es nicht versteht, den Ertragsreichtum der Natur richtig zu verteilen, dann ist dieses System falsch und muß geändert werden, um des Lebensrechtes des Volkes willen. Das deutsche Volk protestiert gegen eine Wirtschaftsordnung, die nur in Geldprofit, Dividende denkt und die vergessen hat, an Arbeit und Leistung zu denken“[33]). Er rechnete den Reichstagsabgeordneten vor, daß nur 75 Prozent des Ernährungsbedarfs aus der Erzeugung des Inlandes gedeckt werden, obwohl 12 Millionen ha nicht genützt würden, weil sie zu feucht, moorig oder aus anderen Gründen brachliegend seien. Er wollte unter staatlicher Aufsicht Meliorationsgenossenschaften für kleine Projekte, für größere aber den (damals noch freiwilligen) Arbeitsdienst einsetzen. Er schlug vor, durch gezielte Baumaßnahmen die Großstädte aufzulockern und Eigenheime zum Stückpreis von RM 5000,— zu bauen, wobei 65 Prozent der Kosten Löhne seien. Die vom Staat angestoßene Arbeit erzeuge weitere Arbeit. Er plädierte für den Abbau der Zinssätze und die Einführung einer Benzin-, statt einer Autosteuer. Dagegen kritisierte er die beträchtlichen staatlichen Aufwendungen für die Sanierung der „unproduktiven“ Bankhäuser.

Sind die meisten dieser und weiterer Vorschläge zunächst die unmittelbare Antwort auf die wirtschaftliche Lage

[33]) Gregor Strasser, Arbeit und Brot. Reichstagsrede am 10. Mai 1932. 3. Aufl. Franz Eher, München 1932, S. 5 = Kampfschrift 12.

Deutschlands im Jahre 1932, so ist aus anderen Zeugnissen der Gruppe Strasser doch der Zusammenhang mit der Weltanschauung des Nationalsozialismus zu ersehen. So schrieben die „NS-Briefe" 1929: „In wenigen Tagen jährt es sich zum elften Male, daß die deutsche Nation in den heiligen Aufstand um ihr Dasein trat, daß unter der Fahne des Krieges die deutsche Revolution ihre ersten Kolonnen marschieren hieß. Es ist uns eine glückhafte Begebenheit, daß die Bedeutung dieses 1. August [1914] im Herzen der Nation wächst und wächst. War es in den vergangenen zehn Jahren zumeist nur eine Polemik kleinerer Kreise gewesen, so steht in diesem Jahre fast die gesamte Nation, aufgewühlt durch die grellen Lichter der politischen Umwelt, gelenkt durch das Gesetz historischen Erwachens nach Jahren der Abspannung, in diesem Streite, um zum Kriege ihr ‚Ja' oder ‚Nein' zu sprechen. Noch schwankt die Waage, aber wir stehen in der Hoffnung, daß der Krieg im Gefühl, im Bewußtsein unseres Volkes wieder den Platz erhalten wird, der ihm gebührt; als eine Notwendigkeit, als eine Seite des Lebens überhaupt"[34]).

Gleichgültig, welcher Schwerpunkt des Parteiprogramms die Wähler anzog, eindeutig ist der gewaltige Anstieg der Stimmen, die für die NSDAP bei den Wahlen seit dem Herbst 1930 abgegeben wurden.

Die Weltwirtschaftskrise

Am 14. September 1930 stimmten rund 6,4 Millionen Wähler für Hitlers Partei und brachten damit 107 Abgeordnete der NSDAP in den Berliner Reichstag. 18,3 Prozent der Wählerschaft erwarteten sich also eine Veränderung zum Besseren in Deutschland durch die Wahl dieser Partei. Das war eine Vermehrung um das Siebenfache

[34]) Nationalsozialistische Briefe 5 (1929), S. 25—26.

gegenüber der Wahl von 1928. Gleichzeitig gewann aber auch die Kommunistische Partei 13,1 Prozent der Stimmen. Rund ein Drittel der deutschen Wähler stimmte also für Parteien, die mit der Republik von Weimar nichts mehr im Sinn hatten. Den höchsten Wahlanteil errangen die Nationalsozialisten in Schleswig-Holstein mit 27 Prozent, den geringsten in Württemberg mit 9,4 Prozent. Die Ursachen für diesen in der deutschen Parteiengeschichte einmaligen Bergrutsch, dem bald ein zweiter folgten sollte, lagen auf verschiedenen Feldern.

Ein wesentlicher Grund war zweifellos die Verdüsterung des wirtschaftlichen Horizonts. Wie ein Schock wirkte es nach der Prosperität der zweiten Hälfte der zwanziger Jahre, als zwischen Oktober und Dezember 1929 die Arbeitslosenzahl von 1,76 auf 3 Millionen hinaufschnellte. Ursache hierfür war vor allem die Unterbrechung der Kapitalzufuhr aus den USA, wo der berüchtigte „Schwarze Freitag", der 25. Oktober 1929, ein ganzes Kartenhaus risikoreicher Spekulationen hatte zusammenbrechen lassen. Der rasche Sturz der Börsenwerte veranlaßte die Banken, ihren Großkunden die Kredite zu kürzen oder sie zurückzufordern, das gleiche taten die Anleger, die bisher in Erwartung guter Gewinne ihr Geld in Europa investiert hatten. Die Weltwirtschaftskrise war da. Ihre Wirkungen erstreckten sich mehr oder weniger auf alle Industriestaaten, mit einer gewissen Verzögerung auch auf die Agrarstaaten (Preisverfall der Nahrungsmittel auf dem Weltmarkt), traf aber Österreich und das Deutsche Reich besonders hart, weil sich diese beiden Länder von den Folgen der Inflation und der Dauerbelastung durch die Reparationen nicht hatten erholen können. Die vor allem in Deutschland als Gegensteuerung eingeschlagene Deflationspolitik (Kürzung der Beamtengehälter, Sparmaßnahmen bei öffentlichen Bauvorhaben, Erhöhung der Steuern) vergrößerte noch die Schwierigkeiten der Wirtschaft, ohne daß man mit Sicherheit heute sagen könnte, daß eine entgegengesetzte Politik bessere Erfolgschancen gehabt hätte, weil einerseits die deutsche Substanz so stark ausgezehrt war, andererseits die Reparationsverpflichtungen zunächst noch weiter bestanden. Bis zum Januar 1931 war die Zahl der Erwerbslosen auf 4,8 Millionen, bis zum Januar 1932 sogar auf 6 Millionen angestiegen, wobei die Zahl derer, deren Einkommen sich in dieser Zeit drastisch verminderte, sicher noch größer war, etwa bei den freiberuflich Tätigen, die von den Arbeitsämtern nicht registriert wurden.

Mögliche Milderungen der tiefgreifenden Krise wurden verhindert, auch wenn ihre Wirkung vielleicht mehr im psychologischen als im tatsächlichen Bereich gelegen hätte. So hatten sich Ende März 1931 deutsche und österreichische Regierungsvertreter über den Plan einer Zollunion geeinigt, aber unter dem Druck der Pariser Regierung im September dieses Jahres das Projekt fallen lassen müssen. Nach längerem Tauziehen verständigten sich die Westmächte mit den USA auf das sogenannte Hoover-Moratorium, das von Weihnachten 1931 an auf ein Jahr die wechselseitigen Schuldenzahlungen aus den Verpflichtungen der Kriegsjahre aufschob. Die Maßnahme kam zu spät, um das Fieber der Wirtschaftskrise noch rasch dämpfen zu können.

Eine zweite Ursache lag nun darin, daß die deutsche Reichsregierung sich im Parlament nicht mehr auf eine sie tragende Koalition stützen konnte. Im Rückblick scheint es schier unverständlich, daß das Kabinett des Sozialdemokraten Hermann Müller daran scheiterte, daß eine mögliche Erhöhung der Beiträge zur Arbeitslosenversicherung um 3,75 Prozent für den Fall ins Auge gefaßt wurde, daß die umfangmäßig festgelegten Reichszuschüsse nicht mehr ausreichten. Man muß aber hier darauf hinweisen, wie sehr die sozialdemokratischen Abgeordneten, zu mehr als einem Drittel Gewerkschaftler, unter dem Druck ihrer Wähler standen, die schwer genug zu kämpfen hatten. Die daraufhin am 30. März 1930 gebildete Regierung des Zentrumspolitikers Heinrich Brüning mußte von Anfang an mit Notverordnungen nach Artikel 48 der Reichsverfassung regieren. Dabei unterlag sie bereits im Juli 1930 bei einer Abstimmung, die mit knapper Mehrheit die Aufhebung zweier dieser Notverordnungen mit den Stimmen der NSDAP verlangte. Die kommenden Septemberwahlen hatten dann den radikalen Parteien den großen Aufschwung gebracht.

Die Radikalisierung äußerte sich auch in der politischen Auseinandersetzung zwischen den Parteien. Bei den Wahlkämpfen scheuten die Flügelparteien nicht davor zurück, ihre Gegner durch Aufmärsche zu provozieren, ihre Versammlungen zielgerichtet zu sprengen und auch gegen Mitglieder der gegnerischen Partei handgreiflich zu werden. Die Zahl der Opfer nahm von Monat zu Monat zu. Der Bürger gewöhnte sich gleichsam an ein Klima der Gewalt. Während nach offiziellen Angaben der NSDAP von 1924—1928 22 Mitglieder bei solchen Straßenkämpfen ihr Leben einbüßten, wobei die Vorgänge im einzelnen noch nicht erforscht sind, waren es von 1929 bis 1932 147 Opfer. Sicher nicht weniger Sozialdemokraten und Kommunisten kamen bei derartigen Gelegenheiten ums Leben. Bei den Kameraden der Toten wuchs naturgemäß das Bedürfnis nach Vergeltung. Sicherlich waren diese Zahlen geringer, als Hitler oft in seinen Reden angab, wo er von Hunderten von Opfern seiner NSDAP sprach, aber sie zeigten doch, daß das politische Leben in Deutschland für Regierung und Bevölkerung gefährlich geworden war. Die einzelnen Regierungen der Länder und das Kabinett in Berlin haben es nicht an Maßnahmen fehlen lassen, um dieser Verrohung der politischen Sitten und der Gefährdung des Systems von den Extremen zu begegnen; aber es fehlte die einheitliche Linie, zu oft wogen kurzfristige Vorteile schwerer als eine langfristige Sicherung des Gemeinwesens. Im übrigen waren die Extremisten flexibel genug, um diese Behinderungen immer wieder zu unterlaufen. Als im Juni 1930 über die SA das Verbot des Braunhemdes verhängt wurde, versammelten sich die Angehörigen dieser Organisation einfach einheitlich im weißen Hemd. Einen Monat später untersagte die preußische Regierung ihren Beamten die Mitgliedschaft in der NSDAP, sie konnte aber dadurch nicht verhindern, daß Sympathisanten allmählich in verschiedene Posten der Verwaltung einsickerten.

Die Harzburger Front

Noch gab es 1930 neben den Nationalsozialisten im rechten Lager die „Deutschnationale Volkspartei". Sie hatte zwar gegenüber 1928 die Hälfte ihrer Stimmanteile verloren, aber noch hatte sie 7 Prozent und mit ihrem Vorsitzenden Alfred Hugenberg einen Mann, der zu wichtigen Wirtschaftskreisen die besten Verbindungen pflegte und mit seinem Konzern einen beachtlichen Teil der veröffentlichten Meinung beeinflussen konnte. Er ging mit Hitler im September 1929 ein erstes Zweckbündnis ein, als es galt, das Volksbegehren gegen den Young-Plan zu organisieren. Der Führer der unpolitischen, aber konservativ orientierten Traditionsorganisation, des „Stahlhelms", Franz Seldte, und der Justizrat Heinrich Claß, der seit 1908 der Vorsitzende des „Alldeutschen Verbandes" gewesen war, schlossen sich an. Sie vermochten zwar nur 4,1 Millionen Wähler zur Einzeichnung in die Listen zu mobilisieren, aber der Propagandaeffekt sollte sich doch in den folgenden Monaten auszahlen.

Hitler seinerseits profitierte von der Möglichkeit, jetzt auch mit maßgebenden Vertretern der Großindustrie ins Gespräch zu kommen. Er verstand es, bei ihnen einen positiven Eindruck zu erzeugen und auch für die Wahlkämpfe finanzielle Spenden zu erhalten. Von politischen Gegnern und auch von manchen Historikern ist die Behauptung aufgestellt worden, der Aufstieg der NSDAP nach 1930 sei entscheidend solchen Spenden der Industrie zu verdanken gewesen. Da es an entsprechenden Aktenunterlagen mangelt, ist eine über jeden Zweifel erhabene Antwort auf diese Frage nicht möglich; aber nach dem Urteil des wohl besten Kenners der Materie, des amerikanischen Historikers Henry Ashby Turner jr., hat Hitler den Weg auf den Sessel des Reichskanzlers ohne die Hilfe der meisten Großunternehmen zurückgelegt, ja obwohl diese die Hitler ablehnenden oder mit ihm konkurrierenden Parteien weit stärker finanziell unterstützten[35]).

Die Wähler glaubten ihm, was er im September 1930 im sogenannten Ulmer Reichswehrprozeß — zwei junge Mitglieder der NSDAP und der Reichswehr waren der Vorbereitung zum Hochverrat angeklagt — geschworen hatte, er werde mit seiner Partei den Weg der Legalität gehen. Im Januar des folgenden Jahres wurde im einst „roten“ Thüringen Dr. Wilhelm Frick der erste nationalsozialistische Minister. Im September dieses Jahres konnte ein der Partei angehörender Innenminister in Braunschweig zeigen, daß das Parteiprogramm ernst genommen wurde, indem er das „positive Christentum“ durch die Wiedereinführung der Bekenntnisschule bewies. Die Wirkung der Partei und ihrer Propaganda[36]), nicht zuletzt aber die öffentlichen Reden des Führers“, der im April 1932 erstmals das Flugzeug dazu benützte, um möglichst viele Redetermine wahrnehmen zu können, lassen sich auch an dem Verhältnis zwischen eingeschriebenen Parteimitgliedern und gewonnenen Wählerstimmen ablesen. Als die NSDAP zur Reichstagswahl vom 31. Juli 1932 antrat, konnte sie etwa 1,4 Millionen Mit-

[35]) Henry Ashby Turner jr., Faschismus und Kapitalismus in Deutschland. Vandenhoeck & Ruprecht, Göttingen 1972, S. 30.

[36]) Zur Siegeszuversicht der NSDAP vgl. das Quellenstück Nr. 17.

glieder der Partei und ihrer Gliederungen aufbieten. Wählerstimmen fielen 13,7 Millionen auf die NSDAP. Bei der durch viele Regierungsjahre im Reich und in Preußen zermürbten SPD war das Verhältnis ungünstiger: 1 Million Mitglieder auf 7,9 Millionen Wähler.

Am 11. Oktober 1931 trafen Spitzenvertreter der NSDAP, der DNVP, des Stahlhelm und einiger Bünde in Bad Harzburg zusammen, um sich auf eine einheitliche Stoßrichtung zu einigen. Tatsächlich forderten sie die Reichs- und die preußische Regierung zum Rücktritt auf, verlangten die Auflösung von Reichstag und preußischem Landtag und erklärten sich bereit, die Macht zu übernehmen, obwohl sie zu diesem Zeitpunkt ebenfalls keine parlamentarische Mehrheit besaßen. Allerdings konnte man sich nicht auf Hitler als Kandidat für die 1932 anstehende Reichspräsidentenwahl einigen. Schon im Frühjahr löste sich die „Front" wieder auf. Hitler trat allein gegen den 85jährigen Feldmarschall des Ersten Weltkrieges Paul von Hindenburg an und errang im ersten Wahlgang 11,3, im zweiten, als die übrigen beiden Bewerber (Theodor Duesterburg für die DNVP und Ernst Thälmann für die KPD) bereits ausgeschieden waren, 13,4 Millionen Stimmen. Selbst mit den Stimmen der DNVP-Anhänger hätte es noch nicht zur relativen Mehrheit gereicht, aber noch einmal zeigte sich unübersehbar, daß die NSDAP zur stärksten politischen Kraft im Deutschen Reiche herangewachsen war. Wenn man nur die beiden Flügelparteien zählte, dann waren nach der Reichstagswahl vom Juli 1932 52 Prozent aller Wähler gegen diesen Staat.

Hitler wird Kanzler

In dieser Lage war es nur noch eine Frage der Zeit, bis der wiedergewählte Reichspräsident Hitler mit der Regierungsbildung beauftragen würde. Nach dem Rücktritt Brünings im Mai 1932 — Hindenburg hatte ihm die Rückendeckung, die er für sein Minderheitskabinett benötigte, entzogen, weil ihn seine Umgebung wegen gewisser Korruptionsfälle bei der sogenannten „Osthilfe“ gegen den Kanzler beeinflußte — folgten zwei „Präsidial-Kabinette“, zunächst das des abtrünnigen Zentrumspolitikers Franz von Papen, der sich überwiegend auf nicht parteigebundene Fachleute stützte, dann das des ehemaligen Reichswehrministers Kurt von Schleicher, eines der wenigen ausgesprochen politisch denkenden Generale. Er hoffte, mit Unterstützung der Gewerkschaften und des linken Flügels der NSDAP Hitler zähmen zu können. Seine Überlegungen erwiesen sich als auf Sand gebaut, als auch ihm Hindenburg das Vertrauen verweigerte. Sicherlich war der greise Reichspräsident kein überzeugter Demokrat, er blieb, was er gewesen war, ein Anhänger der konstitutionellen Monarchie. Seine Umgebung hat ihn zu beeinflussen vermocht in bestimmten Einzelfragen, aber im ganzen versuchte er, verfassungstreu sein Amt zu führen. Wenn jemand ein Vorwurf zu machen ist, dann denjenigen Parteien, die ihn 1925 aus seinem wohlverdienten Ruhestand für das höchste Staatsamt vorgeschlagen hatten.

Die letzten Monate vor Hitlers Ernennung zum Reichskanzler sind angefüllt mit zahlreichen politischen Verhandlungen, mit Intrigen und Geheimgesprächen, die atmosphärisch den Grad der Erschütterung des Regierungssystems sichtbar machten; aber entscheidenden Einfluß auf Hitlers Berufung hatten sie nicht. Er weigerte sich gegen den Rat mancher seiner Anhänger, die sich darüber sogar von ihm trennten wie Gregor Strasser, das Angebot eines Vizekanzlerpostens in der Regierung von Papen anzunehmen. Er behielt auch die Nerven, als seine Partei bei den letzten Reichstagswahlen im November 1932 34 Mandate und 4,3 Prozent der Wählerstimmen einbüßte. Die Zeit arbeitete für ihn; denn weder von Papen, noch von Schleicher hatten reale Aussichten, eine parlamentarische Mehrheit zustandezubringen. Am 30. Januar 1933 übertrug Hindenburg dem Führer der NSDAP die Aufgabe, ein neues Kabinett zu bilden. Hitler erhielt sogleich das Recht, den Reichstag aufzulösen und die dritte Wahl innerhalb von acht Monaten durchzuführen.

III. Die Verwirklichung des Programms innerhalb der Reichsgrenzen

Die erste Regierung unter Führung Hitlers wies außer ihm selbst nur zwei Parteigenossen auf, den Innenminister Frick und als Minister ohne Geschäftsbereich Hermann Göring. Dazu kamen drei Minister der DNVP, darunter der Vizekanzler von Papen, und vier parteilose Fachleute. Nur 248 Abgeordnete stützten diese Regierung. Begreiflich, daß Hitler Neuwahlen verlangt hatte. Er eröffnete sie selbst mit einem Aufruf, der alle wesentlichen Punkte eines Regierungsprogramms enthielt.

1. Das Regierungsprogramm

Inhalt

Eine verhältnismäßig ausführliche Einleitung analysierte den traurigen Zustand der deutschen Nation und wies auch in wenig differenzierender Form die Schuld dafür den marxistischen Parteien zu. Von ihnen drohe auch heute die größte Gefahr, weil ihre Klassentheorie die Volkseinheit zersetze. Die versprochene Gleichheit und Brüderlichkeit sei nicht eingetreten, dafür habe man auch noch die Freiheit[37]) verloren. Jetzt aber habe der Reichspräsident die nationalen Parteien und Verbände zur Einigkeit gerufen. Folgende Aufgaben seien zu erfüllen: Die geistige und willensmäßige Einheit müsse wiederhergestellt werden. Gegen den Nihilismus seien die Kräfte des Christentums, der Familie und

[37]) Vgl. zu dem vagen Freiheitsbegriff das Lied, Quellenstück Nr. 9.

der Tradition zu stärken und die nationale Disziplin wieder zu schaffen. Der am Boden liegenden Wirtschaft werde mit zwei Vierjahresplänen geholfen werden. Sowohl die Arbeitslosigkeit müsse beseitigt wie die weitere Verelendung des Bauerntums gestoppt werden. Die Sanierung der öffentlichen Haushalte müsse vor allem durch Sparsamkeit bewirkt werden. Die wichtigste Quelle der wirtschaftlichen Entwicklung, die private Initiative, müsse erhalten bleiben. Allerdings gehöre zum Wiederaufbauprogramm auch der Einsatz des gesetzlichen Arbeitsdienstes[38]) und eine staatliche Siedlungspolitik. Daneben habe der Staat für die soziale Sicherung seiner Bürger zu sorgen. In der Außenpolitik gebe es nur zwei Ziele: die Rückgewinnung der vollen Souveränität und die Erhaltung des Friedens, wobei Hitler auch an die Abrüstungsverpflichtung der Siegermächte erinnerte. Vier Jahre verlange die Regierung Zeit zu ungestörter Arbeit, dann möge das Volk über sie richten.

Dieses sehr gemäßigte Programm[39]) mochte viele damaligen deutschen Hörer davon überzeugen, daß aus dem maßlosen „Trommler" Hitler ein besonnener Staatsmann geworden sei. Oder auch, wie manche es deuteten, daß die erfahrenen Politiker und Fachleute im Kabinett (Hugenberg, der Reichswehrminister von Blomberg, der Außenminister von Neurath und der Vizekanzler von Papen) Hitler gezähmt hätten. Beachtenswert, daß Hitler zweimal die kommunistische Gefahr beschwor und daß das verräterische Wörtchen „unbarmherzig" im Zusammenhang mit dem Kampf gegen die „Nihilisierung" auftauchte.

Das eigentliche Regierungsprogramm trug Hitler dann am 23. März 1933 in der Kroll-Oper (der Reichstag war ja inzwischen ausgebrannt) vor, nachdem ihm die Wahlen 43,9 Prozent der Stimmen für die NSDAP und weitere

[38]) Vgl. das Arbeitsdienstlied, Quellenstück Nr. 19.
[39]) Der Wortlaut der Aufrufs in Quellenstück Nr. 14.

8 Prozent für den Koalitionspartner DNVP gebracht hatten. Allerdings waren diese Wahlen schon nicht mehr frei gewesen. SPD und vor allem KPD waren in ihrer Werbung entscheidend behindert, nicht wenige ihrer führenden Köpfe bereits verhaftet, und der Regierungsapparat wurde weitgehend in den Dienst der beiden rechten Parteien gestellt. Unter diesen Umständen war es sogar eher überraschend, daß der Stimmenanteil nicht noch höher ausfiel.

Hitlers Rede vor dem Parlament unterscheidet sich nur durch größere Ausführlichkeit in den Einzelheiten und durch einige Verdeutlichungen von dem bereits genannten Wahlaufruf. Er verlangte von den Abgeordneten die Zustimmung zu einem „Ermächtigungsgesetz", nachdem die Wähler am 5. März die „nationale Revolution" mit dem Stimmzettel bestätigt hätten, aber einige seiner Vorstellungen nur durch Verfassungsänderungen zu verwirklichen seien. Zwar habe die Feindschaft der Linksparteien seiner NSDAP mehr als 300 Tote abverlangt und der Rückhalt der KPD im Ausland sei bekannt, aber die Bekämpfung dieser Partei sei dennoch eine rein innerdeutsche Angelegenheit, die nicht auf die Außenpolitik abfärbe. Seine Regierung wolle nicht die Länder beseitigen, allerdings die Häufigkeit der Wahlgänge in Reich und Ländern vermindern. Wie er das erreichen wollte, deutete er nur vage an. Die moralische Sanierung des öffentlichen Lebens bedeute den Kampf gegen alle zersetzenden Lehren, mit den Kirchen solle gute Zusammenarbeit gepflegt, Blut und Rasse müßten Quelle der künstlerischen Inspiration werden. Mit „barbarischer Rücksichtslosigkeit" werde gegen Volks- und Landesverrat eingeschritten. In der Wirtschaft sei an Autarkie nicht zu denken, er wisse, wie notwendig der Export für Deutschland sei.

Vergleich mit dem Parteiprogramm

Es ist nicht ganz gerecht, das Grundsatzprogramm einer erst sich formierenden Partei mit ihrem Regierungsprogramm zu vergleichen. Man muß berücksichtigen, daß die NSDAP und Hitler in den 13 Jahren seit 1920 politische Erfahrungen gesammelt hatten und daß sich inzwischen ja auch die Lage in Deutschland verändert hatte, von der Welt außerhalb Deutschlands ganz zu schweigen. In den ersten Monaten des Jahres 1933 mußte es für den Regierungschef darauf ankommen, seine Anhängerschaft im Volk zu verbreitern und im Ausland möglichst wenig Anstoß zu erregen. Insofern ist es verständlich, daß jetzt noch nicht von der Vereinigung aller Deutschen oder von der Aufhebung der Pariser Vorortverträge gesprochen wurde. Etwas überraschend ist es aber doch, daß die Zurückdrängung der nichtdeutschen Staatsangehörigen überhaupt nicht erwähnt wird. Auch die harschen Forderungen nach der Todesstrafe für „Volksschädlinge" und nach der Beschlagnahme von Kriegsgewinnen aus dem Weltkriege werden nicht erhoben. Über die Einrichtung von Stände- und Berufskammern hört man nichts mehr, ebensowenig von der Schaffung eines deutschen Rechts und der Verstaatlichung von Konzernen. Alle diese Programmpunkte von 1920 standen für Hitler in der zweiten Reihe, haben teilweise vielleicht für ihn nie die Bedeutung gehabt wie für andere Männer seiner Umgebung etwa für Gottfried Feder.

Was nicht im Regierungsprogramm stand

Begreiflicherweise konnte Hitler nicht öffentlich bekennen, daß er alle die ihm bei der Verwirklichung des Programms im Wege stehen würden, ohne Rücksicht darauf, daß sie vielleicht vorher seine Helfer und Wegbegleiter gewesen waren, beseitigen werde. Ein aufmerksamer Beobachter seines Werdeganges vom „unbekannten Frontsoldaten“ des Ersten Weltkrieges zum Führer der stärksten Partei in Deutschland hätte dies immerhin vermuten können. Und der Reichskanzler konnte auch nicht eingestehen, daß er, soweit es an ihm lag, sich nie von dieser Stelle freiwillig wegbegeben würde, daß er die Macht, die er nun einmal in den Händen hatte, bis zum letztmöglichen Zeitpunkt behaupten werde, gleichgültig ob die noch bestehende Reichsverfassung, das Parteiprogramm oder eigene frühere Aussagen ihn daran hinderten.

2. Die Zentralisierung der Macht

Noch im März 1933 begann Hitler sein Kabinett umzubauen, indem der Berliner Gauleiter Dr. Joseph Goebbels das Amt eines Reichsministers für Volksaufklärung und Propaganda erhielt. Ihm folgten nacheinander Franz Seldte als Arbeitsminister, Bernhard Rust als Minister für Wissenschaft, Erziehung und Volksbildung, Walter Darré als Minister für Ernährung und Landwirtschaft und schließlich im Dezember Ernst Röhm und Rudolf Heß als Minister ohne Geschäftsbereich. Da Hugenberg im Juni das Wirtschaftsressort geräumt hatte, weil er sich mit seinen Vorstellungen nicht durchzusetzen vermochte und der parteilose Kurt Schmitt ihm nachgefolgt war, standen am Jahresende in der Reichsregierung neun Vertreter der NSDAP (Franz Seldte war übergetreten) fünf Parteilosen und zwei DNVP-Vertretern gegenüber. Keiner der ersten Kabinettsangehörigen scheint gegen diese Gewichtsverschiebung nachhaltigen Widerstand geleistet zu haben.

Nach wie vor sammelten sich im Reichstag zahlreiche Politiker, die auf Grund ihrer Fähigkeiten und Kenntnisse einer nationalsozialistischen Regierung Schwierigkeiten bereiten konnten, wenn die Verhältnisse in dem „Hohen Hause" nicht grundlegend verändert wurden. Den ersten willkommenen Anlaß, dies zu tun, bot der Reichstagsbrand in der Nacht vom 27./28. Februar 1933. Es spricht viel dafür, daß nicht die SA diesen Brand gelegt hat, sondern daß der niederländische Anarchist Marinus van der Lubbe der einzige Täter war. Auf jeden Fall reagierte die Regierung rasch, erließ eine „Verordnung zum Schutz von Volk und Staat" durch den Reichspräsidenten, die es erlaubte, die die Grundrechte schützenden Artikel der Reichsverfassung außer Kraft zu setzen. Somit wurde es möglich, die meisten kommunistischen Abgeordneten zu verhaften, deren Partei man unterstellte, den Reichstagsbrand als Signal für einen neuen kommunistischen Aufstand inszeniert zu haben. Mit einem Federstrich entzog der Reichstagspräsident Göring den 81 gewählten Abgeordneten der KPD nach dem 5. März 1933 das Mandat.

Den nächsten Akt der Entmachtung des Reichstages vollzog ein Teil der Abgeordneten selbst in der Abstimmung über das „Gesetz zur Behebung der Not von Volk und Staat" am 23. März. Mit 444 gegen 94 Abgeordnete der SPD setzten sie die bisherige parlamentarische Regierungsform für vier Jahre außer Kraft. Der Reichskanzler konnte mittels dieses Gesetzes sogar verfassungsändernde Dekrete ohne Mitwirkung der Parlamentarier erlassen. Über 100 Mandatsträger hatten freilich an der Entscheidung überhaupt nicht teilnehmen können, weil sie bereits hinter Schloß und Riegel saßen oder sich der befürchteten Verhaftung durch die Flucht entzogen hatten. Die Zustimmung von Zentrum und der kleineren Parteien war nicht vorbehaltlos erfolgt. Hans Ritter von Lex, der Sprecher der Bayerischen Volkspartei, erklärte: „Wir geben jedoch der Hoffnung Ausdruck, daß die Durchführung und Handhabung des Ermächtigungsgesetzes sich in den Schranken des christlichen Sittengesetzes hält. Kein Ermächtigungsgesetz kann irgendeine Regierung oder Einzelperson von dieser Pflicht befreien. Die Verantwortung für die Durchführung des Gesetzes im einzelnen legen wir vor Gott, dem deutschen Volk und der deutschen Geschichte in die Hände der Reichsregierung"[40]). Aber dieser moralische Appell ging im Gesang des „Horst-Wessel-Liedes" der triumphierenden Nationalsozialisten unter. Es ist richtig, daß es ähnliche die Verfassung zeitweise aufhebenden Gesetze schon unter Reichspräsident Ebert gegeben hatte, aber damals bestand noch die Möglichkeit, sie durch die Parlamentsmehrheit wieder aufzuheben. Jetzt aber hatte die NSDAP mit ihrem Verbündeten die absolute Mehrheit.

Die erste Reichstagswahl nach dem Verbot bzw. der Auflösung der politischen Parteien am 12. November 1933 brachte 92,8 Prozent der Stimmen für Hitler, wobei die Stimmabgabe mit einem Bekenntnis zu Hitlers Politik gekoppelt war. An die Stelle der im Herbst 1932 gewählten Abgeordneten aller übrigen Parteien traten Mitglieder der NSDAP. Damit war der Reichstag völlig in der Hand der Partei. Er verwandelte sich jetzt auch innerlich. Aus einem Gremium, in dem mit Sachverstand und politischer Leidenschaft über den richtigen Weg gestritten wurde, entstand des „Reiches teuerster Gesangsverein", wie es der politische Witz sarkastisch formulierte, eine Pfründe zur Versorgung verdienter Parteigenossen, die lediglich noch den beschlossenen Maßnahmen der Regierung Beifall spendeten. Im Januar 1937 und im gleichen Monat 1939 verlängerte der Reichstag das Ermächtigungsgesetz. Im Mai 1943 war er

[40]) Verhandlungen des deutschen Reichstages, VIII. Wahlperiode, Band 457, S. 38.

auch dazu nicht mehr nötig. Hitler erneuerte seine Vollmachten sich selbst durch einen Erlaß. Durch „Volksabstimmungen" zu außenpolitischen Fragen suchte Hitler die tatsächlich nicht mehr gegebene Legitimation seiner Herrschaft zu verschleiern. Sie endeten mit den berüchtigten 98—99 Prozent Zustimmung. Nach dem Beginn des Zweiten Weltkrieges ernannte der Führer persönlich Abgeordnete für die an Deutschland angeschlossenen Gebiete.

Die Ausschaltung von Parteien und Gewerkschaften

Eines der Hauptziele des Parteiprogramms von 1920 war die Überwindung der nationalen Aufsplitterung des deutschen Volkes gewesen. Als hierfür verantwortlich galten die politischen Parteien, insbesondere die marxistischen und die Gewerkschaften, die vom Gegensatz zwischen Betriebsinhabern und Belegschaft lebten. Mit den Mitteln der massiven Einschüchterung, einmal durch die von der Regierung beherrschte Propagandamaschinerie, zum anderen durch individuellen Terror der SA, wurde den Parteien nahegebracht, daß angesichts des nationalen Aufschwungs ihre Existenz überflüssig geworden sei.

Als erstes traf der Blitzstrahl der Auflösung die Gewerkschaften und Beamtenbünde, die 1928 noch 8,2 Millionen Mitglieder registriert hatten, freilich keine einheitliche Kraft darstellten, sondern in die „Freien Gewerkschaften", die der SPD nahestanden, in den christlich geprägten „Deutschen Gewerkschaftsbund" und in den „Gewerkschaftsring deutscher Arbeiter, Angestellten- und Beamtenverbände" zerfielen. Sie verfügten über eine gute Organisation und beachtlichen materiellen Besitz, waren aber doch durch die lange Zeit der hohen Arbeitslosigkeit innerlich geschwächt und hatten es nicht gewagt, gegen Hitlers Gewaltstreiche — etwa das Ermächtigungsgesetz — zum Generalstreik aufzurufen. Nachdem der Reichskanzler den traditionellen Feiertag der Arbeiterklasse, den 1. Mai, zum „nationalen Feiertag“ erklärt hatte, ließ er am folgenden Tag die Büros der Gewerkschaften besetzen, die Unterlagen und den Besitz dieser Organisationen beschlagnahmen und viele Funktionäre verhaften. Eine propagandistische Offensive beschuldigte die einstigen Leiter der Gewerkschaften der unerlaubten Bereicherung. Bezeichnend war das enge Zusammenwirken von staatlicher Polizei und Parteigliederungen wie SA und SS bei dieser Aktion. Für einen Widerstand gab es kaum Aussichten.

Kaum drei Wochen später wurde auch die SPD verboten, nachdem schon vorher mehr oder weniger systematische Verfolgungen ihrer führenden Köpfe und Eingriffe in ihre Stützpunkte (Parteihäuser, Zeitungsredaktionen) erfolgt waren. Mitglieder des Parteivorstandes waren schon Anfang Mai in das damals vom Reich abgetrennte Saargebiet gegangen, um die Führung auf jeden Fall handlungsfähig zu erhalten. Es kam aber bald zu schweren Spannungen zwischen Exilvertretern und den im Lande verbliebenen prominenten Parteiführern.

Während Franz Seldte seinen „Stahlhelm“ aus freien Stücken Ende Juni auflöste, versuchte Hugenberg, auch durch einen Appell an den Reichspräsidenten, seine DNVP zu erhalten. Er blieb erfolglos und die übrigen kleineren Parteien, „Deutsche Staatspartei“, „Deutsche Volkspartei“ und „Bayerische Volkspartei“ folgten dem Auflösungsbeispiel, schließlich auch am 5. Juli das „Zentrum“. Es ist zu einfach, hier von einer kollektiven Selbstmordwelle zu sprechen. Der leitende Gesichtspunkt der Parteiführungen war, das offensichtlich Unvermeidliche in geordneten Formen und unter möglichst weitgehender Sicherung der bisherigen Mitglieder zu vollziehen. Aber ein bißchen mehr Widerstand wäre sicherlich möglich gewesen. Durch das Gesetz vom 14. Juli 1933 war die Neubildung von Parteien untersagt, Hitler stand an der Spitze eines Ein-Parteien-Staates.

Die Gleichschaltung der Länder

Aber noch befanden sich beachtliche Machtpositionen innerhalb des föderalistisch aufgebauten Deutschen Reiches nicht in der Hand der NSDAP. Am 30. Januar 1933 hatte sie erst in fünf der kleineren von insgesamt 17 Ländern die Regierung gebildet (in zwei weiteren war sie an der Regierung beteiligt). In den meisten Ländern war die NSDAP erst die zweitstärkste Partei. Es mußte nun der Programmpunkt verwirklicht werden, der die Stärkung der Reichseinheit über die Sonderinteressen der Länder stellte, auch wenn Hitler in seinem Regierungsprogramm versprochen hatte, die Länder nicht zu beseitigen. Formal hat er dieses Versprechen auch gehalten, inhaltlich aber gebrochen.

Zwei Gesetze vom 31. März und 7. April 1933 lösten die noch durch freie Wahlen zustandegekommenen Parlamente auf, ersetzten die bisherigen Parlamentarier durch Nationalsozialisten und übertrugen die Regierungsverantwortung Kabinetten, die aus Parteigenossen zusammengesetzt waren. Darüberhinaus ernannte Hitler elf Reichsstatthalter, die die Aufgabe hatten, die Entwicklung der einzelnen Länder mit der des Reiches zu koordinieren. Am 1. Januar 1934 wurden Mecklenburg-Strelitz und Mecklenburg-Schwerin zusammengefaßt, am 1. April 1937 die alte Hansestadt Lübeck der preußischen Provinz Schleswig-Holstein zugeschlagen. Die Ministerien der Länder, auch sie wichtige Pfründen, blieben erhalten, lediglich in Preußen wurden sie mit Ausnahme des Finanzministeriums mit den entsprechenden Reichsministerien zusammengelegt.

Durch das „Gesetz über den Neubau des Reiches“ vom 30. Januar 1934 wurden alle wesentlichen Entscheidungskompetenzen auf Berlin übertragen. Merkwürdigerweise schreckten diese als „Reichsreform“ der Öffentlichkeit verkauften Maßnahmen dann doch vor tieferen Eingriffen zurück, etwa der Beseitigung von Kleinterritorien wie

Schaumburg-Lippe mit 340 qkm und (1933) kaum 50 000 Einwohnern. Am 14. Februar 1934 wurde gleichsam als Schlußstein dieses Neubaus der „Reichsrat“ beseitigt, in dem nach der Weimarer Verfassung die Länder an der Gesetzgebung und Verwaltung des Reiches teilgenommen hatten.

Die Krise von 1934

Noch konnte freilich Hitler sich nicht als unumschränkter Diktator fühlen, solange Reichspräsident von Hindenburg amtierte. Mit etwas Geduld aber konnte der 44jährige Reichskanzler abwarten, bis der 86jährige Feldmarschall sterben würde. Bevor die Frage der absoluten Alleinherrschaft im Sinne Hitlers gelöst werden konnte, mußte er Schwierigkeiten innerhalb seiner Anhängerschaft überwinden, die von seiner Sturmabteilung und ihrem Stabschef Ernst Röhm herrührten. Zwar war Hitler selbst seit 1930 der Oberste SA-Führer, aber seine Verpflichtungen als Führer der Gesamtpartei und als Reichskanzler hatten ihm wenig Zeit gelassen, die Parteiarmee unmittelbar zu führen.

Die SA umfaßte im Januar 1933 etwa 300 000 Mann. Eine weitere kräftige Vermehrung erfolgte durch die unfreiwillige Einfügung des „Stahlhelm“ und anderer Bünde. Das hatte zur Folge, daß die Zahl der Parteimitglieder in der SA, die in den Anfangsjahren bei 100 Prozent gelegen hatte, jetzt auf 25 Prozent absank. Die SA hatte sich in der „Kampfzeit“ große Verdienste erworben, die meisten Blutopfer gebracht und durch ihren beträchtlichen Anteil an Menschen aus der sozialen Unterschicht die Empfindung für deren Bedürfnisse am stärksten bewahrt. Nach der „Machtübernahme“ waren viele Parteifunktionäre in gut bezahlte Stellungen eingerückt, aber die SA blieb unversorgt, teilweise arbeitslos.

Ihr Stabschef hatte nie von seiner Zielsetzung abgelassen, aus der SA den Kern für das vom Parteiprogramm vorgesehene Volksheer zu schaffen. Aus politischen Gründen hatte Hitler diese Pläne in der Weimarer Zeit unterdrücken müssen. Jetzt schien Röhm der Zeitpunkt gekommen, sein Konzept zu verwirklichen. Er glaubte offenbar, Hitler werde sich ihm dabei nicht widersetzen. In Preußen hatte der von Hitler eingesetze Innenminister Göring 40 000 SA-Leute in eine neu aufgestellte „Hilfspolizei" eingereiht, die sich bei der „Abrechnung" mit den politischen Gegnern von gestern unrühmlich auszeichnete. Aber das war nicht das Ziel, das Röhm anstrebte. Er suchte und fand mit Hitlers Unterstützung den Draht zur Reichswehrführung, die insgeheim damit begann, die „wehrsportliche" Ausbildung der SA durch Instrukteure und Besoldung im Sinne einer Reservebildung für die Armee zu betreiben. Prinzipiell hatte die Reichswehr das gleiche Ziel wie der Stabschef der SA: Verstärkung der Streitkräfte entgegen den Versailler Bestimmungen. Während aber die Generale die SA als ein Reservoir nationaler Männer betrachteten, aus dem nur die nach militärischen Begriffen Geeigneten herausgesucht werden sollten, dachte Röhm an die geschlossene Übernahme seiner Verbände und für sich selbst an den Posten des Reichswehrministers.

Im Sommer 1934 spitzten sich die Auseinandersetzungen hinter den Kulissen zu, ohne daß von wirklichen Putschvorbereitungen der SA hätte die Rede sein können. Unter dem Druck von parteiinternen Rivalen Röhms auf der einen Seite (Göring, Goebbels, Himmler) und der Generale (von Blomberg und sein Mitarbeiter von Reichenau) auf der anderen Seite entschied sich Hitler für eine Radikalkur. Unter dem öffentlich erhobenen Vorwurf, Keile zwischen die Partei und die SA getrieben und sogar Verbindungen zu einer ausländischen Macht angeknüpft zu haben, ließ Hitler seinen ehemaligen Freund Röhm und drei Dutzend weiterer hoher SA-Führer ohne Gerichtsverfahren durch seine SS-Leibstandarte erschießen. Bei dieser Gelegenheit wurden noch einige andere Rechnungen beglichen: So starben der General Kurt von Schleicher und der Generalstaatskommissar von Kahr, aber auch eine Reihe kleinerer Leute, ein Münchner Musikkritiker sogar durch schlichte Personenverwechslung.

Die Reichswehr nahm den Meuchelmord an zweien ihrer ehemaligen Kameraden, Schleicher und Ferdinand von Bredow, ohne Protest hin, die deutsche Öffentlichkeit fand sich mit der Erklärung des Justizministers Dr. Gürtner ab, Hitler habe im „Staatsnotstand" und „rechtens" gehandelt. Der ganze Umfang der „Nacht der langen Messer" wurde erst nach 1945 genauer bekannt. Die SA schied von da an als politischer Faktor im NS-Staat aus. An ihre Stelle trat die Elitegruppe der „Schutzstaffel" (SS), von Heinrich Himmler und Reinhard Heydrich aus kleinsten Anfängen — 1933 nur wenige tausend Mann — aufgebaut und am Ende des Dritten Reiches ein Staat im Staate mit bewaffneten Kräften in der Größenordnung von über 900 000 Mann.

Kaum vier Monate nach dieser deutschen „Bartholomäus-Nacht" starb Reichspräsident von Hindenburg, der zunächst den „böhmischen Gefreiten" nur zum Postminister hatte machen wollen, ihm dann aber, schlecht beraten, die ganze Macht ausgeliefert hatte. Nach der Verfassung wäre der Präsident des Reichsgerichts sein Stellvertreter gewesen. Ob sich Hindenburg im Begleitbrief zu seinem politischen Testament, in dem er das Schicksal Deutschlands in Hitlers Hände legte, gegen eine Vereinigung der Ämter von Reichspräsident und Reichskanzler ausgesprochen hatte, ist nicht gesichert, Hitler hat jedenfalls bereits einen Tag vor Hindenburgs Tod von allen Kabinettsmitgliedern ein Gesetz unterzeichnen lassen, das eben diese Vereinigung bestimmte. Am 19. August 1934 hat eine erneute Volksabstimmung mit fast 90 Prozent Ja-Stimmen diese Machtballung gutgeheißen.

Unterwerfung der Wehrmachtführung

Als Reichspräsident war Hitler auch der oberste Befehlshaber der Wehrmacht. Doch dürfte er sich kaum Illusionen darüber gemacht haben, daß die meisten höheren Offiziere der Reichswehr ihm und seiner Partei mit großen Vorbehalten gegenüberstanden. Reichswehrminister von Blomberg geriet schon bald in den Bann von Hitlers Persönlichkeit[41]). Er vereidigte bereits am 2. August 1934 die Truppen auf Hitler. Hatte es in der älteren Formel des Soldateneids noch geheißen: „Ich schwöre bei Gott diesen heiligen Eid, daß ich meinem Volk und Vaterland allzeit treu und redlich dienen und als tapferer und gehorsamer Soldat bereit sein will, jederzeit für diesen Eid mein Leben einzusetzen"[42]), so lautete jetzt die Formel: „... daß ich dem Führer des deutschen Volkes und Reiches, Adolf Hitler, dem Oberbefehlshaber der Wehrmacht unbedingten Gehorsam leisten ... will"[43]).

Diese personalisierte Bindung des Soldaten hat sicherlich dazu beigetragen, daß es später auch den Militärs so schwer fiel, sich Hitlers Entscheidungen zu widersetzen. Daß die Moral der obersten Führung bereits angekränkelt war, ließ das Ausbleiben der Reaktion auf die Ermordung des Generals von Schleicher erkennen. Dennoch hielt sich Hitler bis 1938 gegenüber den Militärs zurück, gewann sie durch seine Aufrüstungsmaßnahmen, um sie schließlich im Februar dieses Jahres weitgehend zu entmachten. Er besetzte den Posten des Kriegsministers nicht mehr neu, nachdem von

[41]) Vgl. für den parteiamtlichen Führerkult Quellenstück Nr. 18.
[42]) Reichsgesetzblatt 1933, Teil I, S. 1017.
[43]) Reichsgesetzblatt 1934, Teil I, S. 785.

Blomberg infolge einer Mesalliance sein Amt hatte aufgeben müssen, ernannte aber auch nicht den zwar nationalsozialistisch denkenden, aber eigenwilligen General Walter von Reichenau zum Nachfolger. Stattdessen errichtete er eine neue Behörde, das Oberkommando der Wehrmacht, das Hitler als militärischer Planungsstab dienen sollte, unter dem ihm hörigen General Wilhelm Keitel. Bei dieser Gelegenheit beseitigte er auch den infolge einer widerlichen Intrige Görings und Heydrichs scheinbar moralisch belasteten Generalobersten Freiherrn von Fritsch, den Oberbefehlshaber des Heeres, und setzte ihn auch nicht wieder ein, als sich seine Unschuld herausstellte. Spätestens von diesem Zeitpunkt an war auch das Heer — die von Göring geleitete Luftwaffe und die von Raeder befehligte Kriegsmarine aus inneren und äußeren Gründen schon früher — kein politischer Faktor mehr, der Hitler wirklich in die Zügel fallen konnte.

3. Die Außenpolitik

Mehr Vorsicht als in der Innenpolitik mußte sich Hitler in seinem Verhalten gegenüber den Nachbarstaaten auferlegen, wollte er nicht riskieren, daß sich ähnliche Folgen einstellten wie der Ruhreinbruch 1923 für die Regierung Cuno. Bevor er daran denken konnte, seine Programmpunkte von 1920 zu verwirklichen, mußte er seine Stellung verbessern.

Internationale Anerkennung

Gewiß: der noch von Gustav Stresemann abgeschlossene Vertrag von Locarno vom Oktober 1925 sicherte Deutschlands Westgrenze, aber nach Osten gab es eine solche Deckung nicht und ein zuverlässiger und starker Verbündeter war nicht in Sicht. Darüber hinaus mußte Hitler mit einer verschlechterten Verhandlungsatmosphäre rechnen, nachdem sein innenpolitischer Aufstieg und die ihn begleitende nationalistische Leidenschaft nicht gerade vertrauenserweckend im Auslande gewirkt hatte.

Erstes internationales Vertrauenskapital erwarb Hitler durch den Abschluß des Reichskonkordats mit der römischen Kurie am 20. Juli 1933. Die Verhandlungen waren auf deutscher Seite von Vizekanzler von Papen, auf römischer von dem ehemaligen Vorsitzenden der deutschen Zentrumspartei Monsignore Ludwig Kaas eingeleitet worden. In wenigen Monaten war das Vertragswerk unterschriftsreif. Das war um so bemerkenswerter, als es während der Weimarer Republik zwar gelungen war, 1929 einen entsprechenden Vertrag mit Preußen, nicht aber mit dem ganzen Reiche zustandezubringen. Entgegen den Absichten des Vatikans wertete Hitler dieses Abkommen als die offizielle Anerkennung seines Regimes durch die höchste katholische Autorität. Auch konnte er gegenüber den deutschen Katholiken seine positive Einstellung zur römischen Kurie zeigen, während gleichzeitig sich die katholischen Geistlichen aus der Politik zurückziehen mußten und das reiche katholische Vereinswesen und die Jugendarbeit unter einen vagen staatlichen Schutz gestellt wurden. Das Konkordat war zweifellos für Hitler ein diplomatischer Sieg, zumal wenn man bedenkt, daß er sich in seiner Kirchenpolitik durch das Abkommen nicht einschränken ließ.

In seinen öffentlichen Reden betonte Hitler sein Interesse an der Erhaltung des Friedens. Bei den internationalen Abrüstungsgesprächen in Genf ließ er zunächst seine Bereitschaft, ein dort vereinbartes Abrüstungsabkommen zu unterzeichnen, erkennen, drängte aber immer nachdrücklicher darauf, daß nun die Siegermächte die ersten praktischen Schritte zur Verminderung der Rüstungsungleichheit auf dem europäischen Festland unternähmen. Da aber das

Mißtrauen in Frankreich eher noch gewachsen war, ein Vorschlag des britischen Außenministers Deutschlands Gleichberechtigung für weitere vier Jahre hinauszuschieben vorsah, bot das Hitler den Anlaß, am 14. Oktober 1933 die Abrüstungskonferenz und gleich auch den Völkerbund zu verlassen, was wiederum durch ein Plebiszit von 40 Millionen deutscher Bürger bei zwei Millionen Neinstimmen gebilligt wurde. Wenn man sich an die Machtlosigkeit des Völkerbundes bei dem japanischen Einfall in der Mandschurei im September 1931 erinnert, wird man es begreiflich finden, daß die deutsche Bevölkerung nicht eben großes Zutrauen in dieses Gremium hatte.

Während Hitler so deutlich von dem Konzept der „kollektiven Sicherheit" abrückte, das die deutschen Regierungen seit Gustav Stresemann übernommen hatten, überraschte er auf der anderen Seite im Januar 1934 die Welt durch einen Nichtangriffspakt mit Polen. Beide Staaten verzichteten darin auf die Anwendung von Gewalt bei der Lösung der zwischen ihnen offenen Fragen. Damit war zwar nicht de jure, aber doch de facto das polnisch-französische Vertragssystem geschwächt. Hitler konnte sich nun anderen Fragen zuwenden, auch wenn die Vertragstreue Polens nicht über alle Zweifel erhaben war.

Die Rückkehr der Saar

Entsprechend dem Versailler Vertrag sollte im Januar 1935 eine Volksabstimmung darüber stattfinden, ob die Saarbevölkerung die Rückgliederung an das Deutsche Reich wünsche, lieber den Status quo erhalten wissen wolle oder sich an Frankreich anzuschließen begehre. Im Vergleich zu den wirtschaftlichen Verhältnissen im Deutschland der Inflation und der Weltwirtschaftskrise war es an der Saar besser gewesen, gleichwohl dachte und fühlte der überwältigende Teil der Bevölkerung deutsch, auch nachdem Hitler in Deutschland an die Macht gekommen war. Die nichtmarxistischen Parteien schlossen sich zur „Deutschen Front“ zusammen und warben für die Rückkehr zu Deutschland. SPD und KPD sprachen sich für den bisherigen Zustand aus. Die Abstimmung wurde von internationalen Beobachtern überwacht und war frei. Fast 91 Prozent der Stimmberechtigten wollten wieder mit dem Deutschen Reich vereinigt werden. Nur 0,4 Prozent plädierten für den Anschluß an Frankreich, der Rest wollte den Status quo bewahren. Damit konnte dieses wirtschaftlich wichtige Gebiet — die Kohlengruben mußten von der Reichsregierung von Frankreich zurückgekauft werden — wieder Anschluß finden an das übrige Deutschland und Hitler unverdient einen Prestige-Erfolg feiern. Die im saarländischen Exil lebenden Vertreter der deutschen Linksparteien mußten weiterflüchten. „Die Vereinigung aller Deutschen“, wenn auch noch nicht in einem „Groß-Deutschland“, war ein ansehnliches Stück vorangekommen.

Die Wiedergewinnung der Wehrhoheit

Es steht außer Zweifel, daß die durch das Versailler Friedensdiktat dem Deutschen Reiche zugestandenen Verteidigungsmittel im Falle eines bewaffneten Konflikts mit einer Kombination von Tschechoslowakei/Polen und Frankreich nicht ausreichend gewesen wären. So hat sich die Reichswehrführung schon vor Hitler Gedanken über eine mögliche Verstärkung ihrer Kampfkraft gemacht, daher auch das ständige Liebäugeln mit den Freikorps, später den Wehrverbänden und der SA. Insgeheim, aber mit Rückendeckung des Reichspräsidenten Ebert, waren Fäden zur Roten Armee gesponnen worden. Auf sowjetischem Boden konnten Piloten und Panzerführer die ihnen in Deutschland verbotenen Kampfmittel erproben und sogar die Erzeugung von Gasmunition wurde begonnen. Freilich reichte das nicht über einen kleinen Kreis von auf diese Weise ausgebildeten Spezialisten hinaus. Hitler hat diese über die ideologischen Grenzen hinweggehende Zusammenarbeit im Sommer 1933 auslaufen lassen, obwohl Moskau signalisierte, daß die Kooperation trotz der innenpolitischen Kursänderung in Deutschland fortgesetzt werden könne.

Während Hitler noch offiziell die Friedensschalmeien ertönen ließ, begann er im Sommer 1933 bereits, die Planung für eine Vermehrung des Heeres um 200 000 Mann einzuleiten. Es handelte sich zunächst darum, das Rahmenpersonal für neu aufzustellende Einheiten auszuwählen und auf seine Aufgabe vorzubereiten. Bis zum Jahresende war das 100 000-Mann-Heer allenfalls um ein paar Tausend Mann angewachsen. Dafür hatte man schon begonnen, die Umstellung bestimmter Werke von der Friedens- auf die Kriegsproduktion vorzunehmen und die Leistungsfähigkeit der vorhandenen Rüstungswerke zu erweitern. Vor allem die Flugzeugfabriken, die für den zivilen Flugverkehr Maschinen und Motoren erzeugten, wurden ausgebaut. Die entscheidende Frage aber war, wie man das Personal für die geplante Vermehrung rekrutieren könne. Stillschweigend hatten die Westmächte Deutschland bereits das Recht auf eine Luftrüstung zuerkannt, sich dabei aber weiter um Abrüstungsverhandlungen mit der deutschen Regierung bemüht. Als am 1. März 1935 das britische Kabinett in einem Weißbuch eigene Rüstungsmaßnahmen mit der illegalen deutschen Aufrüstung begründete, ließ Hitler die noch vorhandenen Hemmungen fallen und verkündete am Samstag, den 16. März, die Wiederherstellung der deutschen Wehrhoheit. Auf der Basis der allgemeinen Wehrpflicht sollten zwölf Armeekorps zu je drei Divisionen aufgestellt werden, eine Vermehrung um mehr als das Dreifache gegenüber der alten Reichswehr, aber noch keine Macht, die auch nur Frankreich hätte Widerstand leisten können. Paris und London beließen es bei papierenen Protesten und Hitler konnte wieder einen Punkt des Parteiprogramms als erledigt abhaken.

Die Wiederherstellung der vollen Souveränität

Der Erfolg Hitlers zahlte sich einmal darin aus, daß nun durch die Verstärkung des Heeres das Machtgewicht Deutschlands zunahm, zum anderen, daß Männer, die bis dahin seinem außenpolitischen Urteilsvermögen skeptisch gegenübergestanden hatten, sich nunmehr überzeugten, daß Hitlers Intuition es mit den fachmännischen Analysen durchaus aufnehmen konnte, wenn sie nicht diesen sogar überlegen war. Gleichsam als Anerkennungsprämie für seinen Vertragsbruch durch die Verkündung der Wehrhoheit gingen im Frühjahr 1935 von London Fühler zu Hitler aus, die Flottenstärken beider Nationen in ein festes Zahlenverhältnis zu einander zu bringen. Die Leitung der Verhandlungen hatte auf deutscher Seite Joachim von Ribbentrop, der noch nicht dem Auswärtigen Dienst angehörte, aber sich 1932 Hitler nützlich gemacht hatte, als er in Berlin für ihn wichtige Kontakte herstellte. Am 18. Juni 1935 wurden die auf der militärtechnischen Ebene ausgehandelten Ergebnisse durch politische Unterschriften vertraglich festgelegt. Großbritannien gestand Deutschland zu, daß es zur See soweit aufrüsten könne, daß seine Flottenstärke 35 Prozent der britischen ausmache. Im Rahmen dieser Verhältniszahl hätten sogar die deutschen Unterseeboote — die gefährlichste Marinewaffe während des Weltkrieges — mit den britischen die Parität erreichen dürfen. Sowohl der französische Ministerpräsident Pierre Laval wie der italienische Benito Mussolini protestierten in London. Hitler hatte nun de jure die Aufhebung einer ganzen Reihe von Bestimmungen des Friedensvertrages erreicht.

Das ermutigte ihn im folgenden Jahr zu einer erneuten Verletzung des Versailler Vertrages. Wieder benützte er ein

Wochenende, an dem er die britische Regierung für handlungsunfähig hielt, um vor dem Reichstag am 7. März 1936 die Wiederbesetzung der entmilitarisierten Gebiete beiderseits des Rheins anzukündigen. Seine militärischen Ratgeber, die sehr wohl wußten, daß die einjährige allgemeine Militärdienstpflicht vom vergangenen Jahr sich noch kaum nennenswert zur Verstärkung der deutschen Schlagkraft hatte auswirken können, rieten dringend davon ab, Truppen auf das linksrheinische Ufer vorrücken zu lassen. Aber Hitler schlug die Warnungen in den Wind und sollte erneut Recht behalten. Im Jubel der Bevölkerung, die erstmals seit dem düsteren Herbst von 1918 wieder deutsche Soldaten sah, gingen die Protestnoten der Westmächte unter.

Am 30. Januar 1937 erklärte Hitler dann in einer Reichstagsrede: „Ich ziehe damit vor allem aber die deutsche Unterschrift feierlich zurück von jener damals einer schwachen Regierung wider besseres Wissen abgepreßten Erklärung, daß Deutschland die Schuld am Kriege besitze"[44]. Zehn Jahre zuvor hatte sich der Reichspräsident von Hindenburg ebenfalls wider den Schuldvorwurf der Siegermächte verwahrt, aber inzwischen hatte Hitler erkennen lassen, daß er nicht nur die Unterschrift unter dem unseligen Artikel 231, sondern auch von den übrigen Artikeln zurückzog. Es mußte sich erweisen, wann die Großmächte Westeuropas dieser Politik entschlossenen Widerstand entgegensetzen würden.

Aufbau eines Bündnissystems

In „Mein Kampf" hatte Hitler die aus seiner Sicht wünschenswerten Partner der deutschen Außenpolitik bezeichnet: Großbritannien und Italien. Zu beiden bestanden im

[44]) Verhandlungen des deutschen Reichstages, X. Wahlperiode, Band 459, S. 10.

Januar 1933 keine besonderen Beziehungen. Was gegenüber London durch das Flottenabkommen von 1935 erreicht war, setzte Hitler durch seine einseitigen Vertragsverletzungen wieder aufs Spiel. Im Juni 1934 war er dem italienischen Regierungschef in Venedig zum ersten Mal gegenübergetreten. Mussolini zeigte sich nicht sehr beeindruckt und war nicht bereit, einem Anschluß Österreichs an das Deutsche Reich zuzustimmen. Die Voraussetzungen für eine Änderung der italienischen Haltung wurden dadurch geschaffen, daß sich der Duce des Faschismus im Oktober 1935 anschickte, von seinen Kolonien Eritrea und Somaliland aus das unabhängige Kaiserreich Äthiopien zu unterwerfen. Deutschland schloß sich den vom Völkerbund verhängten Sanktionen nicht an, lieferte im Gegenteil Mussolini strategisch wichtige Rohstoffe und konnte so im Oktober 1936 beim Besuch des italienischen Außenministers, des Grafen Ciano, in Berlin eine erste politische Vereinbarung abschließen. Berlin erkannte die Annexion Äthiopiens an, verabredete mit Rom die gemeinsame Anerkennung des im spanischen Bürgerkrieg die „nationalen" Kräfte führenden Generals Franco und erreichte eine Abgrenzung der wirtschaftlichen Interessensphären in Südosteuropa. Am 22. Mai 1939 wurde dann ein Militärbündnis, der „Stahlpakt" in Berlin unterzeichnet, das die Grundlage für die immer größer werdende Abhängigkeit des älteren Diktators von dem jüngeren werden sollte.

Zuvor aber hatte Hitler noch einen zweiten Bündnispartner gefunden, von dem er in seinem „Programm-Buch" kaum Notiz genommen hatte, das kaiserliche Japan, genauer gesagt, die führenden Köpfe von dessen Kwantung-Armee, die bei ihrem Vordringen in der Mandschurei und im Norden Chinas eine sowjetische Gegenreaktion fürchteten. Sie entsandten den General Oshima nach Berlin, der auch tatsächlich mit von Ribbentrop am 25. November 1936 den sogenannten „Antikomintern-Pakt" abschloß, der zwar faktisch nicht viel mehr als eine Konsultationsklausel und das Versprechen enthielt, sich bei einem Angriff der Sowjetunion neutral zu verhalten und mit ihr kein Bündnis einzugehen, aber psychologisch doch so etwas wie einen Dreimächtepakt — Italien trat im November 1937 bei — bedeutete. Erst nach Ausbruch des Zweiten Weltkrieges ist dieser Dreibund zustandegekommen, ohne freilich zu einer wirklichen Koordination und Kooperation zu führen.

4. Die Wirtschaftspolitik

Alle außenpolitischen Pläne schwebten so lange in der Luft, als es nicht gelang, die deutsche Wirtschaft aus jener Talsohle herauszuführen, die mit dem Stichwort „Weltwirtschaftskrise" umschrieben wird. Das sozialpolitisch brennendste Problem war dabei das der Arbeitslosen, die z. T. schon seit mehr als drei Jahren ohne geregelte Entlohnung lebten.

Beseitigung der Arbeitslosigkeit

Vom 1. Januar 1933 bis zum Jahresanfang 1934 sank die Zahl der Arbeitslosen von 6 Millionen auf 3,75. Bis zum 1. Januar 1935 hatten weitere 800 000 Menschen wieder Arbeit und Brot gefunden. Im Herbst 1936 wurden nur noch eine Million und im Herbst 1937 nur noch etwa 500 000 Arbeitslose gezählt. Hitler hatte tatsächlich sein erstes „Vierjahresprogramm" erfüllt. Wie war ihm das möglich gewesen? Zunächst nützte ihm ganz entscheidend, daß bei seinem Regierungsantritt die weltweite Wirtschaftskrise ihren Höhepunkt überschritten hatte. Die internationale Konjunktur begann ihre Rückwirkungen auch auf Deutschland zu erstrecken. Eine große Zahl öffentlicher

Aufträge (Beginn des Baus der Reichsautobahnen am 23. September 1933, öffentliche Siedlungs- und Wohnbauten) kurbelten die Wirtschaft an. Das Klima des Vertrauens kehrte zurück und damit auch die Bereitschaft der Kapitalbesitzer zu investieren. Seit Anfang 1934 wirkte sich auch die Aufrüstung in der Wirtschaft aus. Der Reichspräsident und Wirtschaftsminister Hjalmar Schacht führte ein Finanzierungssystem — die sogenannten „Mefo-Wechsel" — ein, das sich bewährte und sogar eine Rückzahlung der Kredite erlaubt hätte, wenn Hitler sein Rüstungsprogramm vernünftig begrenzt hätte. Die Vergrößerung der Armee seit März 1935 und die Einführung der Arbeitsdienstpflicht im Juni 1935 (6 Monate für alle jungen Männer und Frauen zwischen 18 und 25 Jahren) lichteten weiter die Reihen der Arbeitslosen oder machten wenigstens kurzfristig Plätze frei. Staat und Partei schufen entgegen dem Programmpunkt sparsamer Verwaltung eine Fülle neuer Stellen, die besetzt werden konnten, und schließlich sind auch nicht ganz zu übersehen Arbeitsplätze, die dadurch frei wurden, daß ihre bisherigen Inhaber emigrierten, hinter Gefängnismauern verschwanden oder sogar umgebracht wurden. Sicherlich der zahlenmäßig gewichtigste Faktor aber war der allgemeine Konjunkturaufschwung. Im Jahre 1938 freilich hatte Deutschland erst jene Höhe des Nationaleinkommens wieder erreicht, die es 1929 gehabt hatte.

Gesundung der Landwirtschaft

Auch auf diesem Sektor der Wirtschaft hate die Krise schmerzliche Wirkungen gezeitigt. Viele Bauernhöfe hatten versteigert werden müssen, große Güter waren zerschlagen worden. Auf vielen bäuerlichen Betrieben lasteten hohe Schulden, und die Einkünfte der Landwirte waren gering, weil vom Weltmarkt billigere Nahrungsmittel angeboten wurden. Die erste Maßnahme der Regierung, um dem Übel zu steuern, war ein preußisches, dann ein Reichserbhofgesetz (29. September 1933). Es sollte für ein Drittel aller Betriebe gelten (ausgenommen waren nur Zwergwirtschaften und Latifundien mit mehr als 125 ha). Die Erbhöfe sollten in deutschblütigen Familien ungeteilt auf einen Sohn übergehen, unverkäuflich und nur bis zu einer bestimmten Höhe hypothekarisch belastbar sein. Hinter dieser Bestimmung stand eine romantische Verklärung des Bauern als „Lebensquell der nordischen Rasse", die vor allem von dem Landwirtschaftsminister Walter Darré in Wort und Schrift vertreten wurde. In den Jahren bis 1939 wurde die Zahl der Erbhöfe nicht wesentlich über die bereits 1933 eingerichteten hinaus erhöht. Viele Erbhofbauern waren keineswegs mit diesem Gesetz einverstanden, weil die Modernisierung durch die Beschränkung der Kapitalaufnahme erschwert wurde. Auf der anderen Seite fehlte der Leistungsdruck, so daß vielfach die Erzeugung pro Flächeneinheit absank.

Durch feste Abnahmepreise für Butter und Getreide schon seit 1933/34 wurde die landwirtschaftliche Erzeugung aus der freien Marktwirtschaft teilweise herausgenommen. Der Staat griff auch fördernd und einschränkend in die Anbauplanung ein, teilweise aus Gründen der Aufrüstung (Erzeugung von Faserpflanzen), teilweise um sich von der Einfuhr unabhängiger zu machen (pflanzliche Fette). Eine umfassende Bodenreform, wie sie vom Parteiprogramm gefordert war, ist hingegen nicht durchgeführt worden. Es sind zwar zwischen 1933 und 1940 680 000 ha für bäuerliche Neusiedlung vom Staat erworben und auf etwa der Hälfte der Fläche 22 000 Bauernhöfe errichtet worden[45]), aber der größte Teil davon erst nach den Angliederungen polnischer Gebiete im Herbst 1939.

[45]) Wirtschaft und Statistik 21 (1941), S. 287.

Durch den Einsatz des Reichsarbeitsdienstes (RAD) wurden in vielen Einzelfällen Standortnachteile durch Anlegung von Verkehrswegen oder mangelhafte Böden durch Entwässerung ausgeglichen. Fast noch wichtiger aber war die Aufwertung bäuerlicher Tätigkeit in der Öffentlichkeit. Man sprach jetzt vom „Reichsnährstand" und stellte ihn nicht zuletzt nach den Erfahrungen des Weltkrieges als gleichberechtigt neben den „Reichswehrstand". Jeweils am Erntedankfest (1. Sonntag nach Michaelis) versammelten sich Bauern aus allen Teilen des Deutschen Reiches auf dem Bückeberg bei Hameln und Hitler hielt eine seiner großen Reden (1933—1937). Insgesamt hatte sich bis zum Kriegsausbruch die Lage der deutschen Landwirtschaft sehr gefestigt, auch wenn gegenüber den Pro-Kopf-Einkommen in den übrigen Berufsschichten ein Rückstand vorhanden war.

Industrie und Handwerk

Die Förderung des Mittelstandes gegenüber den Großbetrieben hatte sich die Partei 1920 auf ihr Panier geschrieben. Für die Wiedergesundung der Gesamtwirtschaft und für die materielle Basis einer Machtpolitik war aber die Großindustrie noch wichtiger. Die Führung der Betriebe war einfacher geworden, seit Hitler die Gewerkschaften aufgelöst hatte. Dafür mußten die Unternehmer es hinnehmen, daß jetzt der Staat in die Verteilung der seit 1937 knapp werdenden Arbeitskräfte eingriff. Die Erhöhung von Körperschafts- und Umsatzsteuer senkte die Gewinne. Dafür förderte die Flut staatlicher Aufträge, vor allem bei der Aufrüstung, wieder Umsatz und Gewinn. Die mit dem Gesetz vom 4. Februar 1935 eingeführte Devisenbewirtschaftung schränkte die Entscheidungsfreiheit der Großbetriebe stark ein, vor allem auch die Möglichkeit, im Ausland Geld anzulegen. Schließlich machte der Staat selbst der Privatwirtschaft Konkurrenz, z. B. durch die Errichtung von Konzernen wie die „Reichswerke Hermann-Göring“ (1937), deren Management allerdings nicht aus Beamten bestand. Vor allem von kommunistischer Seite wird immer wieder der Vorwurf erhoben, die Leiter der großen Konzerne, Banken und Industriebetriebe hätten Hitlers Politik gesteuert. Es ist nicht zu leugnen, daß es zahlreiche Denkschriften, Gesprächsaufzeichnungen und auch persönliche Begegnungen von Großindustriellen mit Hitler und seinen Ministern gab. Es ist auch richtig, daß nach der Ernennung Hitlers zum Reichskanzler in beträchtlichem Umfange Wahlkampfspenden der Industrie an Hitler gelangten; ein tatsächlicher Einfluß auf eine einzelne Entscheidung Hitlers von größerer Tragweite ist bis heute nicht bewiesen. Wohl aber gab es Interessengemeinschaften, vor allem nach dem Ausbruch des Krieges, wobei aber nicht übersehen werden darf, wie stark die Wirtschaft in die Abhängigkeit von den politisch entscheidenden Dienststellen geraten war.

Der Mittelstand, vertreten durch Kleinhandel und Handwerk, war in der Rangfolge seiner Bedeutung bei Hitler gewiß hinter der Industrie eingeordnet, das hinderte aber nicht, daß auch er sich nach 1933 erholen konnte. Teilweise schrieb die Regierung den Verwaltungsbehörden vor, bei öffentlichen Aufträgen nur Mittel- und Kleinbetriebe zu berücksichtigen, teils erleichterte sie die Kreditgewährung zu günstigen Bedingungen an diese Kreise. Durch die zahlreichen Bauprojekte fand das Handwerk vielfach gute Beschäftigungschancen. In den ersten drei Jahren wurde die Kampagne gegen die (häufig) jüdischen Warenhäuser recht lebhaft betrieben, so daß deren Umsätze sich beträchtlich verringerten. Danach stiegen sie wieder um jährlich 10 Prozent. Von der „Arisierung“ jüdischer Betriebe profitierte der Mittelstand nur verhältnismäßig wenig.

Autarkie[46])

Dieses Wort steht nicht im Parteiprogramm, aber das darin steckende Wirtschaftsziel läßt sich ebenso in Hitlers „Mein Kampf" finden wie in den Schriften anderer zeitgenössischer Publizisten, vor allem aus den Kreisen der sogenannten „konservativen Revolution"[47]). In seiner Regierungserklärung von 1933 hatte der Reichskanzler eine solche Wirtschaftspolitik weit von sich gewiesen, aber in einer geheimen Denkschrift, etwa vom August 1936, hat er für eine Reihe von Produktionsbereichen die Selbstversorgung als anzustreben festgelegt. Hierbei mußten die Gesetze der Rentabilität hinter das Gebot der Versorgungssicherheit zurücktreten. So wurden die geringwertigen Eisenerze von Salzgitter abgebaut, so wurde mit hohen Kosten die Herstellung von synthetischem Benzin aus Kohle, die ja reichlich vorhanden war, eingeleitet und auch der künstliche Kautschuk, Buna (hergestellt aus *Bu*tadien mit *Na*trium als Katalysator) an die Stelle des Naturgummis gesetzt, wo immer es möglich war. Diese „Ersatzstoffe" kosteten keine Devisen, so daß die infolge der Verringerung des Exports knapper werdenden ausländischen Zahlungsmittel für die unentbehrlichen Rohstoffeinfuhren verwendet werden konnten. Daß diese Verschwendung auf Kosten des privaten Verbrauchs ging, Schlagwort „Kanonen statt Butter" steht auf einem anderen Blatt.

Noch ein anderer Versuch wurde unternommen, Deutschlands Abhängigkeit von überseeischen Einfuhren zu verringern. Man mußte nur die wirtschaftlichen Beziehungen zu den Staaten des südöstlichen Europas, die viele der von

[46]) Für die Wirkung der Weltkriegserfahrungen vgl. Quellenstück Nr. 20.

[47]) Z. B. Ferdinand Fried (Pseudonym für Friedrich Zimmermann), Autarkie. E. Diederichs Verlag, Jena 1932, S. 159 = Tat-Schriften [8].

Deutschland benötigten Rohstoffe und Nahrungsmittel erzeugten, auf eine neue Basis stellen. Das war das sogenannte „Clearing-System“. Auf der Grundlage von seit 1934 abgeschlossenen zweiseitigen Verträgen wurde der freie Weltmarkt ausgeschaltet und die Preise für die von den beiden Partnern auszutauschenden Waren frei vereinbart. Dann zahlte der jeweilige Importeur in seiner Landeswährung den Rechnungsbetrag für die eingeführten Produkte ein und die Clearingstelle schrieb den Betrag nach einer festgelegten Währungsrelation dem Ausfuhrland gut. Auf diese Weise benötigte keines der am Clearing beteiligten Länder Devisen. Ein weiterer Nutzen dieses Systems bestand darin, daß die Preise zwar nicht selten höher als die des Weltmarktes waren, dafür von dessen oft hohen Preissprüngen unabhängig. Schließlich konnte Deutschland aus Jugoslawien, Bulgarien, Ungarn und den anderen Staaten dieses Raumes seine Einfuhr erhalten, ohne daß diese von einer Blockade auf dem Weltmeer hätte bedroht werden können. Allerdings hatte dieser Handelsverkehr für die kaum industrialisierten Länder Südosteuropas auch einen schwerwiegenden Nachteil. Sie gerieten zunehmend in politische Abhängigkeit von Deutschland, nachdem dieses 1939 bis zu 50 Prozent des Gesamtaußenhandels mit ihnen bestritt. Zu einem späteren Zeitpunkt, als Deutschland seine Importe wegen des Krieges nicht mehr mit Sachlieferungen bezahlen konnte, wurden diese kleinen Länder wider Willen und zu einem gewissen Grade Kreditgeber Hitlers.

5. Die Innenpolitik

In beiden Programmen von 1920 und 1933 wurde als wesentliche Forderung aufgestellt, die klassenmäßige und geistige Aufsplitterung des deutschen Volkes wieder rückgängig zu machen.

Dieses Ziel sollte auf zwei Wegen angegangen werden, einmal indem man die aufklaffenden Gegensätze unter den Deutschen verschiedener Parteizugehörigkeit, verschiedener Glaubensbekenntnisse und verschiedener Sozialschichten überbrückte, dann aber indem man Menschen, die sich einer solchen Einheitsideologie entgegenstellten, aus der Gemeinschaft ausschloß.

Das letztere war — rein technisch gesehen — das einfachere. Die Verordnung des Reichspräsidenten vom 28. Februar 1933 bot den neuen Machthabern die Möglichkeit, ohne Rücksicht auf geltende Verfassungsbestimmungen Menschen zu verhaften, denen man vorwarf, in irgendeiner Form gegen das „Dritte Reich“ eingestellt zu sein. Verharmlosend nannte man diese Festnahmen wider Recht und Gesetz „Schutzhaft“. Ihr fielen schon in den ersten Wochen nach Hitlers Ernennung Tausende von politischen Funktionären, nicht nur von SPD und KPD, und Repräsentanten des öffentlichen Lebens, die sich bei der NSDAP oder auch nur bei einem ihrer einflußreichen Führer, mißliebig gemacht hatten, zum Opfer. Dann folgten ihnen Geistliche beider Konfessionen, die sich gegen Maßnahmen oder die Weltanschauung der Partei erklärt hatten, Intellektuelle, die irgendwo Kritik geübt hatten, und in zunehmender Zahl auch Vertreter von Menschengruppen, die rassisch oder erbbiologisch unerwünscht waren (Juden, Zigeuner, „Asoziale“).

Da die Gefängnisse diesem Zustrom bei weitem nicht gewachsen waren, richteten zunächst die SA, dann seit dem März 1933 die SS (Dachau) „Konzentrationslager“ (KZ) ein, in der Regel im ländlichen Bereich, nicht weit von einer Großstadt entfernt, wo in Baracken hinter Stacheldraht mehrere Tausend Menschen einer „Umerziehung“ unterworfen wurden. Sie bestand im allgemeinen aus einer Mischung von Spott und Prügeln, aus Hunger und schwerer, oft sinnloser Arbeit. Nachdem die SS seit 1935 alle diese Lager in ihre Regie übernommen hatte, wurde die vorher meist individuell-sadistische Brutalität der Wachmannschaften durch eine bürokratisch-kalte Grausamkeit ersetzt, die in den Opfern nichts anderes als Ungeziefer in Menschengestalt sah. Gemessen an diesen Häftlingszahlen fielen die durch Gerichte verurteilten Angehörigen politischer Gruppierungen (meist wegen Vorbereitung zum Hochverrat, illegaler politischer Propaganda, gelegentlich auch wegen Gewalttaten in der Endphase der Weimarer Republik, angeklagt) nicht ins Gewicht. Häufig wurden sie aber nach der Verbüßung der Haftstrafe ins KZ-Lager eingewiesen, wohin man dann auch ganz bewußt sogenannte Berufsverbrecher, Homosexuelle und andere unerwünschte Gruppen sandte. Ende Juli 1933 gab es etwa 27 000 Schutzhäftlinge[48]). Eine genaue Übersicht über die Zahl der Insassen in den folgenden Jahren ist nicht möglich, weil Entlassungen, Todesfälle und Neueinlieferungen den Häftlingsstand immer wieder veränderten und die meisten Akten darüber bei Kriegsende vernichtet wurden.

Viele politische Gegner kannten die Mitglieder der NSDAP natürlich aus der Kampfzeit. Es fehlte nicht an Denunziationen und an Abrechnungen individueller Art. So berichtete etwa die „Coburger Zeitung" am 18. August 1933, daß es zwei SS-Männern gelungen sei, jene Mörder zu überführen, die Pfingsten 1931 einen 17jährigen Hitlerjungen in Dühringshof (Mark Brandenburg) umgebracht hätten, nachdem ein Gericht seinerzeit dazu nicht in der Lage gewesen war[49]). Man kann sich unschwer vorstellen, welche Mittel die SS-Leute beim Verhör der Beschuldigten anwendeten.

[48]) Vgl. hierzu den „Schutzhaftbefehl" Quellenstück Nr. 22.
[49]) Coburger Zeitung Nr. 192 (18. August 1933).

Politische Polizeiabteilungen mit gut geführten Karteien hatte es schon in der Weimarer Zeit gegeben. Jetzt wurden sie kräftig ausgebaut und nach und nach gelang es dem „Reichsführer-SS", Heinrich Himmler, die „Geheime Staatspolizei" in ganz Deutschland in seiner Hand zu vereinigen. Ihre Beamten waren teils fachlich hochqualifizierte Polizisten, teils Schläger aus der Parteiarmee: im allgemeinen einheitlich war der Wille, mit allen Mitteln jede Opposition oder auch nur jede kritische Stimme zum Schweigen zu bringen[50]).

Die Aufgabe, eine neue Volksgemeinschaft zu schaffen, mußte vor allem im sozialen Bereich gelöst werden. Dabei brachte freilich bereits das Ein-Parteiensystem die Schwierigkeit mit sich, daß der „Parteigenosse" gegenüber dem „Volksgenossen" durch die erheblich größeren Möglichkeiten, Einfluß zu gewinnen und sich Vorteile zu erwirken, herausgehoben wurde. Rasch erkannte die deutsche Bevölkerung, daß die neuen Herren sich im Genusse der Macht viel weniger Hemmungen auferlegten als die demokratischen Vorgänger. Das böse Wort von den „Bonzen" wurde jetzt auf die Vertreter der NSDAP selbst angewandt, nachdem sie es vor 1933 gegen die Träger des „Systems" benutzt hatten.

Innerhalb der Arbeitswelt wurde Anfang Mai 1933 die „Deutsche Arbeitsfront" (DAF) als Zusammenfassung von Unternehmern, Angestellten und Arbeitern geschaffen. Die Mitgliedschaft wurde zwar nicht erzwungen, aber doch so nachdrücklich gefordert, daß sich ihr nur kleine Teile der in einem festen Beschäftigungsverhältnis stehenden, wirtschaftlich tätigen Männer und Frauen entziehen konnten. Durch die Übernahme des Gewerkschaftsvermögens und die Mitgliedsbeiträge in der Höhe von 1,5 Prozent eines

[50]) Vgl. zur Überwachung ehemaliger Häftlinge Quellenstück Nr. 23.

Monatsgehaltes verfügte die DAF über beträchtliche wirtschaftliche Macht. Sie erfaßte bei Kriegsbeginn direkt oder durch die ihr korporativ angeschlossenen Organisationen etwa 30 Millionen Deutsche. Nach italienischem Beispiel wurde eine Freizeitorganisation „Kraft durch Freude" (KdF) noch im November 1933 gegründet, die durch kulturelle Veranstaltungen, durch Ferienreisen, durch die Sparaktion für den „Volkswagen" dem Arbeiter und Angestellten Entspannung und teuere Konsumgüter verschaffen wollte, aber auch als Instrument der politischen Beeinflussung und Kontrolle wirkte. Im Betriebe wurde zwar der „Betriebsführer" wieder der allein maßgebende Mann, aber über gewählte Vertrauensmänner und über die vom Staat ernannten „Treuhänder der Arbeit" wurden doch der Willkür des Unternehmers enge Grenzen gezogen. Kündigungsschutz und bezahlter Urlaub versöhnten die Arbeiterschaft teilweise mit dem Verlust ihrer politischen und gewerkschaftlichen Organisationen.

Auch die im Parteiprogramm versprochene Schaffung eines deutschen Rechts hätte ein wesentlicher Beitrag für die Erneuerung der Volksgemeinschaft werden sollen. Hans Frank, der sich auf diesem Gebiete besonders hervortat, hatte mit Billigung Hitlers bereits im Oktober 1933 eine „Akademie für deutsches Recht" in München errichten können. Das Reichskabinett behandelte im Laufe des Jahres 1937 in mehreren Sitzungen den Entwurf für ein „Deutsches Strafgesetzbuch", aber schwierige Probleme der Umstellung auf ein neues Rechtssystem und die Fixierung Hitlers auf die Außenpolitik verhinderten, daß dieses Vorhaben verwirklicht wurde.

Angesichts der Arbeitslosennot wurde im September 1933 das von der Partei getragene „Winterhilfswerk" eingerichtet, das einerseits durch Straßensammlungen und nachdrückliche Spendenaufforderungen an die Betriebe hohe Geldbeiträge, andererseits durch die sogenannte „Pfundspende“, von Wohnung zu Wohnung erbeten, bedeutende Sachwerte (Lebensmittel) zusammentrug. Da auch die Verteilung über die Partei erfolgte, konnte dies bei den Spendenempfängern die Einstellung zum „Dritten Reich“ verbessern.

Die im Juni 1935 verkündete allgemeine Arbeitsdienstpflicht hatte neben ihrer Aufgabe, kostensparend öffentliche Arbeiten durchführen zu können und die Jugend körperlich zu ertüchtigen, auch das Ziel, Menschen verschiedener sozialer Schichten zusammenzuführen. Der Gedanke wurzelte einerseits in den im Weltkrieg eingeführten Hilfsdienstverpflichtungen für Männer und Frauen, die nicht unmittelbar zum Kriegsdienst herangezogen wurden, andererseits aber auch in der Jugendbewegung. Er wurde auch außerhalb Deutschlands verwirklicht, so z. B. schon 1920 in dem durch die Verluste des Weltkrieges hart getroffenen Bulgarien. In der Weimarer Republik haben verschiedene Gruppierungen (unter anderen „Der Stahlhelm“, bündische, völkische und selbst katholische Gruppen) einen freiwilligen Arbeitsdienst eingeführt, der vor allem die Menschen der Großstadt wieder mit der bäuerlichen Arbeit in Verbindung bringen wollte. In der Zeit der großen Jugendarbeitslosigkeit hat auch die Regierung Brüning im Mai 1931 diesen Arbeitsdienst nachhaltig gefördert. Innerhalb der NSDAP war der Vorkämpfer dieses Gedankens der 1924 aus der Reichswehr als Oberst ausgeschiedene Konstantin Hierl (erst 1927 Parteimitglied). Er wurde 1934 Reichskommissar für den „Freiwilligen Arbeitsdienst“ und hat ihn schließlich zu einer Zwangsorganisation gemacht. Bei einem weitgehenden Verzicht auf Entlohnung, lediglich Beköstigung und Arbeitskleidung (neben der erdbraunen Uniform) sowie das Arbeitsgerät wurden gestellt, und Unterbringung in „spartanischen“ Lagern wurde hier der Geist gemeinsamer „nationaler“ Arbeit praktisch und theoretisch eingeübt. Wie bei allen Zwangsorganisationen stellte sich auch hier heraus, daß das, was für viele gut und förderlich ist, bei dem einzelnen genau das Gegenteil bewirken kann. Hinzu kam, daß das Führungspersonal bei dem rasch ansteigenden Bedarf an qualifizierten Führern durch den Ausbau der Wehrmacht, der SS und anderer Organisationen nicht ausreichend vorgebildet und befähigt war. Auf jeden Fall hatte die Partei auch hier einen ihrer frühen Programmpunkte erfüllt.

Ähnlich ging es mit dem Auftrag, die Jugend im nationalen Geist zu erziehen. Die Anfänge einer Parteijugend hatte es schon 1922 gegeben. Sie waren bis zur Parteiauflösung 1923 nicht sehr weit gediehen. Nach der Wiedergründung 1926 wuchs die „Hitlerjugend" (HJ) in Konkurrenz mit zahlreichen anderen Jugendbünden bis zum Sommer 1932 auf offiziell etwa 35 000 Mitglieder. Das war nur ein Bruchteil der Jugendlichen in Deutschland. Im Sog des Aufschwungs der NSDAP auf dem Gipfel der Weltwirtschaftskrise fand die HJ zahlreiche weitere Mitglieder, auch unter den jugendlichen Arbeitslosen. Noch war der Beitritt die individuelle Entscheidung des einzelnen. Aber Ende 1936 wurde per Gesetz der Hitlerjugend die Alleinverantwortung für die Erziehung der Jugend außerhalb von Schule und Elternhaus übertragen. Aus dem 1931 von Hitler ernannten „Reichsjugendführer" Baldur von Schirach wurde jetzt der „Jugendführer des Deutschen Reiches". Zu diesem Zeitpunkt hatte er bereits alle außerhalb der HJ bestehenden Jugendorganisationen entweder mit Nachdruck einverleibt oder aufgelöst. Auf diese Weise schwoll die Zahl der durch die Partei organisierten Jugendlichen auf etwa sechs Millionen an, wobei ehemalige Mitglieder bündischer Gruppen (Artamanen), der konfessionellen Jugendverbände, der Sportjugendbewegung und andere noch eine Zeitlang das Gesicht einzelner Einheiten der HJ prägen konnten. Im März 1939 wurde dann die Jugenddienstpflicht für alle 10—18jährigen Knaben und für alle

10—21jährigen Mädchen festgelegt. Mit den unfreiwilligen Angehörigen der Hitlerjugend (Jungvolk, Jungmädel usw.) gab es dann manche Schwierigkeiten, die ältere Jugendführer sich nach den Zeiten zurücksehnen ließen, als nur die Mitglieder wurden, die sich von der Idee angezogen fühlten. Daß einerseits einer großen Zahl Jugendlicher das Geländespiel, das ungebundenere Leben auf Fahrt und im Lager verlockender schien als Schule und nicht selten auch als das Elternhaus, steht außer Zweifel, daß andererseits hier schon viel von dem verheerenden Gift der Weltanschauung des Nationalsozialismus in die noch ganz unkritischen Köpfe eindrang[51]), war eine folgenschwere Begleiterscheinung.

Kirchenpolitik

Die Formel vom „positiven Christentum" im Parteiprogramm ließ erkennen, daß die NSDAP die konfessionelle Spaltung im nationalen Interesse gerne überwunden hätte. Hierzu fehlten ihr freilich die Mittel. Es gab auch führende Köpfe in der Partei, die das Christentum überhaupt bekämpften wie Alfred Rosenberg, aber zumindest bis zum Ausbruch des Zweiten Weltkrieges hielt Hitler nach außen an der Linie fest, daß das Christentum einen wesentlichen Faktor der nationalen Tradition und Moral darstelle. Das schloß nicht aus, daß er sich bemühte, auf verschiedenen Ebenen den Einfluß der Kirchen auf das Denken und Handeln der Volksgenossen zurückzudrängen. Gegenüber der evangelischen Kirche fiel dies leichter, weil sie nicht über autoritativ festgelegte Lehrmeinungen und auch nicht über den für Hitler unangreifbaren Rückhalt des Papsttums

[51]) Über den Antisemitismus im Schulunterricht vgl. Quellenstück Nr. 36.

verfügte. In den 20er Jahren hatten sich in verschiedenen evangelischen Landeskirchen Gruppen gebildet, die eine „deutsch-christliche" Kirche anstrebten. Volk und Rasse sollten stärker als gottgewollte Tatsachen herausgestellt, deren Pflege auch durch die Geistlichkeit den Gläubigen vermittelt werden. So konnte ein evangelischer Geistlicher schon im August 1933 den „arischen Abstammungsnachweis" öffentlich verteidigen[52]). Mochten dies Verirrungen einzelner Pfarrer sein, so wurde die Situation für die evangelischen Kirchen gefährlich, als Gruppen „Deutscher Christen" in einzelnen Ländern die Mehrheit unter den Synodalen erhielten und im September 1933 der der NSDAP nahestehende ostpreußische Wehrkreispfarrer Ludwig Müller zum Reichsbischof gewählt wurde. Dabei hatte die Partei massiv in den Wahlkampf eingegriffen. Dagegen sammelte sich freilich innerkirchlicher Widerstand, dem die Reichsregierung insofern Rechnung trug, als im Juli 1935 der neue Reichsminister für kirchliche Angelegenheiten, Hanns Kerrl, Müller zum Amtsverzicht bewog. Die Bemühungen, eine einheitliche Deutsche Evangelische Kirche mit weitgehenden Konzessionen an den nationalsozialistischen Staat zu schaffen, scheiterten, und etwa seit 1937 war es das Fernziel der Partei, die Kirchen auf den Rang privatrechtlicher Vereine zurückzudrängen. In den nach dem Polenfeldzug dem Reich angegliederten Gebieten wurde dies bereits geprobt, jedoch bis Kriegsende nicht mehr durchgeführt. Aber der Volksmund „wußte" es schon damals: Nach dem (siegreichen) Kriegsende kommen die Kirchen dran[53])! Viele kleine Einzelanordnungen deuteten schon in diese Richtung, beispielsweise, daß Göring für seine neuaufgestellte „national-

[52]) Pfarrer Greiner, Der arische Abstammungsnachweis. Seine Berechtigung bzw. Notwendigkeit und seine Folgen, in: Coburger Zeitung Nr. 188 (14. August 1933).

[53]) Vgl. dazu das Quellenstück Nr. 24 über die Kirchenpolitik im Warthegau.

sozialistische" Luftwaffe keine Feldgeistlichen erlaubte. Darüber hinaus wurde von vielen Partei- und Staatsdienststellen versucht, die Einwirkungsmöglichkeiten der Kirchen auf die Volksgenossen zu verringern, indem man etwa für die Hitlerjugend „Jugendfilmstunden" genau zu den Zeiten am Sonntag ansetzte, an denen die Gottesdienste stattfanden.

Hatte die evangelische Kirche durch die historische Entwicklung des Landeskirchentums seit der Reformation immer in der Gefahr der zu engen Bindung an den Staat und seine Ideologie („Thron und Altar") gestanden, so hatte hier die katholische Kirche eine günstigere Ausgangsposition. Um so mehr bekämpften die Nationalsozialisten den sogenannten „Ultramontanismus", vereinfacht: die Bindung der katholischen deutschen Gläubigen an die Weisungen der Päpste. Einen katholischen Bischof, der sich über bestimmte Handlungen des NS-Staates kritisch äußerte, einfach zu verhaften, konnte auch Hitler nicht wagen. Dafür griff man sich profilierte Geistliche, warf ihnen Sittlichkeitsdelikte oder Devisenvergehen vor oder sperrte sie ohne Prozeß ins Konzentrationslager. Auflösung von Klöstern, Zerstörung der kirchlichen Laienorganisationen, Einschränkungen der kirchlichen Jugendarbeit und viele andere Maßnahmen hatten alle dasselbe Ziel, die Wirkung christlich-katholischen Denkens auf die deutsche Bevölkerung zu verringern. Auch hier blieb der Partei freilich der Erfolg versagt[54]).

Die Zahlen der eingeschriebenen Mitglieder der christlichen Kirchen verringerten sich indessen, nicht wenige Deutsche bezeichneten sich jetzt als „gottgläubig", d. h. zumindest als nicht konfessionsgebunden, in vielen Fällen aber bereits als „neuheidnisch". Im Kern blieb aber die

[54]) Auch überzeugte Katholiken stießen schon vor 1933 zu Hitler, vgl. Quellenstück Nr. 11.

katholische Kirche unerschüttert. Besonders betroffen wurden von den Verfolgungen die Mitglieder verschiedener Freikirchen, vor allem die sogenannten „Ernsten Bibelforscher“, die Eidesleistung und Wehrdienst verweigerten und deshalb vielfach in Konzentrationslager eingewiesen wurden. Man wird sagen können, daß Hitler und seine NSDAP den vagen Begriff des „positiven Christentums“ mit anderen Inhalten ausfüllten, als dies die meisten der ihnen vertrauenden Partei- und Volksgenossen erwarteten.

Kulturpolitik

Das Parteiprogramm hatte die Schaffung und Förderung einer nationalen Kultur als wesentliche Aufgabe vorgesehen. Wiederum mußte dabei auf der einen Seite alles unterbunden werden, was diesem Ziele nicht förderlich war, umgekehrt aber auch alles ermuntert, was eine solche Zielsetzung unterstützten konnte. Der Kampf gegen „artfremde“, zersetzende Literatur- und Kunstwerke hatte schon in der Weimarer Zeit begonnen. Als im Dezember 1930 in Berlin der auf dem den Krieg anklagenden Roman „Im Westen nichts Neues“ von Erich Maria Remarque beruhende amerikanische Spielfilm aufgeführt wurde, konnten von Goebbels inszenierte Stör- und Protestaktionen die Absetzung des Films vom Programm erzwingen. Im Mai 1933 hat der inzwischen zum Propagandaminister ernannte Berliner Gauleiter in der Reichshauptstadt, Goebbels, eine öffentliche Verbrennung von „Schmutz- und Schundliteratur“ durchführen lassen, wobei pazifistische, jüdische oder einfach „dekadente“ Werke der damals hervorragendsten Vertreter deutscher Literatur in Flammen aufgingen. Die Brüder Heinrich und Thomas Mann, Lion Feuchtwanger und viele andere gingen ins Exil. So weit sie vom Ausland Kritik an den Vorgängen in Hitler-Deutschland übten, wurden sie ausgebürgert, ihre Bücher aus den öffentlichen Bibliotheken entfernt und nichts mehr von ihnen gedruckt.

Ähnlich verfuhren die nationalsozialistischen Kulturpolitiker mit bildenden Künstlern und ihren Schöpfungen. Fast alles, was irgendwie zu einer der modernen Kunstrichtungen gehörte, wurde als „artfremd" abgestempelt. Teilweise wurden solche Werke für gute Devisen ins Ausland verkauft. Filmregisseure, Musiker, Schauspieler, die in die „nationale" Richtung nicht paßten, bekamen keine Aufträge mehr, wurden nicht mehr gespielt oder erhielten keine Rollen mehr. Auch hier war die Folge ein bedeutender Aderlaß an hochbegabten Künstlern.

Um eine vollständige Kontrolle über den ganzen Bereich der Kultur zu errichten, wurde bereits im Herbst 1933 die „Reichskulturkammer" errichtet mit besonderen Abteilungen für Musiker, Schriftsteller, Presseleute, Theatergestalter usw. Wer nicht in die für ihn zuständigen Gliederung als Mitglied aufgenommen war, konnte in der Öffentlichkeit nicht mehr wirken. Es blieb als Alternative für den einzelnen nur Anpassung oder Verstummen. Der Maßstab für Schriftsteller war etwa damit gesetzt, daß Hitlers „Mein Kampf" „. . . als größte literarische Leistung Deutschlands vor allem anderen Schaffen steht"[55]). Als Schriftsteller wurden gepriesen die Vertreter einer heroischen Weltsicht, die den Kampf verherrlichten und die soldatischen Tugenden über die bürgerlichen stellten. In der Kunst galt am meisten ein „photographischer Realismus", in dessen Rahmen einem damaligen Aktmaler von spöttischen Betrachtern der Titel eines „Meisters des deutschen Schamhaares" beigelegt wurde. Insgesamt waren die zwölf Jahre des Dritten Reiches auf allen kulturellen Gebieten eine Zeit des Niedergangs. Die kritischeren Köpfe der Partei gestanden sich

[55]) G(erhard) Lüdtke, Vorwort zu Kürschners Literaturkalender. De Gruyter, Berlin 1939, S. VI.

selbst ein, daß eine künstlerisch überzeugende Darstellung des Aufstiegs des Nationslsozialismus und der Umgestaltung Deutschlands nicht gelungen sei. Hitler hat an der Förderung der „Deutschen Kunst" persönlichen Anteil genommen und die entsprechenden Ausstellungen in München durch seinen Besuch beehrt. Er selbst hat seine vor 1933 nicht realisierbaren Träume in Form von Plänen und Aufträgen für eine Monumentalarchitektur zu verwirklichen gesucht. Der pompöse Umbau der Berliner Reichskanzlei in der Wilhelmstraße sollte nur ein Anfang sein. An der Siegesstraße war ein Versammlungsbau von Hitler geplant, dessen Kuppel einen Durchmesser von 250 m haben sollte und der 150 000 stehenden Menschen Platz geboten hätte. Der Krieg hat diese und viele andere Projekte nicht zur Reife kommen lassen. Sie waren der Ausdruck von Hitlers Verwechslung von Masse mit Qualität.

Bot die Kunst bei aller offiziellen Gängelung doch noch gewisse Freiräume für das Gestaltungsgeschick des einen oder anderen nicht angepaßten Künstlers, so sorgte vor allem Goebbels dafür, daß in der Massenbeeinflussung durch Presse, Bild, Film und Rundfunk nur die parteiamtliche Meinung veröffentlicht wurde. Bis ins kleinste Detail gehende „Sprachregelungen" bewirkten, daß die reichhaltige deutsche Zeitungslandschaft eingeebnet wurde und nur noch die angesehene „Frankfurter Zeitung" einen Abglanz ihrer einstigen Qualität zeigte. Zwar konnte der sprachkundige Deutsche sich noch bis in die Kriegsjahre hinein ausländische Blätter kaufen, aber er wußte wohl, welches Risiko er dabei einging. Man muß es der geschickten Propaganda von Goebbels zum guten Teil zurechnen, daß Zweifel an der Weisheit des Führers bei der Mehrzahl der Deutschen erst nach dem Wendepunkt des Jahres 1943 aufkamen.

6. Die Entrechtung der Juden

Keine Bevölkerungsgruppe in Deutschland hatte unter den Auswirkungen der nationalsozialistischen Herrschaft schon in den sechs Friedensjahren so zu leiden wie die Juden. Dabei gab es für Hitler und seine antisemitischen Anhänger nicht mehr die ältere Unterscheidung zwischen Juden des mosaischen Glaubensbekenntnisses und solchen, die schon seit mehreren Generationen zum Christentum übergetreten waren. Sie gehörten alle einer dem Deutschtum gefährlichen, zersetzenden Rasse an[56]).

Beseitigung der Gegner

Die Vorstellung von einer jüdischen Weltverschwörung gegen Deutschland existierte nur in den Gehirnen der deutschen Judenfeinde. Die meisten Juden in Deutschland wollten nichts anderes sein als gleichberechtigte Bürger. Und sie waren zu einem überdurchschnittlich hohen Prozentsatz an den Leistungen von Kunst und Wissenschaft[57]) beteiligt. In den Jahren der sich zum Sturm auf die Weimarer Republik sammelnden NSDAP und ihrer demagogischen Judenhetze bemühte sich der „Centralverein deutscher Staatsbürger jüdischen Glaubens", der seit 1893 bestand und etwa 70 000 Mitglieder umfaßte, durch Presseorgane und Aufklärungsschriften das antisemitische Feindbild zu korrigieren und sich der aufschäumenden Woge der Judenfeindschaft entgegenzustellen[58]). Durchschlagenden Erfolg konnte er ebensowenig verbuchen wie die recht zahlreichen, aufgeklär-

[56]) Vgl. die Texte antisemitischer Lieder, Quellenstücke 34/35.
[57]) Über den Antisemitismus unter deutschen Physikern, vgl. Quellenstück Nr. 6.
[58]) Ein Beispiel jüdischen Resignierens aus den zwanziger Jahren, Quellenstück Nr. 29.

ten und gebildeten Juden, die in den Redaktionen der liberalen Zeitungen saßen.

Naturgemäß bemühte sich Hitler nach der Machtergreifung als erstes, die prominenten Juden aus dem öffentlichen Leben zu vertreiben. Sofern sie Funktionäre der dem Nationalsozialismus feindlichen Parteien gewesen waren, fielen sie schon der Verfolgungswelle nach dem Reichstagsbrand zum Opfer. Ein weiteres Instrument der Entrechtung stellte das „Gesetz zur Wiederherstellung des Berufsbeamtentums", vom 7. April 1933 dar. Es ging aus von der angeblich mißbräuchlich erfolgten Besetzung von Beamtenstellen auf Grund der Zugehörigkeit zu einer politischen Partei. Tatsächlich zielte es vor allem auf die „Nichtarier". Sie konnten ohne weiteres entlassen werden, es sei denn sie wären schon vor dem Beginn des Weltkrieges Beamte gewesen oder sie hätten im Weltkrieg an der Front gedient. Da in der Verwaltung im engeren Sinne die Zahl der Juden nicht sehr groß war, traf diese Vorschrift vor allem Richter und Universitätslehrer. Mit der Entlassung war auch die soziale Deklassierung, oft der wirtschaftliche Ruin der Familien verbunden, zumal die Möglichkeit, ersatzweise Positionen in der freien Wirtschaft einzunehmen, durch den bald überall verlangten „Arier-Nachweis" verhindert wurde. Das Gesetz betraf auch Personen, deren Laufbahn nicht die Gewähr bot, daß sie jederzeit rückhaltlos für den nationalen Staat eintraten. In solchen Fällen war aber zumindest eine Pensionierung mit 75 Prozent des Ruhestandsgehaltes vorgesehen. Solange der Begriff „arisch" noch nicht amtlich definiert war, hatte der zuständige Innenminister noch eine beachtliche Ermessensfreiheit.

Wie aber schon vor diesem Gesetz jüdische Mitbürger in öffentlicher Stellung existentiell gefährdet waren, zeigt eine Pressemeldung vom Februar 1933: „Der Rektor der Universität Breslau, Prof. Dr. [Carl] Brockelmann, hat Prof. [Ludwig] Cohn in einem Schreiben mitgeteilt, daß er für die Sicherheit seiner Vorlesungen sowie für Leib und Leben seiner Hörer infolge der jetzigen Lage an der Universität nicht mehr garantieren könne. Auf Grund dieses Schreibens hat Prof. Cohn durch Anschlag am Schwarzen Brett der Universität bekanntgegeben, daß er seine Vorlesungen vorläufig einstellt. Gleichzeitig wandte sich Prof. Cohn beschwerdeführend an das Ministerium“[59]).

Förderung der Emigration

Wiederum entgegen der Vorstellung der Antisemiten sank schon vor 1933 der Anteil der Juden an der deutschen Gesamtbevölkerung. Unbeschadet der Zuwanderung der sogenannten „Ostjuden“ nach 1918 machten die Glaubensjuden 1925 nur noch 0,9 Prozent, 1933 sogar nur noch 0,76 Prozent aus. Die Auswanderung verminderte zwischen 1933 und 1939 die Zahl der deutschen Juden von rund 500 000 auf rund 220 000. Die allermeisten unter ihnen haben die deutsche Heimat unfreiwillig verlassen. Neben der Flucht wegen unmittelbarer Bedrohung von Leben und Gesundheit gab es eine reguläre Emigration vorwiegend nach Westeuropa und den USA. In allen Fällen war die Auswanderung mit beträchtlichen Einbußen an Vermögen verbunden. Selbst wenn jüdische Fabrikbesitzer oder Ladeninhaber ihr Geschäft nicht unter Druck verkaufen mußten, so waren sie doch gezwungen, Sondersteuern zu bezahlen, abgesehen davon, daß ganz einfach die Gesamtsituation auf das Angebot drücken mußte. Daß die ausgewanderten Juden im Ausland vor der dortigen freien Presse über ihre Erfahrungen berichteten, daß jüdische Organisationen zu Kampfmaßnahmen gegen die judenfeind-

[59]) Völkischer Beobachter, Berliner Ausgabe, Nr. 33 (2. Februar 1933), S. 2.

liche Politik Hitlers aufriefen, ist als Reaktion nur zu begreiflich, wirkte aber umgekehrt wieder für die deutschen Antisemiten als Beweis für die weltweite Deutschfeindlichkeit des Judentums. Da ein Teil der deutschen Juden in die Nachbarländer Österreich, Tschechoslowakei und Polen emigrierte, wurde er dann seit 1938 erneut vom Ausgreifen Hitlers bedroht, mußte ein zweites Mal fliehen oder fiel der Verfolgung zum Opfer.

Freilich die Auswanderung von etwa 300 000 deutschen Juden wäre kaum erfolgt, wenn sich nicht in den Jahren seit 1933 antisemitische Maßnahmen auf immer weitere Bereiche des Lebens des einzelnen Juden ausgewirkt hätten.

Rassengesetze

Das Reichsbürgergesetz vom 15. September 1935 trennte „arische Reichsbürger" von einfachen „Staatsangehörigen". Für die letzteren konnte unter bestimmten Voraussetzungen die Ausbürgerung ausgesprochen werden. Noch tiefer griff das „Gesetz zum Schutze des deutschen Blutes und der deutschen Ehre" in das Verhältnis von Deutschen und Juden ein. In der Präambel heißt es: „Durchdrungen von der Erkenntnis, daß die Reinhaltung des deutschen Blutes Voraussetzung für den Fortbestand des deutschen Volkes ist, und beseelt von dem unbeugsamen Willen, die deutsche Nation für alle Zukunft zu sichern ..."[60]). Bestimmt wurde, daß Ehen zwischen Deutschen und Juden verboten seien. Trotz des Verbots geschlossene Ehen sollten nichtig sein. Der außereheliche Geschlechtsverkehr zwischen Angehörigen der beiden „Rassen" war ebenfalls untersagt. Deutsche Haushaltsgehilfinnen sollten in jüdischen Familien nur arbeiten dürfen, wenn sie das 45. Lebensjahr erreicht

[60]) Reichsgesetzblatt 1935, Teil I, S. 1146.

hatten. Die Strafvorschrift wegen sogenannter „Rassenschande“ war Zuchthaus oder Gefängnis in nicht näher bestimmter Dauer. Dabei ist es bemerkenswert, daß die Definition des „Nichtariers“ nie durch Gesetz erfolgte, sondern nur in einer Durchführungsverordnung zum Gesetz vom 7. April 1933 (Wiederherstellung des Berufsbeamtentums) enthalten ist. Danach war Nichtarier derjenige, dessen einer Eltern- oder Großelternteil nichtarisch war. Hierdurch wurde der Kreis der von den sogenannten „Nürnberger Gesetzen“ erfaßten Personen erheblich erweitert (Halbjuden, Vierteljuden). Die Kulisse zu diesem düsteren Kapitel deutscher Rechtsgeschichte bildete der „Parteitag der Freiheit“, bei dem an die 200 000 Mitglieder der NSDAP, der SA, der SS, der HJ und des RAD Hitler ihre Zustimmung fühlen ließen.

Während in der Praxis das Reichsbürgergesetz überwiegend in Einzelfällen angewendet wurde, betraf das „Blutschutzgesetz“ vitale Bereiche der zwischenmenschlichen Beziehungen. Es kam in den folgenden Jahren zu einer größeren Anzahl von Prozessen, bei denen Juden „Rassenschande“ vorgeworfen und sie entsprechend hart bestraft wurden. Manche Ehe zerbrach unter dem Druck der Diskriminierung des jüdischen Ehegatten. Juristen schmiedeten Waffen, die es dem nichtjüdischen Partner erlauben sollten, sich aus der Ehefessel zu lösen. So entstand an der Universität Jena 1937 eine Doktorarbeit „Eheanfechtung wegen des Irrtums über die Rassezugehörigkeit“. Darin setzte sich der Verfasser mit einer früheren Dissertation von 1934 auseinander, die noch festgestellt hatte, daß „nach geltendem Recht überhaupt keine Möglichkeit [bestand], eine Rassenmischehe anzufechten“. Er warf seinem Vorgänger vor, daß er „entgegen den Erkenntnissen der Rassenforschung die Eigenschaften eines Menschen vollkommen losgelöst von seinem Substanzwert, dem Blut“, ... sehe. Er bleibe am „äußerlich-formalen“ haften, ein Vorwurf, der die Juristen im Dritten Reich vielfältig von seiten der Parteivertreter traf[61]).

Mit diesen Maßnahmen der sozialen Ghettoisierung gaben sich die antisemitischen Hetzer der NSDAP noch lange nicht zufrieden. Noch waren ja in ihrer Vorstellung die Juden in Deutschland im Besitze großer wirtschaftlicher Macht. Auch das galt es zu ändern.

Wirtschaftliche Entmachtung

Die einzelnen Schritte erfolgten in kurzen Abständen aufeinander, so daß im Nachhinein die Planmäßigkeit erkennbar wird, während für die Zeitgenossen, die ja durch außenpolitische und wirtschaftliche Veränderungen abgelenkt wurden, mehr der Eindruck des Zufälligen und Episodischen entstand. Für den 1. April 1933 wurde die Bevölkerung zu einem eintägigen Boykott jüdischer Geschäfte aufgerufen. SA- und SS-Posten überwachten die Einhaltung dieser Kaufblockade. War dies gleichsam nur eine Warnung — offiziell wurde der Boykott begründet mit der ausländisch-jüdischen Greuelpropaganda gegen Deutschland — so hatten die verschiedenen Gesetze, die folgten, die Aufgabe, den Anteil der Juden an bestimmten Berufen herabzudrücken: Das wirkte sich auf die Zahl jüdischer Beamter, Studenten, Redakteure und Künstler aus. Aus der Wehrmacht wurden die Juden ganz entfernt, Ärzte und Rechtsanwälte durften keine nichtjüdischen Patienten und Klienten mehr betreuen. Noch immer waren aber die Juden in der Wirtschaft als Eigentümer oder in leitenden Funktionen tätig[62]). Seit dem Frühjahr 1938 wurde durch viele Einzel-

[61]) Hellmut Eckert, Eheanfechtung wegen des Irrtums über die Rassezugehörigkeit. Diss. jur. Jena 1937, gedruckt: Triltsch, Würzburg 1938, S. 14 und 13.

[62]) Ein Beispiel für die judenfeindliche Hetze, Quellenstück Nr. 30.

verordnungen und Vorschriften ihre wirtschaftliche Betätigung immer mehr eingeschränkt. Juden durften nicht mehr im Grundstückshandel tätig sein — man erinnert sich der Erklärung Hitlers zur Frage der Enteignung von 1928 — sie wurden von den Börsen und Versteigerungen ausgeschlossen. Der Finanzminister gewährte ihnen keine Kinderermäßigung mehr, die DAF sorgte dafür, daß es in von Juden geleiteten Betrieben zu Reibungen mit der nichtjüdischen Arbeiterschaft kam. Alle jüdischen Betriebe wurden in öffentlich zugänglichen Listen verzeichnet und schließlich jedes jüdische Vermögen, das RM 5000,-- überstieg, registriert.

Wenn diese Maßnahmen nicht schon früher eingeleitet wurden, so deshalb, weil die Verantwortlichen für die Wirtschaft, zunächst Hjalmar Schacht, dann seit 1937 sein Nachfolger Walter Funk, wohl mit Rückendeckung von Göring[63]), jede Störung der Binnenkonjunktur vermeiden wollten. Der Zielkonflikt zwischen der rücksichtslosen Entfernung des jüdischen Elementes aus dem deutschen Wirtschaftskörper und der Zusammenfassung aller wirtschaftlichen Kräfte im Interesse der Aufrüstung wurde schließlich doch zu Gunsten des ersteren Zieles entschieden. Die wirtschaftliche judenfeindliche Kampagne wurde begleitet von der Zerstörung der jüdischen Kultusgemeinden, indem man sie auf den Status privater Vereine herabdrückte. Trotz all dieser Unbill hielten die deutschen Juden in ihrer Mehrzahl bis 1937 zäh an der Heimat fest. Von 1934—1937 gab es jährlich jeweils nur etwa 23 000 Auswanderer. Die große Auswanderungswelle setzte erst ein, als das „Dritte Reich“ mit unverhüllter Gewalt gegen seine jüdischen Bürger vorging.

[63]) Ein bezeichnendes Dokument für seine Haltung, Quellenstücke Nr. 31/32.

Seit 1933, teilweise schon vorher, hatte es eine ununterbrochene Kette von Übergriffen gegen einzelne, aus irgendeinem Grunde örtlich verhaßte Juden gegeben. Dies wurde aber noch nicht als ein Angriff auf die Gruppe empfunden. Der erfolgte erst in der Nacht vom 8./9. November 1938. Vorausgegangen waren insgesamt zwei Attentate von Juden, einmal 1936 auf einen Repräsentanten der NSDAP in der Schweiz, Wilhelm Gustloff, das zweite Mal auf einen deutschen Gesandtschaftsrat am 7. November 1938 in Paris. Letzterem Anschlag ging Ende Oktober die Ausweisung von 17 000 Juden polnischer Staatsangehörigkeit, die seit Jahren in Deutschland gelebt hatten, voraus. Da Polen seine Grenzen zunächst sperrte, lebte diese Gruppe unter erbärmlichen Bedingungen etwa zehn Tage im Niemandsland. Unter ihnen befanden sich auch die Eltern des Attentäters.

Die angebliche Vergeltung war aber schon längere Zeit vorher vorbereitet worden. Im Juni waren etwa 1500 „vorbestrafte" oder „asoziale" Juden verhaftet worden. Was sich dann in der sogenannten „Reichskristallnacht" (spöttische Prägung des Volksmundes) scheinbar als spontane Reaktion auf die Meldung vom Tod des deutschen Diplomaten äußerte, war in Wirklichkeit eine von Goebbels organisierte, vor allem von SA-Trupps durchgeführte planmäßige Zerstörung jüdischer Geschäfte und Synagogen. Dabei wurden auch viele Juden verprügelt und insgesamt 91 ermordet. Mehr als 25 000 Juden, vor allem vermögende, fanden sich in Konzentrationslagern wieder, von wo sie dann teilweise in die Emigration entlassen wurden. Der Sachschaden dieser brutalen Aktion wurde auf mehrere hundert Millionen Mark beziffert, den Juden als Kollektiv noch eine Buße von einer Million RM auferlegt. Durch den

Brand der meisten jüdischen Gotteshäuser wurde auch ein Teil ihrer Tradition und Kultur vernichtet.

Weitere Schritte der Entrechtung folgten auf dem Fuße[64]). Noch Ende 1938 erging das Verbot für Juden, Handwerksbetriebe, Einzelhandelsgeschäfte und Bauernhöfe zu führen. Gleichzeitig wurde den Juden untersagt, Arzt-, Zahnarztpraxen und Apotheken zu leiten. Die noch bestehenden jüdischen Firmen wurden jetzt zwangsweise „arisiert", die Verkaufserlöse auf Sperrkonten übertragen. Das öffentliche Leben der Juden erstarb, sie durften auch nicht in Hebräisch oder Jiddisch Zeitungen und Bücher drucken oder Theateraufführungen veranstalten. Jüdische Kinder konnten nicht mehr nichtjüdische Schulen besuchen. An öffentlichen Parkbänken hingen Schilder: für Juden nicht erlaubt. Begreiflich, daß in dieser Lage mancher Jude, der vorher nicht an Auswanderung gedacht hatte, sich nunmehr schweren Herzens von Deutschland lossagte. Man muß hinzufügen, daß sich die Aufnahmebereitschaft der Länder rings um Deutschland mit der zunehmenden Zahl der Asylsuchenden verminderte.

[64]) Die vorgesehene „Endlösung" wurde bereits öffentlich angedroht, vgl. Quellenstück Nr. 33.

IV. Das Ausgreifen nach Europa

Während sich in Deutschland der erste Akt der jüdischen Tragödie abspielte, blickte die Mehrzahl der Deutschen voll Stolz auf den hierfür verantwortlichen „Führer", weil er sich anschickte, den Programmpunkt, Schaffung eines Großdeutschlands in die Tat umzusetzen.

1. Die Vereinigung aller Deutschen

Bis zum Jahresende 1937 war Hitler in seiner Außenpolitik noch innerhalb der durch den Versailler Vertrag festgelegten Grenzen geblieben. Allerdings hatte er bereits 1934 einmal versucht, über diese Linie hinweg seine Hand auszustrecken, hatte sie aber wieder zurückziehen müssen.

Österreich

Ein Teil der österreichischen Nationalsozialisten hatte sich Hitler schon vor der Machtergreifung in Deutschland unterstellt. Ihr Aufstieg wurde von ähnlichen Vorgängen begünstigt wie der der NSDAP in Deutschland: Die Unterdrückung nationaler Wünsche durch den Vertrag von St. Germain, die großen wirtschaftlichen Schwierigkeiten zunächst in der Folge des verlorenen Krieges, dann im Zusammenhang mit der Weltwirtschaftskrise, die Gegnerschaft zur internationalistisch denkenden Sozialdemokratischen Partei. Ähnlich wie in Deutschland war auch in Wien das System der parlamentarischen Demokratie an ihren Gegnern auf den Flügeln gescheitert. Anfang März 1933 führte der christlich-soziale Parteiführer Engelbert Dollfuß einen Staatsstreich aus und regierte danach ohne das Parlament. Nachdem im Februar 1933 der „Republikanische Schutzbund", die Wehrorganisation der Sozialdemokraten, einen bewaffneten Aufruhr gegen Dollfuß unternommen hatte und dabei gescheitert war, glaubten die Nationalsozialisten im Juli des gleichen Jahres, eine Chance zu haben. Zwar konnten sie den Bundeskanzler erschießen, dann aber vermochten sie nicht, den Widerstand von Bundesheer und Polizei zu brechen. Hitler versuchte, von der bayerischen Grenze aus seinen österreichischen Gesinnungsgenossen Rückendeckung zu geben, aber sein späterer Freund Mussolini ließ am Brenner mehrere Divisionen aufmarschieren zum unmißverständlichen Zeichen, daß er eine gewaltsame Vereinigung Österreichs mit Deutschland unter Hitler nicht hinnehmen würde. Es blieb dem deutschen Reichskanzler nichts anderes übrig, als einige Tausend seiner österreichischen Anhänger sich über die Grenze retten zu lassen und im übrigen von Papen, der nach dem Röhm-Putsch als Vizekanzler zurückgetreten war, nach Wien zu entsenden, damit er versuche, das zerbrochene Porzellan wieder zu kitten. Da aber Strafe sein mußte, legte er allen aus Deutschland in die Alpenrepublik reisenden Touristen RM 1000,— als Sondersteuer auf, was praktisch zum Erliegen des deutschen Urlauberverkehrs führte.

Im Juli 1936 wurde zwischen den beiden deutschen Staaten ein Abkommen unterzeichnet, das die Spannungen beilegen sollte. Die Zeit indessen arbeitete für Hitler. Noch 1937 gab es in dem kleinen Österreich 300 000 Arbeitslose. Der Aufschwung in Deutschland ließ viele Österreicher sehnsüchtig über die Grenze blicken. Im Februar 1938 begab sich Bundeskanzler Kurt Schuschnigg zu Hitler nach Berchtesgaden. Unter starkem Druck sagte er eine Amnestie für verurteilte österreichische Nationalsozialisten zu und nahm einen ihrer führenden Köpfe, Arthur Seyss-Inquart, als Innenminister in sein Kabinett auf. Um die für die Selbständigkeit Österreichs eintretenden Bevölkerungsschichten zu aktivieren, kündigte Schuschnigg am 9. März 1938 eine Volksabstimmung über den Anschluß an. Hitler, der doch nicht mit einem jener von Deutschland gewohnten 99-Prozent-Ergebnisse rechnet, zwang den Wiener Kanzler, diesen Gedanken fallen zu lassen. Er verlangte die ganze Macht für seine Partei. Schuschnigg trat zurück. Ein fingierter Hilferuf der österreichischen Regierung unter Seyss-Inquart erbat den Einmarsch von Truppen der deutschen Wehrmacht. Unter dem Jubel der Bevölkerung, die nichts von dem falschen Spiel hinter den Kulissen erfuhr, hatten Hitlers Soldaten ihren ersten „Blumenfeldzug". Zwei Tage später, am 13. März 1938, wurde das Gesetz über den Anschluß proklamiert. Anfang April stimmten nur 12 000 von 4,4 Millionen Österreichern gegen die Vereinigung mit Hitlers Deutschland. Viele von ihnen sollten schon ganz kurze Zeit später ihr Bekenntnis bereuen, als Hitler die Österreicher zentralistisch „auf Vordermann brachte". Die Verfolgungsmaßnahmen wurden mit derselben Gründlichkeit und Härte wie im Reich betrieben. Auch Kurt Schuschnigg mußte sich mit der Haft im Konzentrationslager abfinden.

Sudetenland

Strategisch war die deutsche Reichsgrenze durch den „Anschluß" sehr viel länger geworden, aber sie umschloß jetzt auf drei Seiten den böhmischen Kessel, das Kernstück der Tschechoslowakei. Hier wohnten weitere 3,5 Millionen Deutsche, teils in ziemlich geschlossener Siedlung an den Rändern, teils in Siedlungsinseln verstreut im Innern und in den großen Städten Prag und Brünn. Die Prager Politik hatte es versäumt, die Masse der sogenannten Sudetendeutschen mit dem neuen, von den Tschechen geprägten Staat zu versöhnen. Reibungen zwischen den beiden Nationalitäten waren aus dem 19. ins 20. Jahrhundert fortgepflanzt worden, nur war nach dem Zusammenbruch der Doppelmonarchie ein Rollenwechsel eingetreten. Die Weltwirtschaftskrise hatte zusätzlich Zündstoff zwischen Deutschen und Tschechen im Staate angehäuft. Im Oktober 1933 bildete sich die „Sudetendeutsche Heimatfront" unter dem Turnlehrer Konrad Henlein, die bald das Sammelbecken der mit Prag unzufriedenen, über die deutsche Grenze blikkenden Deutschen wurde. Bei den Kommunalwahlen im Mai 1938 erreichte sie 92 Prozent der deutschen Stimmen. Hitler, von seinem Erfolg in Wien beflügelt, zögerte nicht lange, nun auch die sudetendeutsche Frage zu lösen. Es kam ihm dabei zugute, daß die Prager Regierung nicht nur mit der deutschen Volksgruppe zunehmend in Schwierigkeiten geriet, sondern daß auch die Slowaken immer nachdrücklicher auf die ihnen 1918 zugesagte, aber nie gewährte Autonomie pochten, während Ungarn auf eine Revision der Grenze zur Slowakei drängte, wo durch den Friedensvertrag von Trianon eine große Zahl von Magyaren dem neugebildeten tschechoslowakischen Staate einverleibt worden war. Schließlich bemühte sich die britische Regierung unter Neville Chamberlain um ein „Appeasement" (Zufriedenstellung) Hitlers durch Erfüllung jener Forderungen, die auf das Selbstbestimmungsrecht der Völker zurückgeführt werden konnten.

Hitler spielte freilich längst mit dem Gedanken, seine inzwischen mächtig aufgerüstete Wehrmacht (Heer und Luftwaffe, lediglich die Kriegsmarine hatte noch einen großen Rückstand aufzuweisen) zu erproben, wie er es ihren Befehlshabern in einer Geheimbesprechung am 5. November 1937 dargelegt hatte[65]). Nach außen gab er sich freilich friedlich, setzte aber Prag unter den Druck einer sich ständig steigernden Medienkampagne, in der lauthals die Unterdrückung der Sudetendeutschen kritisiert wurde. Bevor es zur drohenden Konfrontation zwischen England, Frankreich und der mit ihm verbündeten Tschechoslowakei

[65]) Der etwas gekürzte „Protokoll"-Text, Quellenstück Nr. 15.

auf der einen Seite und Deutschland auf der anderen kam, erwirkte die britische Regierung von dem widerstrebenden tschechoslowakischen Staatspräsidenten Edvard Beneš die Zustimmung, die strittigen sudetendeutschen Gebiete (mit mehr als 50 Prozent deutscher Einwohner) an Hitler abzutreten. Die folgende Konferenz der Regierungschefs von England, Frankreich, Italien und Deutschland am 29./30. September 1938 in München hatte nur noch die Aufgabe, die Modalitäten festzulegen. Hitler erfocht einen weiteren unblutigen Erfolg, wurde in seiner Geringschätzung der „dekadenten" Demokratien bestätigt und die Tschechoslowakei verlor ihren Grenzbefestigungsgürtel. Während der deutsche Reichskanzler vor der Münchner Konferenz die sudetendeutsche Frage als seine letzte Revisionsforderung erklärt hatte, begann er schon wenige Tage danach mit einem neuen Propagandafeldzug gegen Prag und ermunterte Budapest und Preßburg zu zusätzlichem Druck auf den Nachfolger Beneš Emil Hácha.

Memel-Gebiet

Während Hitler im März 1939, ohne es zu bemerken, den Rubikon überschritten hatte und in den alle seine Weltmachtträume zerschlagenden Zweiten Weltkrieg hineingetaumelt war, konnte er Ende dieses Monats noch das Memel-Gebiet heimholen. Auch dort hatten sich bei den letzten Wahlen im Dezember 1938 87 Prozent der Deutschen für den „Anschluß" ausgesprochen, so daß sich die Regierung in Kaunas dem politischen Druck Hitlers nicht mehr widersetzen konnte. Damit waren als größere Gruppe „unerlöster" Deutscher nur noch jene übriggeblieben, die infolge der Friedensregelung von 1919 dem neuen polnischen Staate einverleibt worden waren. Hitler zweifelte nicht daran, daß er auch sie würde befreien können, ohne einen großen europäischen Krieg führen zu müssen.

Nachdem er durch den Einmarsch in Prag am 15. März 1939 seine Ostgrenze begradigt, in der sich für unabhängig erklärenden Slowakei einen Satelliten gefunden und sein Rüstungspotential durch die tschechische Industrie mit ihrer gut qualifizierten Arbeiterschaft erweitert hatte, war ein erfolgreiches Vorgehen gegen Polen gleichsam vorprogrammiert. Allerdings setzte jetzt London ein unübersehbares Warnsignal, indem es erstmals in seiner Geschichte im Frieden einem noch dazu weit entfernten Land eine Schutzgarantie anbot, die am 4. April 1939 in einen vorläufigen Beistandspakt einmündete. Hitler versuchte nun, Warschau durch „maßvolle" Vorschläge in eine ungünstige Position hineinzumanövrieren, gleichzeitig machte er sich nach bewährtem Muster zum Anwalt der unterdrückten deutschen Minderheit in Polen. Außerdem trieb er seine Rüstungen voran und kündigte nicht zuletzt das 1935 mit London geschlossene Abkommen zur Begrenzung der Flottenrüstung. Das sollte freilich alles nicht die britische und die etwas weniger überzeugende französische Entschlossenheit erschüttern, weitere einseitige Veränderungen der europäischen Landkarte zu verhindern. Es kam nun Hitler zu statten, daß der Herr im Kreml, der Generalsekretär der Kommunistischen Partei der Sowjetunion, Josef Stalin, aus der faktischen Kapitulation der Westmächte vor Hitler in München und der kampflosen Opferung der Tschechoslowakei seine Schlüsse zog. Seit dem April 1939 ließ er in Berlin erkennen, daß die Verschiedenheit der politischen Systeme im Innern der beiden Diktaturen nicht notwendig auch eine Gemeinsamkeit der außenpolitischen Zielsetzungen unterbinden müsse. Das war für Hitler um so wertvoller, als zur gleichen Zeit auch die Westmächte sich bemühten, die Sowjetunion als zusätzliches As und Rückendeckung für das durch Hitler bedrohte Polen ins Spiel zu bringen.

Während der polnische Außenminister allen deutschen Vorschlägen ein starres „Nein" entgegensetzte, gleichzeitig aber auch nicht bereit war, der Roten Armee im Kriegsfalle ein Durchmarschrecht durch Polen einzuräumen, hatte Hitler keine Skrupel, seine ganze bisherige antibolschewistische Politik mit einem Schlag umzukehren und mit Stalin einen Nichtangriffspakt abzuschließen. Dessen geheime Zusätze sahen eine Aufteilung Polens zwischen Deutschland und der Sowjetunion vor. Hitler war sich sicher, daß die „schwächlichen" Politiker in London und Paris nach dem Bekanntwerden des Vertrages vom 23. August 1939 ihren Verbündeten Polen genauso fallen lassen würden wie die Tschechoslowakei. Darin freilich sollte er sich „erstmals" irren. So tat er genau das, was er in „Mein Kampf" der deutschen politischen Führung vor 1914 so bitter angekreidet hatte: Er führte Deutschland in einen Zweifrontenkrieg, dem es schließlich trotz aller Anfangserfolge erliegen mußte[66]).

Änderung der Ostgrenze

Nachdem am 1. September 1939 die zahlen- und rüstungsmäßig überlegenen deutschen Truppen von Norden, Westen und Süden ohne Kriegserklärung in Polen eingefallen waren, traten am 3. September Frankreich und Großbritannien gegen Deutschland ins Feld. Sie vermochten zwar nicht zu verhindern, daß Hitler Polen in nicht einmal vier Wochen (in der deutschen Propaganda: 18 Tage) überrannte, aber sie zwangen nun den „Führer", sich auch im Westen auf Krieg einzustellen, was er ja gar nicht vor-

[66]) Vgl. die interne Mahnung an die Parteiführer zu Kriegsbeginn, Quellenstück Nr. 21.

gehabt hatte. Fürs erste aber konnte Hitler die „Volksdeutschen“ in Polen seinem „Großdeutschen Reich“, wie es sich seit März 1938 nannte, einfügen.

Die „Freie Stadt“ Danzig, deren Einwohnerschaft zu 95 Prozent deutsch war, hatte schon 1933 mehr als die Hälfte der abgegebenen Stimmen der NSDAP geschenkt. Weder die polnischen Behörden, noch der Völkerbundskommissar waren imstande gewesen, das öffentliche Auftreten nationalsozialistischer Spitzenpolitiker aus Berlin bei den Danziger Wahlkämpfen zu verhindern. Anders als im Falle Österreichs verzichtete Hitler jetzt aber auf eine Volksabstimmung, obwohl ihr Ausgang unzweifelhaft war. Eher fraglich wäre ein freies Plebiszit in jenen bisher polnischen Gebieten gewesen, die Hitler im Laufe des Oktobers seinem Reiche unmittelbar anschloß, wobei auf eine genaue Festlegung der Grenzlinie zunächst verzichtet wurde. In den neu geschaffenen Gauen Danzig-Westpreußen und Posen lebten vor allem in den östlichen Randgebieten sehr viele Polen. Durch Zwangsaussiedlungen und „Eindeutschungen“ wurde dieser im Sinne der Erweiterung des deutschen Volksbodens unerwünschte Zustand bald geändert.

Hitler hätte zu diesem Zeitpunkt mit der Verwirklichung des Programmpunktes 1 von 1920 durchaus zufrieden sein können. Nach amtlichen Angaben hatte er 730 000 qkm zusammengefaßt — innerhalb einer strategisch sehr günstigen blockhaften Grenzlinie von der Memel zum Oberrhein und von der Ostseeküste bis zu den südlichen Kalkalpen — und darauf 97 Millionen Menschen unter seiner Führung vereinigt. Daß sich dabei allerdings etwa acht Millionen Tschechen befanden, war ein bedenklicher Schönheitsfehler. Sich nun mit dem Erreichten zufrieden zu geben, war nicht seine Art; eine gewisse „Verdauungspause“ einzulegen, war er jedoch bereit. Deshalb am 6. Oktober 1939 in seinem Erfolgsbericht vor dem Reichstag auch das Angebot an die Westmächte, Frieden auf der Basis des neuen Status quo zu schließen. Doch London wies das Angebot zurück und Hitler mußte sich nun mit Plänen für den Angriff im Westen gegen die starke französische Maginot-Linie befassen.

Änderung der Westgrenze

Wie sehr nun dem deutschen Diktator die Initiative entglitt, wurde im April 1940 offenbar — ein noch für den November 1939 im Westen geplanter Angriff mußte wegen der für die Luftwaffe ungünstigen Witterungsbedingungen verschoben werden —, als in weiterem Zusammenhang mit dem von Hitlers Bündnispartner gegen das kleine Finnland angezettelten „Winterkrieg" London und Paris Pläne entwickelten, sich militärisch in Skandinavien festzusetzen, was bei einer Sperrung des schwedischen Erzexports nach Deutschland Hitlers Kriegführung äußerst erschwert hätte. Einmal mehr war ihm indessen das Glück hold. Er kam den Briten in Narvik zuvor, besetze Dänemark und Norwegen mit begrenztem Aufwand — nur seine Flotte erlitt schmerzliche Verluste — und konnte dennoch am 10. Mai 1940 den Großangriff im Westen beginnen. Unter Verletzung der niederländischen und belgischen Neutralität brachen die deutschen Armeen mit der in Polen bewährten Taktik, schnelle gepanzerte Stoßgruppen mit Luftwaffenunterstützung weit vorzutreiben, durch die Ardennen in Südbelgien ein und erreichten schon nach neun Tagen die Kanalküste bei Abbéville. Die Briten konnten zwar ihr eingeschlossenes Expeditionskorps, freilich ohne schwere Waffen und Ausrüstung, nach England evakuieren, doch die niederländische Armee und der König der Belgier mußten die Waffen strecken.

In einem zweiten Anlauf überflügelten dann die Generale Hitlers die westlich Montmédy nur schwach ausgebaute französische Festungslinie, nahmen Paris und erzwangen auch hier einen Waffenstillstand. Der erneute Triumph des deutschen Diktators war nur dadurch etwas vergällt, daß sich sein bei Kriegsbeginn so zögernder italienischer Bundesgenosse nun noch schnell an den Tisch für die als unmittelbar bevorstehend angenommenen Friedensverhandlungen hatte setzen wollen, aber seit dem 10. Juni keine nennenswerten Fortschritte an der französischen Alpengrenze erreicht hatte. Zur nicht geringen Verwunderung Hitlers verweigerten sich die Briten, jetzt unter der Führung des energischen und zähen Winston Churchill, einem neuen Friedensappell. Ohne die gewohnte Entschlußkraft ließ der deutsche Diktator nun eine See- und Luftlandung auf der britischen Hauptinsel vorbereiten. Sie kam nie zustande, und auch ein Versuch, mit einem strategischen Bombenkrieg zuerst gegen die englischen Produktionsstätten und Einfuhrhäfen, dann gegen die Ballungszentren der Bevölkerung seinen einzigen Gegner friedenswillig zu machen, blieb erfolglos.

Dafür konnte Hitler jetzt auch die Grenzziehung im Westen neu vornehmen. Schon am 18. Mai wurden die Versailler Abtretungsgebiete von Eupen, Malmédy und Moresnet mit dem Reich wieder vereinigt. Handelte es sich dabei nur um ein paar Tausend Menschen, so war die Rückführung von Elsaß und Lothringen, auf die Hitler im November 1934 in einem Interview mit einer französischen Tageszeitung ausdrücklich verzichtet hatte[67]), immerhin eine Frage von etwa drei Millionen Menschen, darunter zahlreichen Franzosen. Staatsrechtlich sind die beiden „Reichslande" von 1871 nie mit dem Großdeutschen Reiche verbunden worden, aber Hitler unterstellte sie bereits Anfang Juli 1940 in einem nicht veröffentlichten Erlaß den Leitern der beiden benachbarten Gaue, Robert Wagner und Josef Bürckel. Sie erlagen einer „verschleierten Annexion". Nicht

[67]) Völkischer Beobachter, Münchner Ausgabe Nr. 330 (26. November 1934), S. 1.

viel anders erging es dem Großherzogtum Luxemburg, das eine angegliederte Provinz des Gauleiters von Koblenz-Trier, Gustav Simon, wurde. Daß die Luxemburger keine Deutschen sein wollten, demonstrierten sie in den folgenden vier Jahren auf vielfältigste Weise.

Südsteiermark

Das letzte politisch und verwaltungsmäßig dem Großdeutschen Reiche angefügte Gebiet war die „Unter- oder Südsteiermark“. Hätte nicht Mussolini im Oktober 1940 ohne jeden Anlaß das neutrale Griechenland mit Krieg überzogen und dabei eine schwere Schlappe erlitten, Hitler hätte sich kaum bemüßigt gefühlt, auch noch auf Kosten Jugoslawiens Deutsche heimzuholen. So aber mußte er sich bemühen, im Spätherbst 1940 und im Frühling 1941 die einzelnen Staaten dieses Raumes politisch fest an die „Achse“ zu binden. Als hierbei Jugoslawien wieder aus dem „Dreimächtepakt“ ausschor, entschloß sich Hitler rasch zu einem neuen Feldzug gegen dieses Land und Griechenland, obwohl er zu diesem Zeitpunkt schon alle seine Kräfte sammelte, um die Sowjetunion zu überfallen. Am 13. Mai 1941 wurde mit dem auf den Trümmern Jugoslawiens errichteten „Unabhängigen Staat Kroatien“ ein Vertrag abgeschlossen, der die Grenzen des der deutschen Zivilverwaltung unterstellten, vor dem Ersten Weltkrieg zum österreichischen Kronland Steiermark gehörenden Gebietes festlegte.

Umsiedlungen

Noch immer gab es jenseits der deutschen Reichsgrenzen als ein Ergebnis der seit dem Hochmittelalter abgelaufenen deutschen „Ostsiedlung“ größere Gruppen von Deutschen im sogenannten Ostmittel- und in Osteuropa. Hier war vorerst mit Annexion nichts zu machen, zumal die die deutschen Siedlungsinseln umlagernden Nichtdeutschen viel zahlreicher waren. Dafür konnte Hitler den auch durch wichtige Rohstofflieferungen gestärkten Draht zu Stalin ausnützen, um diese Volksdeutschen „heim ins Reich“ zu holen. Von November 1939 bis zum Januar 1941 wurden aufgrund vertraglicher Vereinbarungen etwa 350 000 solcher sowjetischer Staatsbürger deutscher Muttersprache umgesiedelt. Die Masse wurde auf von Polen zwangsgeräumten Höfen im „Warthegau“ und in „Westpreußen“ angesetzt. Sie stammten ausschließlich aus Gebieten, auf die Stalin erst dank dem „Teufelspakt“ mit Hitler vom August 1939 die Hand hatte legen können, nämlich aus den drei baltischen Republiken (Estland, Lettland, Litauen), die der sowjetische Diktator im Sommer 1940 annektiert hatte, aus Bessarabien und der Nordbukowina, die Stalin dem von Hitler im Stich gelassenen Rumänien abgepreßt hatte, und aus dem östlichen Polen, in das die Rote Armee am 17. September 1939 eingerückt war. Viel hatten die Heimkehrer an teilweise jahrhundertealten Traditionen und auch an unbeweglichem Eigentum zurücklassen müssen. Das kümmerte Hitler indessen wenig. Er hatte erneut sein Potential an deutschem Blut, an Soldaten und Arbeitskräften vermehrt, das zählte. Kein Zugriff war ihm freilich möglich auf die Deutschen, die seit dem 18. Jahrhundert in die Weiten des russischen Zarenreiches (Wolga, Ukraine, Kaukasus, Krim) eingewandert waren.

Sonderfälle

An eine Minderheitenfrage hat der deutsche Reichskanzler nicht gerührt, das war die der durch Versailles unter dänische Fahnen geratenen Deutschen im nördlichsten

Schleswig. Zwar hat nach 1933 die dortige deutsche politische Organisation ein Eingreifen der Berliner Regierung zu erreichen sich bemüht, aber sie wurde von den Reichsdienststellen immer wieder gebremst. Auch nach dem deutschen militärischen Einmarsch in Dänemark im April 1940 hat Hitler keine neue Grenzlinie gezogen, eine nicht befriedigend erklärte Inkonsequenz in seiner ansonsten in der Erfüllung des außenpolitischen Parteiprogramms so folgerichtigen Handlungsweise.

Ebenfalls eine besondere Lage ergab sich aus der Tatsache, daß Hitlers einziger Verbündeter in Europa, der italienische Diktator, gegenüber den deutschen Einwohnern Südtirols, das Italien durch den Frieden von St. Germain erhalten hatte, eine Politik der Assimilierung und der Einsiedelung von Italienern in die Provinzen Bozen und Trient betrieb. Hiergegen offen vorzugehen, verbot sich von selbst. Hitler opferte die deutschen Südtiroler auf dem Altar seines Bündnisses mit Rom. Heinrich Himmler, der seit Anfang Oktober 1939 „Reichskommissar für die Festigung des deutschen Volkstums" war, handelte mit der italienischen Regierung die Einzelheiten eines Options- und Umsiedlungsabkommens aus. Über 210 000 oder mehr als 85 Prozent Südtiroler entschieden sich für die deutsche Staatsbürgerschaft, was etwa je zur Hälfte der Unzufriedenheit mit der italienischen Behandlung und den hochgespannten Erwartungen auf Hitlers Reich zuzurechnen ist. Tatsächlich umgesiedelt wurden bis 1942 — es gab zahllose kleinere Reibungen und Schikanen von italienischer Seite bei der Durchführung — etwa 75 000 Südtiroler, von denen ungefähr ein Drittel nach 1945 in die alte Heimat zurückkehrte. Mochte diese Lösung im Sinne des Parteiprogramms nicht befriedigend gewesen sein, angesichts der anderen großen Zielsetzung, Gewinnung von Boden für künftige Geschlechter, konnte sie verschmerzt werden.

2. Die Sicherung der Zukunft

In den Augen Hitlers, der bei Ausbruch des Krieges nicht nur der letztlich alles allein entscheidende Diktator, sondern auch der Exekutor des Parteiprogramms war, war die Sammlung aller Deutschen innerhalb eines geschlossenen Siedlungsgebietes nur der erste Schritt für die Sicherung der Zukunft des deutschen Volkes als Hauptträger der nordischen Rasse. Im Krieg erst sollten die für 1000 Jahre ausreichenden Voraussetzungen für die Behauptung der Germanen im Rassenkampf geschaffen werden[68]).

Arterhaltung

Freilich stand es mit dem deutschen Blut nicht zum besten, wie bemühte und auf die Parteidoktrin eingeschworene Gelehrte gar bald herausfanden. Da eine „Aufzucht" („Aufnordung") naturgemäß einen längeren Zeitraum in Anspruch nahm, mußten zuerst die einer solchen Höherentwicklung im Wege stehenden Hindernisse beseitigt werden. Dazu gehörten zunächst alle die, die einen bestimmten Intelligenzquotienten nicht erreichten oder infolge ihrer seelischen Entwicklung als nicht „normal" gelten konnten.

Die Volksgenossen wurden schon früh darauf eingestimmt, was man im innersten Zirkel der „Rassezüchter" anstrebte. Im von der NSDAP herausgegebenen „Illustrierten Beobachter" konnte man im Herbst 1933 einen Bildbericht über die Psychopathen-Abteilung des Krankenhauses von Buch (Oberbayern) betrachten, der die Überschrift trug „Die Kommenden klagen uns an" und bei dem vor allem auf die „Vergeudung von Volksvermögen" durch die Pflege der bedauernswerten Insassen hingewiesen

[68]) Zu Himmlers Vorsorge gegen die zu erwartenden blutigen Verluste, vgl. Quellenstück Nr. 102.

wurde[69]). Am 14. Juli 1933 hatte ein Gesetz bereits die Möglichkeit geschaffen, „Erbkranke" und „schwere Alkoholiker" zu sterilisieren, „wenn nach den Erfahrungen der ärztlichen Wissenschaft mit großer Wahrscheinlichkeit zu erwarten ist, daß seine [des Erbkranken] Nachkommen an schweren körperlichen oder geistigen Erbschäden leiden werden"[70]). Freilich der Antrag auf Unfruchtbarmachung war noch an eine Reihe von Voraussetzungen gebunden. Im Oktober 1935 folgte ein weiteres Gesetz, das die Heirat mit einem erblich gefährdeten Partner unterband. Heiratswillige mußten dem Standesbeamten ein „Ehetauglichkeitszeugnis" vorlegen. Wieviele Menschen von diesen beiden Gesetzen betroffen wurden, ist nicht bekannt. Im Sinne der Rassenpolitiker war die entscheidende Schwäche solcher Bestimmungen, daß sie nichts an dem bisherigen, für beklagenswert erachteten Zustand zu ändern vermochten.

Deshalb hat Hitler mit dem zurückdatierten, geheim gehaltenen Erlaß vom 1. September 1939 verfügt: „Reichsleiter Bouhler [der Leiter von Hitlers persönlicher Kanzlei] und Dr. med. [Karl] Brandt [einer von Hitlers Leibärzten] sind unter Verantwortung beauftragt, die Befugnisse namentlich zu bestimmender Ärzte so zu erweitern, daß nach menschlichem Ermessen unheilbar Kranken bei kritischster Beurteilung ihres Krankheitszustandes der Gnadentod gewährt werden kann"[71]). Wie diese „kritische Beurteilung" in der Praxis aussah, sollte sich bald zeigen. Die zu diesen „legalen" Morden bereiten Ärzte versandten scheinbar unverfängliche Fragebogen an die verschiedenen Heil- und Pflegeanstalten und entschieden danach, ohne die Kranken überhaupt gesehen zu haben, über deren Le-

[69]) Illustrierter Beobachter Nr. 36 (1933), S. 1149—1151.
[70]) Reichsgesetzblatt 1933, Teil I, S. 529.
[71]) IMT — 360 PS, zitiert nach Max Domarus (Hrsg.), Hitler. Reden und Proklamationen 1932—1945. Band 3, Süddeutscher Verlag München 1965, S. 1310.

ben. Ein einfaches Kreuzchen auf einer Liste mit Namen bedeutete Abtransport, Vergiftung durch Injektion oder Gas und anschließend Verbrennung[72]). Bis August 1941 verloren auf diese Weise ungefähr 70 000 Menschen ihr Leben. Gegen die nachdrücklichen Proteste von mutigen Vertretern der beiden christlichen Kirchen, die vor allem mit der im Volk und bei den Frontsoldaten entstehenden Unruhe argumentierten, wich Hitler zurück. Inoffiziell wurde die Aktion aber in kleinerem Maßstab bis Kriegsende fortgesetzt.

Rassisch ebenso unerwünscht waren in Deutschland die Zigeuner. Unter der Leitung eines Berliner Universitätsprofessors wurde in sechs Jahren ein „Sippenarchiv" mit Angaben über mehr als 20 000 Individuen angelegt. Eine seiner Schülerinnen fertigte aus diesem Material und zusätzlichen Informationen, auch aus Interviews mit den Betroffenen, eine Doktorarbeit, deren Fazit so lautete: „Alle deutsch erzogenen Zigeuner und Zigeunermischlinge ersten Grades, gleichgültig, ob sozial angepaßt oder asozial und kriminell, sollten daher in der Regel unfruchtbar gemacht werden. Sozial angepaßte Mischlinge zweiten Grades könnten eingedeutscht werden — falls ihr vorwiegend deutsches Erbgut einwandfrei ist — während asoziale und auch von deutscher Seite belastete Mischlinge zweiten Grades ebenfalls sterilisiert werden sollten"[73]). Und das, obwohl die Verfasserin glaubte festgestellt zu haben, daß die „primitive Zigeunerart das deutsche Volk als Ganzes nie [so] untergraben oder gefährden [könnte], wie dies durch die jüdische Intelligenz geschieht"[74]). Zwar ist dieses Programm

[72]) Vgl. dazu Quellenstück Nr. 26.
[73]) Eva Justin, Lebensschicksale artfremd erzogener Zigeunerkinder und ihrer Nachkommen. Schoez, Berlin 1944, S. 121 = Veröffentlichungen auf dem Gebiet des Volksgesundheitsdienstes 57, 4.
[74]) Ebenda, S. 122.

einer kleinen Hitlerin nicht in dieser Form ausgeführt worden, dafür mußte diese Menschengruppe in anderer Form einen hohen Blutzoll bezahlen, indem ganze Sippen in die Konzentrationslager eingeliefert, andere beim Einmarsch in die Sowjetunion durch die „Einsatzgruppen" der Sicherheitspolizei erschossen wurden.

Zu den Opfern der rassischen Aufzuchtversuche gehörten auch Kriminelle und Asoziale. Dabei war die Definition dieser Gruppen so vage, daß der Willkür des einzelnen Gestapobeamten oder des SS-Mannes in einem Konzentrationslager ein weiter Spielraum geboten war. Auch diese, rassisch überhaupt nicht zu definierende Gruppe, wurde im Rahmen des gleichen Zuchtziels beträchtlich dezimiert[75]).

Heinrich Himmler, der als ehemaliger Diplom-Landwirt gleichsam einen natürlichen Zugang zu Züchtungsfragen hatte, versuchte, seine Schutzstaffel als neuen Germanen-Orden aufzubauen. Dazu eignete sich freilich die sogenannte „Allgemeine SS", eine Art Nachfolgeorganisation der SA in schwarzer Uniform ebensowenig wie die „Totenkopfeinheiten" skrupelloser Schläger, die zunächst die Konzentrationslager bewachten. Hier war an die sogenannten „SS-Verfügungstruppen" gedacht, die zuerst als „Leibstandarte Adolf Hitler" aufgestellt worden waren. Für sie entwarf Himmler genaue rassische Auslesevorschriften, die neben dem Abstammungsnachweis bis 1800 zurück auch bestimmte körperliche Eigenschaften vorschrieben. Er sah sich selbst die Photos der um Heiratserlaubnis bittenden SS-Männer und deren Bräute an und versagte die Zustimmung, wenn nach seiner Meinung die erforderliche Rassequalität der Braut nicht gegeben war. Um Mißverständnisse nicht aufkommen zu lassen: die in der Theorie vorgenommene Einteilung der verschiedenen SS-Formationen nach ihren Funktionen wurde in der Praxis vielfach durch-

[75]) Vgl. hierzu die „wissenschaftliche" Vorarbeit eines deutschen Gelehrten, Quellenstück Nr. 25.

brochen, so daß etwa der erste Leiter des Konzentrationslagers Dachau, Theodor Eicke, im Feldzug gegen die Sowjetunion eine Division der Waffen-SS führte.

Himmler bemühte sich auch darum, seine SS-Männer mit nordischer Religion zu erfüllen. Statt des christlichen Weihnachten wurde das „Julfest“ (Wintersonnenwende) begangen. Allerdings auf eine „Jul“-Kerze konnte er doch nicht verzichten. Statt der Nächstenliebe wurde die unerbittliche Verfechtung des Rassegedankens gelehrt. Da die Auswahl an rassisch hochwertigen Menschen in Deutschland nicht so groß war, überdies die SS-Divisionen wegen ihres Mangels an militärisch genügend ausgebildetem Führungspersonal besonders hohe Verluste erlitten, wurde nach dem Einfall in die Sowjetunion der Kreuzzug Europas gegen den Bolschewismus propagiert und zu diesem Zwecke für die SS auch unter den rassisch verwandten Völkern Europas geworben. So entstanden flämische, wallonische, norwegische, französische und andere Einheiten. Auf die körperlichen Auswahlkriterien mußte Himmler bald verzichten. Das ursprüngliche Prinzip der Freiwilligkeit war ebenfalls nicht mehr zu bewahren. Vor allem aus den Kreisen der Volksdeutschen in Rumänien, Kroatien und Ungarn wurden seit 1943 Männer zwangsweise zur Waffen-SS rekrutiert. Schließlich mußte man sogar SS-Divisionen aus muslimischen Bosniaken und Albanern aufstellen, denen paradoxerweise von dem atheistischen Reichsführer SS „Feld-Imame“ zugebilligt wurden. Auch aus Rücksicht auf die japanischen Bundesgenossen mußten sich die Verfechter der Rassenwertung in Deutschland Beschränkungen auferlegen. So wurden in einer Weisung an die Presse vom 3. April 1941 „Bemerkungen, die eine Höherbewertung der weißen von der gelben Rasse in sich schließen, verboten“[76]).

[76]) Zitiert nach: Theo Sommer, Deutschland und Japan zwischen den Mächten 1935—1940. J. C. B. Mohr, Tübingen 1962, S. 10.

Aufs Volksganze gesehen hat sich das Zuchtziel Walther Darrés von 1931 nicht verwirklichen lassen, daß der Staat die jungen Männer einer „charakterlichen und beruflichen Leistungsprüfung unter Beachtung eines Mindestmaßes an körperlicher Gesundheit“ unterwerfe, daß die Mädchen in solche zu scheiden seien, die heiraten dürfen und solche, denen es verboten sei, und daß die jungen Männer zur richtigen Gattenwahl zu erziehen seien[77]). Doch braucht man nicht zu zweifeln, daß bei einer längeren Dauer des Dritten Reiches auch dieses Ziel verwirklicht worden wäre.

Protektorat

Die zweite Säule einer Zukunftssicherung sollte die Gewinnung von Boden, der die Ernährungsgrundlage des deutschen Volkes verbreiterte, bilden. Hitler hatte sich dazu programmatisch in „Mein Kampf“ geäußert: „Wir schließen endlich ab die Kolonial- und Handelspolitik der Vorkriegszeit und gehen über zur Bodenpolitik der Zukunft. Wenn wir aber heute [1926] in Europa von neuem Grund und Boden reden, können wir in erster Linie nur an Rußland und die ihm untertanen Randstaaten denken ...“ Nach Erörterung der rassenzersetzenden Wirkung des Judentums in Rußland fuhr Hitler fort: „Das Riesenreich im Osten ist reif zum Zusammenbruch. Und das Ende der Judenherrschaft in Rußland wird auch das Ende Rußlands als Staat sein“[78]). Diese oft zitierte Stelle ist nicht ganz eindeutig. Was versteht er unter „Rußland untertanen Randstaaten“? Man denkt zuerst an Ukraine, Weißrußland und Kaukasus. Sie waren aber 1926 keine Staaten, und es auch in früheren Jahrhunderten nur teilweise gewesen. Oder dachte Hitler

[77]) Wiederabgedruckt, in: R. Walther Darré, Um Blut und Boden. 4. Aufl. Franz Eher, München 1942, S. 37.

[78]) Adolf Hitler, Mein Kampf, 102.—106. Aufl. Franz Eher, München 1934, S. 742—743.

an die baltischen Republiken? Sie waren indessen, als er diese Zeilen schrieb, Rußland nicht untertan. Vielleicht hat sich Hitler hier sogar bewußt unklar ausgedrückt. Als er sich im Frühjahr 1939 anschickte, sein Bodenprogramm jenseits der deutschen Volksgrenze zu verwirklichen, da war er jedenfalls noch Hunderte von Kilometern von der russischen Grenze entfernt.

Näher kam er ihr durch die Zerschlagung der Tschechoslowakei, deren letzter Staatspräsident sich dem ultimativen Druck Hitlers beugte und ihm Böhmen und Mähren als „Protektorat" unterstellte. In diesem Wort steckt eine gewisse Fürsorgepflicht und Hitler versprach auch, die Tschechen, die eine eigene, freilich machtarme Regierung behalten durften, gegen Bedrohungen von außen zu schützen. Boden freilich, auf dem sich große deutsche Siedlerscharen niederlassen konnten, hatten sie kaum, zumal sie noch die aus dem Sudetenland vertriebenen Tschechen bei sich aufnehmen mußte. Vergleicht man die verschiedenen Formen der Besatzungspolitik, die der Mann aus Braunau in der Folge der militärischen Ausbreitung seiner Macht in Europa allmählich entwickelte, so ging es den Tschechen noch ganz gut. Ihr nationaler Stolz wurde zwar gedemütigt, ihr Lebensstandard wurde gesenkt und sie mußten schwer für Hitlers Kriegsrüstung arbeiten, sie büßten sogar einige Tausend Menschen, vor allem Kinder, durch „Eindeutschung"[79]) ein, aber die Substanz des Volkstums wurde nicht angegriffen.

Generalgouvernement

Sehr viel härter traf die geballte Faust von Hitlers „Kolonisatoren" das polnische Volk. Es verlor, abgesehen von den von Stalin besetzten östlichen Landesteilen, in

[79]) Vgl. hierzu Quellenstück Nr. 28.

denen überwiegend Litauer, Ukrainer und Weißrussen lebten, Kerngebiete wie die Umgebung von Lodz (jetzt Litzmannstadt) an das Deutsche Reich. Im polnisch bleibenden Generalgouvernement gab es keine eigene Verwaltung mehr. Es mußte zu vielen Zehntausenden die aus dem Warthegau und Westpreußen verjagten Landsleute aufnehmen und verlor überdies durch gezielte Mordaktionen große Teile seiner Führungsschicht (Universitätslehrer, Geistliche, Politiker). Die judenfeindlichen Maßnahmen trafen überdies zu einem hohen Prozentsatz polnische Staatsbürger. Die großen Vernichtungslager, in denen Millionen Menschen den Tod fanden, waren fast ausschließlich im Generalgouvernement errichtet worden. Aber aus der Sicht Hitlers war hier noch immer nicht jener landwirtschaftlich ergiebige Boden gewonnen worden, der das Getreide für die wachsende deutsche Bevölkerung der Zukunft würde liefern können.

Reichskommissariate

Der Sieg über Frankreich war kaum errungen, als Hitler sich bereits mit Überlegungen zu einem Ostfeldzug befaßte. Er war merkwürdigerweise überrascht, als Stalin auf dem Höhepunkt des Westfeldzuges die günstige Gelegenheit dazu nützte, um die Gewinne aus dem Vertrag vom 23. August 1939 einzustreichen. Was der bolschewistische Diktator vielleicht nicht richtig einschätzte, war Hitlers Entschlossenheit, sich nun „im Osten" jenen Boden zu holen, den es bisher trotz aller Siege immer noch nicht gewonnen hatte. In Hitlers vereinfachender Denkweise ließ sich auch der zähe Widerstand Londons in scheinbar aussichtsloser Lage nur so erklären, daß Churchill auf den „russischen Degen" wartete. Es ist in der Forschung noch immer umstritten, wann Hitler sich endgültig zu einem auf wenige Wochen bemessenen Feldzug gegen die Sowjetunion entschloß. Mitte Dezember 1940 gab er jedenfalls den entscheidenden Operationsbefehl und ließ sich durch die auf dem Balkan aufgetretene Krise ebensowenig wieder davon abbringen wie durch die Möglichkeiten, die sich nach der Eroberung Kretas (Mai 1941) aus der Luft und der Erfolge Rommels in Nordafrika für eine weitreichende Operation im Nahen Osten geboten hätten.

Stalin war von verschiedenen Seiten vor dem bevorstehenden Überfall der deutschen Wehrmacht gewarnt worden, aber mit der offenbar Diktatoren eigentümlichen Blindheit gegen das, was nicht in ihr vorgefertigtes Weltbild hineinpaßt, stellte er sich nicht auf eine effektive Abwehr ein, lieferte vielmehr noch bis in die letzten Stunden vor dem 22. Juni 1941 die vereinbarten Getreidemengen und sonstigen Waren. Die Anfangserfolge der deutschen Truppen schienen Hitlers These zu bestätigen, daß die Sowjetmacht ein Koloß auf tönernen Füßen sei, der zusammenstürze, wenn man ihn nur kräftig anstoße. Um dies wirklich zu erreichen, hätte er freilich sich entweder mit dem russischen Volk gegen das kommunistische System oder mit den nichtrussischen Völkerschaften gegen das großrussische Staatsvolk verbünden müssen. Die Erfolgsaussichten wären in beiden Fällen zweifelhaft gewesen, auf jeden Fall hätten sie aber Zugeständnisse an das Lebensrecht dieser Völker erforderlich gemacht, die mit dem Konzept eines riesigen, von Deutschen beherrschten Kolonialraumes nicht vereinbar gewesen wären.

Stattdessen legte sich Hitler auf den sogenannten „Generalplan Ost“ fest, demzufolge 80—85 Prozent der Polen aus dem Generalgouvernement, 65 Prozent der Ukrainer und 75 Prozent der Weißrussen in erster Linie nach Sibirien ausgesiedelt werden sollten. Um den „Pflanzgarten des germanischen Blutes“ zu schaffen, sollten an ihrer Stelle neben Deutschen auch Niederländer und Briten (!) angesetzt werden. Die verbleibenden slawischen Bevölkerungsteile waren zu assimilieren. Die industrialisierten Gebiete, etwa das Donez-Becken, wollten die Planer wieder reagrarisieren. Daß dabei Millionen Menschen des Hungers sterben würden, nahmen sie kaltblütig in Kauf.

Freilich die Kriegslage, die ja schon im Winter 1941/42 die Illusionen von einer raschen Niederwerfung Sowjetrußlands zerstreute, ließ solche gewaltigen Bevölkerungverschiebungen nicht zu, aber in Ansätzen wurde dieses grauenhafte Planspiel realisiert. Nicht nur die bolschewistischen Kommissare, sondern auch Zehntausende von Kriegsgefangenen wurden erschossen oder man ließ sie einfach verhungern. Unter dem Tarnmantel der Partisanenverfolgung wurden „Verdächtige" in großer Zahl hingerichtet, ihre Wohnstätten angezündet und ihr Besitz beschlagnahmt.

Wenn sich örtlich in den Weiten des osteuropäischen Raumes in der Behandlung der Bevölkerung beträchtliche Unterschiede ergaben, so war dies weniger das Ergebnis etwa wachsender Einsicht oder gar moralischer Bedenken als die Folge des Zuständigkeitswirrwarrs, der zwar eine Begleiterscheinung des ganzen Dritten Reiches war, sich aber in den eroberten Gebieten, in denen noch keine eingespielte Verwaltung durch Deutsche bestand, besonders kraß auswirkte. Hitler vertrat den Standpunkt der Wirtschaft auch für den Bereich der politischen Exekutive, daß Konkurrenz die Leistung des einzelnen Amtsträgers steigere. Er schuf deshalb fast grundsätzlich für jedes Amt eine konkurrierende Institution, legte die Kompetenzen nicht genau fest und wartete ab, welche der beiden Dienststellen sich durchsetzen werde. Das hatte zur Folge, daß viele der durch den Konkurrenzkampf entfesselten Energien wieder dadurch aufgebraucht wurden, daß sich die Kontrahenten über den Zuständigkeitsrahmen auseinandersetzen mußten. Am Beispiel der sowjetischen besetzten Gebiete zeigte sich das z. B. darin, daß der zum Reichsminister für die besetzten Ostgebiete ernannte Parteiideologe Alfred Rosenberg in den beiden Reichskommissaren Erich Koch für die Ukraine und Hinrich Lohse für das „Ostland“ (Kaukasus und Moskau wurden nie besetzt) zwar nominell Untergebene hatte, diese sich aber weigerten, die sich aus der wachsenden Einsicht des Ministers in die Verfehltheit der deutschen Besatzungspolitik ergebenden Folgerungen sich zu eigen zu machen. Darüberhinaus hatten eine ganze Reihe von Reichsbehörden dank ihrer durchschlagskräftigen Amtsinhaber die Möglichkeit, auch in einzelne Bereiche der Besatzungsverwaltung hineinzuregieren, so etwa Himmler als Chef von SS und Polizei, Göring als Leiter des Vierjahresplans oder Bormann (nach der Flucht von Rudolf Heß, dem „Stellvertreter des Führers“, nach England im Frühjahr 1941) als Leiter der Parteikanzlei.

Während man von deutscher Seite in den Reichskommissariaten für Norwegen und die Niederlande einheimische Kreise, die den Nationalsozialismus als Vorbild ansahen — so Vidkun Quisling in Norwegen und Anton Mussert in den Niederlanden — ermunterte, hat es ähnliche Bemühungen auf dem Boden der Sowjetunion nicht gegeben. Zwar haben die kämpfenden Einheiten der Wehrmacht schon 1941 damit begonnen, aus den Reihen der Kriegsgefangenen sogenannte „Hilfswillige“ (Hiwis) insgeheim zu rekrutieren, während die „Abwehr“ aus Gefangenen und Überläufern bestimmter Minderheiten (Kaukasier, Turkestaner, Kosaken) eigene Einheiten mit deutschem Rahmenpersonal aufstellte. Aber bei dem Monopol Hitlers auf politische Entscheidungen war mit dieser militärischen Kooperation keine Aussage über die Zukunft dieser Völker im Falle eines endgültigen Erfolges über Stalin verbunden. Erst 1944 hat sich Himmler, von Männern seiner Umgebung gedrängt, zögernd und gegen Hitlers Widerstreben, mit dem im Juni 1942 in deutsche Gefangenschaft geratenen General Andrej Wlassow zu einer begrenzten politischen Zusammenarbeit bereitgefunden, die aber angesichts der inzwischen eingetretenen Kriegswende und der im Namen Deutschlands begangenen fürchterlichen Verbrechen am russischen Volk keine Aussicht mehr hatte.

Waren schon vor den großen Erfolgen an der Ostfront im Sommer 1941 von Hitler Weisungen für die Fortführung der Operationen in den Mittleren Osten ergangen, so mußte er diese Pläne nach dem Rückschlag bei Stalingrad im Februar 1943 endgültig begraben. Das wachsende rüstungswirtschaftliche Gewicht und die zunehmende militärische Schlagkraft der Roten Armee, unterstützt von Großbritannien und dem Ende 1941 in den Krieg eingetretenen amerikanischen Präsidenten durch Rüstungslieferungen und die allmählich alle Gebiete des von Hitler unterworfenen Europa erfassende Luftoffensive, sowie die nach und nach in allen unterjochten Völkern sich bildenden Widerstandsbewegungen drückten Hitlers Armeen langsam, aber stetig von den erreichten Positionen zurück, lähmten seit Mai 1943 die deutsche Unterseebootwaffe, die bis dahin den angloamerikanischen Nachschubweg über den Atlantik unerbittlich zur Ader gelassen hatte, und führte schließlich dazu, daß zunächst Hitlers Verbündete im Mittelmeerraum aus dem Felde geschlagen und schließlich Deutschland selbst anders als im Ersten Weltkrieg von einer konzentrischen Operation von Osten, Westen und Süden auf immer kleiner werdendem Territorium zusammengedrängt und schließlich zur bedingungslosen Kapitulation gezwungen wurde.

Kolonien

Lange bevor Hitler daran gehen konnte, auf Kosten der Sowjetunion ein „Kolonialreich“ in Osteuropa aufzubauen, war die Frage einer Rückgewinnung der deutschen Kolonien in Afrika und in der Südsee erörtert worden. Das Parteiprogramm hatte sich hier ja etwas vage ausgedrückt, aber Hitler dafür in „Mein Kampf“ um so deutlicher auf überseeische Kolonien verzichtet, weil man sie doch nicht verteidigen könne. Demgegenüber hatte beispielsweise die deutsche Delegation, die über die Vorschläge Owen D. Youngs zur Regelung der deutschen Reparationsverpflichtungen verhandelte, im Februar 1929 eine Rückgabe der deutschen Kolonien vorgeschlagen. Dasselbe tat Hitlers Wirtschaftsminister Hugenberg, allerdings ohne Ermächtigung durch das Reichskabinett, bei der Weltwirtschaftskonferenz im Juni 1933 in London. Hitler hatte dagegen auch vor den Befehlshabern der Streitkräfte im November 1937 eine solche Kolonialpolitik für undiskutabel erklärt. Um so verwunderlicher ist es, daß er seit Mai 1935 innerhalb der NSDAP ein Kolonialpolitisches Amt eingerichtet hatte, an dessen Spitze der General Ritter von Epp berufen wurde, der 1904—1906 bei der Niederwerfung von Aufständen der Herero und Hottentotten in Deutsch-Südwestafrika mitgekämpft hatte. Darüber hinaus betrieb der „Reichskolonialbund“ eine lebhafte Agitation für den kolonialen Gedanken, neben vielen journalistischen und wissenschaftlichen Büchern erschienen auch belletristische Veröffentlichungen über „unsere“ Kolonien. Hitler fuhr wohl auch in diesem Bereich zweigleisig. Als er sich in der diplomatischen Krise vor dem Feldzug gegen Polen bemühte, England von einem Eingreifen abzuhalten, da war in seinen Vorschlägen auch die freilich vage Rückerstattung der deutschen afrikanischen Besitzungen enthalten. Auch als er nach dem Sieg im Westen England ein Friedensangebot unterbreitete, wollte er nicht mehr als nur den früheren deutschen Kolonialbesitz. Nachdem dann Frankreich am Boden lag, versuchten kolonialpolitisch interessierte Kreise im Auswärtigen Amt und in der Marine, Hitlers Blick auf Afrika zu lenken und dafür gegenüber Rußland stillzuhalten. Rücksichten auf Mussolini, auf das vielleicht für eine Kollaboration zu gewinnende Frankreich von Vichy und seine noch intakte Flotte, hinderten Hitler, diese Vorschläge aufzugreifen.

Bei dem letzten umfassenden Versuch, mit Moskau zu einer Abgrenzung der Interessensphären zu kommen im November 1941 in Berlin, wollte Hitler für Deutschland „nur“ ein mittelafrikanisches Kolonialreich, das vom Indischen zum Atlantischen Ozean hätte reichen sollen. Der sowjetische Außenminister Molotow war indessen nicht geneigt, über Zukunftsperspektiven wie die Aufteilung des Britischen Weltreichs zu diskutieren, er wollte konkret von Hitler Konzessionen in Südosteuropa haben. So blieb die Frage eines tropischen Rohstofflieferanten ungelöst, aber wir wissen heute aus vielen Zeugnissen, daß Hitlers „Endziele“ über die Kolonialreiche in Rußland und Mittelafrika hinausgingen, daß er an eine Weltmachtstellung Deutschlands dachte, wofür nicht zuletzt auch der sogenannte „Z-Plan“ für die Aufrüstung der Kriegsmarine gedacht war, der im April 1939 mit einer Vollendung des Bauprogramms im Jahre 1948 rechnete. Zu diesem Zeitpunkt war Hitler bereit drei Jahre tot. Mit ihm aber auch die Millionen seiner jüdischen Opfer.

3. Die Ausmerzung der europäischen Juden

Schien sich die Frage der deutschen Juden bis zum Herbst 1939 gleichsam auf „natürliche“ Weise für Hitler und die Antisemiten dadurch zu lösen, daß als Folge des immer unerträglicheren Druckes die deutschen Bürger jüdischer Abstammung ihr Vaterland verließen, so erhielt das Programm der Trennung von deutscher und jüdischer Rasse nach dem Ausbruch des Zweiten Weltkrieges eine ganz andere Dimension. Je weiter sich die Armeen des Dritten Reiches in Europa vorschoben, um so zahlreicher wurden die Juden, die als Bürger Polens, Frankreichs, der Niederlande usw. mit den neuen nationalsozialistischen Herren in Berührung kamen. Von ihrer Geschichte und Psychologie her waren das auch ganz andere Juden, als man sie bisher in Deutschland kannte, insbesondere in Polen, eine viel stärker an die talmudische Tradition gebundene, auf der sozialen Stufenleiter viel weiter unten angesiedelte, aber vor allem zahlenmäßig viel größere Gruppe. In kleineren Städten des zentralen Polens und später in der Ukraine machten nicht selten Juden 50 Prozent und mehr der Gesamtbevölkerung aus. Da aber Hitlers Imperialismus nicht die Absicht hatte, die eroberten Länder vor allem im Osten — man hatte aber z. B. auch territoriale Ambitionen im niederländisch-flämischen Gebiet — zu räumen, mußte für die rassebewußten „Herrenmenschen" die jüdische Frage bedrängend werden. Man mußte sogar befürchten, daß bei einer längeren Dauer des Krieges die westeuropäischen Juden zu einer „Fünften Kolonne" der Angloamerikaner im Rücken der deutschen Front würden, während der jüdisch beherrschte Bolschewismus ein ähnliches Rekrutierungspotential bei den Ostjuden finden könnte. Eine Verschiebung der jüdischen Bevölkerung innerhalb Europas mußte jetzt entweder auf Kosten des vor allem in Westeuropa ohnehin vielfach knappen Raumes erfolgen oder aber bei einer generellen Umsiedlung nach Osten die dortigen deutschen Zukunftspläne stören.

Bereits am 24. Januar 1939 hatte Hitler dem Stellvertreter Himmlers, Reinhard Heydrich, die Aufgabe übertragen, „die Judenfrage in Form der Auswanderung oder Evakuierung" zu lösen. An eine Niederlassung der europäischen Juden im damaligen britischen Mandatsgebiet Palästina war angesichts des Widerstandes der Londoner Regierung und der Araber nicht zu denken. So kam es nach dem Waffenstillstand mit Frankreich zu Sondierungen Heydrichs, um eine großmaßstäbliche Umsiedlung der Juden auf das damals noch zum französischen Kolonialreich gehörende, dünn besiedelte Madagaskar durchzuführen. Abgesehen davon, daß auch die Verwirklichung eines solchen Unternehmens eine monströse Barbarei dargestellt hätte — Massen durch die europäische Tradition geprägter, überwiegend in Städten lebender Juden in die tropische und subtropische koloniale Landwirtschaft zu verpflanzen — gab es, angesichts der Fortdauer des Krieges mit dem immer noch die Weltmeere beherrschenden Großbritannien, für diesen Plan keine Chance.

Deportationen

Während in Deutschland die Entrechtung der jüdischen Bevölkerung weiter vorangetrieben wurde, am 1. September 1939 wurden Ausgangsbeschränkungen eingeführt, am 23. dieses Monats mußten alle Radiogeräte abgeliefert werden, wurden im Oktober die ersten Gruppen von Juden aus Österreich und dem „Reichsprotektorat" nach Polen abgeschoben. Im Generalgouvernement erging im November dann eine Verordnung, daß alle Juden als öffentliches Erkennungszeichen den „Davidstern" zu tragen hatten (für das Reichsgebiet wurde die entsprechende Vorschrift erst im September 1941 erlassen, wahrscheinlich um kein unnötiges Aufsehen bei den Juden gegenüber freundlich eingestellten Bevölkerungsgruppen zu erregen). Im Dezember folgten die ersten Massentransporte aus dem Warthegau in den Machtbereich des Generalgouverneurs Frank und im Februar 1940 begann die Deportation der Stettiner Juden nach Lublin. Sah das alles noch vergleichsweise unsystematisch, diktiert von dem antisemitischen Radikalismus einzelner Gauleiter, aus, so begann im Oktober 1941 die umfassend organisierte und planmäßig vorgenommene Umsetzung der europäischen Juden von West nach Ost. Schon die ersten Deportationen hatten für die Betroffenen schwere Belastungen mit sich gebracht. Sie konnten nur Bruchteile ihres Besitzes mitnehmen, wurden aus der ihnen vertrauten Umgebung gerissen und waren von der Unsicherheit über ihre Zukunft bedrückt, aber sie hatten gegenüber den später folgenden Massentransporten noch gewisse Chancen, Überlebensnischen zu finden und mit den mitgebrachten Fähigkeiten ihren Lebensunterhalt zu verdienen.

Als erste wurden von der Zwangsumsiedlung die Juden im deutschen Reichsgebiet betroffen. Das rassische Prinzip galt nun auch insofern unbarmherzig, als jüdische Ehepartner von Christen miterfaßt wurden. Der evangelische Dichter Jochen Klepper beging vor der drohenden Deportation seiner jüdischen Frau zusammen mit dieser und seiner jüngsten Stieftochter Selbstmord. Andere christliche Ehegatten ließen sich scheiden und mußten die Trennung, in den meisten Fällen für immer, hinnehmen. Bei der sogenannten „Wannsee-Konferenz" im Januar 1942 unter Vorsitz von Heydrich berieten Spitzenvertreter verschiedener Ministerien und Dienststellen in kaum noch verschleierter Sprache die „Endlösung" der Judenfrage, die zunächst den schrittweisen Abtransport aus den historischen Wohngebieten bedeutete. Von da an rollten fast ununterbrochen die Eisenbahnzüge, prall gefüllt mit menschlicher Fracht, in eine dunkle Zukunft nach Osten.

Ghettoisierung

So wie die Kennzeichnung mit dem „Judenstern" den Schritt zurück ins finstere Mittelalter markiert hatte, so bedeutete die Bildung bewachter Ghettos das bewußte Zurückdrehen des Rades des menschlichen Fortschritts. Die Anhänger der mosaischen Religion hatten im abendländischen Mittelalter teils infolge des eigenen Schutzbedürfnisses, teils infolge einschlägiger Vorschriften in geschlossenen Stadtvierteln gewohnt, die vielfach mit einer Mauer umgeben waren. In Mittel- und Westeuropa hatten die Juden seit der Emanzipation das Ghetto verlassen, während in Osteuropa die Mauern meist fehlten, die jüdische Bevölkerung jedoch das Wohnen in der geschlossenen Gruppe bevorzugte. Nun wurden im 20. Jahrhundert diese polnischen Judensiedlungen mit Mauern umgeben und die Insassen, so weit es wirtschaftlich und technisch möglich war, von ihrer nichtjüdischen Umwelt abgeriegelt. Den Anfang machte im April 1940 die Stadt Lodz. Es folgten ihr nach und nach die anderen größeren Städte im Generalgouvernement. War der Abschluß von der weiteren Umwelt schon hart genug, so verschärfte sich die Lage der Insassen dieser Zwangsaufenthalte durch die ständige Zufuhr von Juden infolge der Deportationswelle. Wohnraummangel und Verschlechterung der Ernährungssituation, Verringerung des kulturellen Angebots und zahlreiche Schikanen der Polizeibewachung kennzeichneten die Lage der Bewohner.

Ähnlich wie in den alten Konzentrationslagern, in denen sich der Prozentsatz der Juden seit 1939 allmählich verringerte, übertrug die SS bzw. Polizei den Insassen des Ghettos selbst die innere Verwaltung (Lebensmittelverteilung, Arbeitseinsatz usw.). Dadurch wurde zusätzlich die Solidarität der von der Verfolgung Betroffenen unterminiert, weil der „Judenälteste" auf der einen Seite von den Deutschen für die Ausführung ihrer Befehle verantwortlich gemacht wurde, auf der anderen Seite jede, auch vielleicht von ihm abgemilderte Maßnahme seine jüdischen Mitbürger belasten mußte. Viele Juden haben sich in dieser extremen Situation dennoch als Sachwalter der jüdischen Gemeinschaft bewährt. Daß es zwischen Deportierten verschiedenster sozialer Schichten und Herkunft gleichwohl zu Spannungen kam, war angesichts der Umstände unvermeidlich.

Zu einer organisierten und planmäßigen Verteidigung gegen die nationalsozialistischen Vernichtungsmaßnahmen kam es nur in wenigen Fällen. Am besten bekannt ist der

Widerstand von Insassen des Warschauer Ghettos im April und Mai 1943. Mochten zunächst noch viele Juden geglaubt haben, daß sie als Insassen dieser Stadtgefängnisse, häufig beschäftigt mit kriegswichtigen Arbeiten, eine Überlebenschance hätten, so sickerten bald nach den ersten Abtransporten aus Warschau zuverlässige Nachrichten durch, was mit den Deportierten geschehen sei. Nachdem die Zahl der Insassen von ungefähr 400 000 auf etwa ein Achtel vermindert worden war, bildete sich Anfang 1943 aus jüngeren Männern und Frauen, die verschiedenen zionistischen und sozialistischen Organisationen angehörten, eine Widerstandsgruppe. Sie beschaffte sich mit Hilfe der hinter der deutschen Front blühenden Korruption Faustfeuerwaffen und Handgranaten und errichtete teilweise mit Unterstützung deutscher Rüstungsbetriebe, die darauf bedacht waren, ihre jüdischen Arbeitskräfte zu erhalten, „Luftschutzbunker". Als am 19. April Polizeikommandos wieder einen Deportationszug zusammenstellen wollten, schlug ihnen Feuer entgegen. Sie mußten sich zurückziehen und Verstärkung abwarten. Etwa 1000 Polizisten, SS-Ersatz, Wehrmachtangehörige und polnische Hilfspolizei wurde beim Kampf gegen die Verteidiger des Ghettos eingesetzt. Sie verloren immerhin 16 Tote, aber das Ergebnis war doch, daß der Widerstand gebrochen und die „Entleerung" des Ghettos zu Ende geführt wurde. Am 16. Mai 1943 konnte der zuständige SS-Kommandeur melden: „Es gibt keinen jüdischen Wohnbezirk Warschau mehr"[80]. Hatte so das tapfere Kämpfen und Sterben einiger hundert Juden und Jüdinnen das bittere Ende nicht abwenden können, so war doch die nationalsozialistische Legende widerlegt, daß nur die nordische Rasse des Heroismus fähig sei.

[80]) Faksimile-Druck, hrsg. von Andrzej Wirth. Hermann Luchterhand, Neuwied 1960, ohne Paginierung.

Lange bevor diese Ereignisse abliefen, hatte der Vernichtungskampf gegen das osteuropäische Judentum bereits eine weitere Stufe erreicht. Schon im März 1941 hatte Hitler den geheimen Befehl erlassen, nach dem Einfall in die Sowjetunion die dortigen Juden auszurotten. Durch Stalins Besetzung des östlichen Polen waren ihm ja Hunderttausende von Juden zugefallen, von denen sich nur der kleinere Teil vor dem 22. Juni 1941 in die weiter östlich gelegenen Teile der Sowjetunion hatte retten können. Mit der „Lösung" dieser Judenfrage wurden die sogenannten „Einsatzgruppen" der Sicherheitspolizei und des SD beauftragt. Sie waren zuerst bei der Besetzung Polens aufgetreten, wurden jetzt aber zahlenmäßig stark vermehrt. Sie setzten sich zusammen aus Angehörigen der Polizei, der Waffen-SS und der Geheimen Feldpolizei (der Wehrmacht) und wurden geleitet von prominenten Mitgliedern der SS-Führung, z. B. dem Chef des Reichskriminalpolizeiamtes und späteren Mitgliedes des Widerstandes gegen Hitler, Arthur Nebe. Die Aufgabe, das Hinterland der vorrückenden Front von Spionen, Partisanen, Saboteuren freizuhalten, verband sich im rassischen Denken organisch mit der Ausmerzung schädlicher Elemente wie Juden und Zigeunern. Es wird begründet angenommen, daß die vier Einsatzgruppen in wenigen Monaten eine Million Juden exekutieren. Die Opfer wurden in ihren Wohngebieten zusammengetrieben, auf Lastwagen oder im Fußmarsch zu etwas abgelegenen Gebieten gebracht und dort vor den von ihnen selbst ausgehobenen Massengräbern durch Genickschuß oder Maschinengewehrfeuer ermordet. Dabei fielen nicht nur Männer, sondern auch Frauen und Kinder den gnadenlosen Henkern zum Opfer. Daß diese Massenmorde die Täter auch psychisch schwer belasteten, hat ihr oberster Chef, Himmler, selbst in einer geheimen Rede vor höheren

SS-Führern zugegeben: „Von euch werden die meisten wissen, was es heißt, wenn 100 Leichen beisammen liegen, wenn 500 daliegen oder wenn tausend daliegen. Dies durchgehalten zu haben und dabei — abgesehen von Ausnahmen menschlicher Schwächen — anständig geblieben zu sein, das hat uns hart gemacht. Das ist ein niemals geschriebenes und niemals zu schreibendes Ruhmesblatt unserer Geschichte"[81]). Aber selbst dieses Verfahren des gruppenweisen Abschlachtens war noch nicht rationell genug, um mit den Millionen europäischer Juden fertig zu werden[82]).

Vergasung

Vor allem das Erschießen von Kindern kam doch manche der Schlächter hart an. Deshalb wurden im Dezember 1941 die Versuche mit der Einleitung von Autoabgasen in fahrende, luftdicht abgeschlossene Lastkraftwagen in großem Maßstab verwirklicht. Doch hierbei gab es technische Mängel, auch war die Kapazität solcher Spezialfahrzeuge zu gering, so daß sich die SS-Führung seit März 1942 zur Fortsetzung der Mordaktionen der sogenannten Vernichtungslager bediente. Generell hatten zwar alle Konzentrationslager die Aufgabe, die „Unerwünschten" zu beseitigen, aber die Bedürfnisse der Kriegswirtschaft an billigen Arbeitskräften und der vergleichsweise geringe Raum in den alten Lagern auf Reichsgebiet, erlaubten es nicht, die Massenvernichtung hier zu betreiben. Im Generalgouvernement wurden deshalb völlig neue Lagerkomplexe errichtet

[81]) IMT — 1980 PS, zitiert nach: Gerald Reitlinger, Die SS. Tragödie einer deutschen Epoche. Kurt Desch, München 1956, S. 273.

[82]) Vgl. das Quellenstück Nr. 37 aus einer Rede Himmlers vor Reichs- und Gauleitern.

oder bestehende erweitert, vor allem Auschwitz. In großen fest eingebauten Gaskammern, die als Bade- und Entlausungsstationen getarnt waren, wurden die aus den Eisenbahnzügen quellenden Deportierten nach kurzer „Selektion" durch einen SS-Arzt — die Arbeitsfähigen blieben noch eine Zeitlang am Leben — mittels des Atemgiftes Cyclon-B getötet und nach Entfernung ihrer verwertbaren Überreste (Haare, Goldzähne) in gewaltigen Krematorien verbrannt. Betżec, Sobibór, Treblinka und viele andere Namen bezeichnen die Orte dieser Ausrottung der europäischen Juden. Bis Ende Oktober 1944 wurde in Auschwitz vergast. Dann versuchten Spezialkommandos der SS, die Spuren zu verwischen, die Anlagen zu sprengen, weil die Rote Armee sich dem Lager näherte.

Aus ganz Europa war die unglückliche menschliche Fracht in die Vernichtungsmaschinerie in Polen geliefert worden. Spaniolische Juden aus Saloniki ebenso wie aschkenasische aus Berlin, Juden aus Frankreich und Belgien genauso wie Juden aus Ungarn und der Slowakei. Nur wenige europäische Nationen im Bannkreis Hitlers haben ihre Juden retten können, so vor allem Bulgarien, Dänemark und auch das faschistische Italien, das zwar mancherlei verbale Tribute dem Rassekult leistete, aber im ganzen seine jüdischen Staatsbürger schützte. Andere Regierungen innerhalb der „Festung Europa" beteiligten sich aus eigenem Antrieb am Judenmord, so die Ustascha-Herrscher Kroatiens und zeitweilig der rumänische Staatschef Antonescu. Es verringert die Verantwortung des deutschen Volkes nicht, wenn man darauf hinweist, daß antisemitische Gefühle etwa in der Ukraine, in Polen und Litauen den Judenmördern in deutscher Uniform einheimische Helfer zuführten, daß manche mit Hitler kollaborierenden Regierungen, wie die des Marschalls Pétain in Vichy, dem Vernichtungsprogramm wenig Widerstand entgegensetzten.

Geradezu bestürzend ist es zu sehen, wie der Rassenhaß

der Führer[83]) des Dritten Reiches auch noch zu einem Zeitpunkt, als der Krieg gegen die alliierte Koalition auf des Messers Schneide stand, als eigentlich alle Mittel für den Sieg oder wenigstens die Selbstbehauptung hätten aufgewendet werden müssen, zahlreiche Eisenbahnwaggons und Lokomotiven dem Nachschub für die kämpfende Front entzog, zahlreiche qualifizierte Arbeitskräfte statt in die Rüstungsfabriken in die Gaskammern trieb. Das rassische Vorurteil triumphierte auch über die Wertung des Individuums. Im Konzentrationslager Theresienstadt, einer alten habsburgischen Festung im nördlichen Böhmen, starb im November 1942 der Jude, Professor Paul Nikolaus Cossmann, der als Herausgeber der „Süddeutschen Monatshefte" in den frühen zwanziger Jahren seine deutschnationale Gesinnung demonstriert hatte, indem er entschlossen gegen die „Kriegsschuldlüge" und für die Legende vom „Dolchstoß" eingetreten war.

Die Gesamtzahl der jüdischen Opfer Hitlers und seiner Mordhelfer ist nicht mehr zu ermitteln. Das liegt zunächst daran, daß in keinem europäischen Staate die jüdischen „Rasseangehörigen" statistisch festgehalten wurden; gezählt wurde das konfessionelle Bekenntnis. Hinzukommt, daß kaum zuverlässige Ermittlungen über die Zuwachsrate der jüdischen Bevölkerung in den einzelnen europäischen Staaten vom Zeitpunkt der jeweils letzten Volkszählung an vorliegen. Schließlich hat Himmler bei dem sich nähernden Kriegsende, nachdem er noch mit einigen Zehntausend überlebenden Juden mit den Alliierten einen Schacher versucht hatte, die Vernichtung aller Akten angeordnet. Selbst wenn mehr Akten erhalten geblieben wären, wäre wahrscheinlich dennoch die ziffernmäßige Feststellung nicht viel genauer möglich, weil viele der Vergasten überhaupt

[83]) Er zeigt sich noch in Hitlers politischen Testament vom 29. April 1945, vgl. Quellenstück Nr. 16.

nicht registriert wurden. Gut begründete Berechnungen ergeben, daß viereinhalb bis sechs Millionen europäischer Juden umgebracht worden sind.

Im engeren Sinne verantwortlich war die SS und hierbei insbesondere die Leiter der Vernichtungslager und ihre Vorgesetzten im Reichssicherheitshauptamt. Mitverantwortung trugen aber auch zahlreiche hochgestellte Persönlichkeiten, die als Diplomaten Hitlers in anderen Staaten die Deportation der Juden betrieben, die als Beamte der Reichsbank das Zahngold verwahrten, die als Leiter großer Industriebetriebe jüdischen Häftlingen hohe Arbeitsleistungen abverlangten, die als Generale der Wehrmacht die Mordaktionen in ihrer unmittelbaren Nachbarschaft duldeten. Offiziell blieb bis zum Kriegsende die „Endlösung“ geheim; aber sehr viele Deutsche haben mehr oder weniger präzise Informationen zumindest über lokale Vorgänge erhalten, viele Bewohner deutscher Städte haben die Abtransporte beobachtet. Man wird die Härte der Belastung durch den Krieg, vor allem durch die Bombenangriffe, als Erklärung nicht ganz von der Hand weisen können, es bleibt die erschütternde Tatsache, daß viel zu wenig Deutsche sich unter eigenem Risiko der Mordmaschine in den Weg gestellt haben.

V. Nachwort

Blickt man vom Ende her auf die zwölfjährige Herrschaft der NSDAP unter Hitler in Deutschland und großen Teilen Europas zurück, so stellt man fest, daß von dem 1920 festgelegten Programm, in dem vielerlei diskutable Forderungen enthalten waren, gerade jene mit mörderische Folgerichtigkeit in die Wirklichkeit umgesetzt werden, die menschlicher Anständigkeit am stärksten widersprachen, die „Reinigung" des Volkskörpers und des von Hitler für das deutsche Volk beanspruchten Lebensraumes von allen jenen Menschen, die in das vorgefertigte, pseudowissenschaftliche Bild vom rassereinen Arier nicht hineinpaßten. Das Ergebnis war nicht nur ein fürchterlicher Aderlaß von Völkern wie Polen und Russen, für Minderheiten wie Juden und Zigeuner, für Sozialgruppen wie Geistesschwache und Asoziale, sondern auch die Vergiftung des Verhältnisses zwischen den Angehörigen der von den teuflischen Maßnahmen Betroffenen und dem deutschen Volk. Diese Massenmorde waren aber auch eine wesentliche Ursache dafür, daß Hitler den Krieg nicht gewinnen konnte und sich schließlich auch keine Hand mehr für einen Verständigungsfrieden seinem Regime entgegenstreckte. Die Verwandten und Freunde der Exekutierten und Vergasten schlossen sich den Untergrundbewegungen an im Rücken der deutschen Wehrmacht oder arbeiteten vom Exil aus propagandistisch gegen Deutschland, so daß am Ende Hitlers und seiner Partei die totale militärische Niederlage und die politische Spaltung des Deutschen Reiches stand. Das deutsche Volk, das zuerst unter den Verfolgungen von Partei und Staat zu leiden hatte, büßte alle jene Errungenschaften wieder ein, die Hitler in den ersten sechs Jahren seiner Regierung erkämpft hatte.

Denkt man daran, daß alle jene fürchterlichen Konsequenzen aus einer Handvoll Punkten im Programm einer winzigen Parteigruppierung erwuchsen, so bleibt für die Nachlebenden die Verpflichtung, das in Deutschlands Namen Geschehene nicht aus ihren Geschichtsbild zu verdrängen und dafür zu sorgen, daß nicht eines Tages wieder Parteiprogramme aufgestellt werden, in denen bestimmte Menschengruppen diffamiert werden. Die Erziehung unserer Kinder und die Selbsterziehung von uns Erwachsenen muß darauf gerichtet sein, die Achtung vor der Eigenart des Individuums und der Andersartigkeit einer Sozialgruppe als unverletzliches Gut zu lehren und zu lernen.

VI. Quellenstücke

Vorbemerkungen

Aus der riesigen gedruckten und ungedruckten Hinterlassenschaft des Dritten Reiches sind hier einige Stücke ausgewählt worden, um dem Leser einen Eindruck von Geist und Sprache jener Zeit zu vermitteln. Bei der Auswahl konnte nicht der für eine historisch analysierende Arbeit maßgebende Gesichtspunkt, vor allem ungedruckte oder schwer zugängliche Texte zu veröffentlichen, bestimmend sein. So entstammen mit einer Ausnahme alle folgenden Quellenzeugnisse gedruckten Schriften, teils zeitgenössischen, teils Nachkriegseditionen.

Nach Möglichkeit wurden die Quellen vollständig wiedergegeben. Wo dies wegen des Umfanges nicht möglich war, sind die Auslassungen durch ... kenntlich gemacht. Hinzufügungen oder Erklärungen des Verfassers stehen in eckigen Klammern. In Kursiv-Druck sind alle Hervorhebungen der Dokumente einheitlich gekennzeichnet, obwohl in den Originalen verschiedene Formen der Auszeichnung (Unterstreichung, Fettdruck, Sperrung, Kursive, verschiedene Schriften) angewendet wurden.

Für jedes Quellenstück ist ein Druckort nachgewiesen. Manche Stücke sind wegen ihrer Bedeutung in verschiedene Dokumentationen aufgenommen worden. Die Kommentierung wurde möglichst knapp gehalten. Sie bezieht sich einerseits auf nicht allgemeine bekannte Einzelheiten des Inhaltes, andererseits auf die Bedeutung und, wo nötig, die Entstehung dieser Zeugnisse.

Wichtige große Quellenveröffentlichungen sind im Verzeichnis von Quellen und Darstellungen aufgeführt.

1. Weltanschauliches

Nr. 1 Rasse und Nation

... Soll eine Nation groß werden, so kann sie von einem Grunderfordernis nicht absehen, und dieses ist: die Bildung eines Nationalcharakters, d. h. einer besonderen, unterschiedenen Rasse. Sehr verschiedene Völkerschaften sind auf den englischen Inseln zusammengestoßen, doch entstammen sie alle derselben Familie, der nordeuropäischen Menschenart, dem Homo europaeus der Anthropologen. Und nun ist im Laufe der Jahrhunderte, durch Kreuzung gefolgt von Inzucht, eine ganz neue, durchaus eigenartige, und unvergleichlich scharf ausgeprägte Rasse hervorgegangen. In dieser besonderen Rasse wurzelt alles, was Englands Größe ausmacht, sowohl auf dem poetischen und wissenschaftlichen Felde, wie auf dem Gebiete der Praxis, der Industrie, des Unternehmens. Trotzdem nun die Moldau und die Walachei uralte Länder sind, sind Sie im heutigen Rumänien noch weit von einer derartigen Ausgleichung entfernt; die geschichtlichen Verhältnisse standen der einheitlichen, nationalen Rassenbildung bei Ihnen bisher im Wege. Das muß anders werden, sonst werden Sie nie eine gefestigte, große Nation. Der eigentliche Rumäne muß die übrigen Elemente völlig aufsaugen. Es wird ihn selber nur bereichern: die Griechen, die Bulgaren, die Armenier, die Deutschen usw., sie alle sind seine Vettern. Auch der Zigeuner, obwohl er viel weiter steht, gehört unzweifelhaft zum arischen Stamme. Dagegen beweist alle Erfahrung, daß eine Verschmelzung mit Juden durch geschlechtliche Kreuzung, erstens ein verderbliches und zweitens ein illusorisches Unternehmen ist.

Daß es ein verderbliches Unternehmen ist, lehrt die Naturwissenschaft. Darwin hat an der Hand eines riesigen Materials gezeigt (siehe namentlich „Animals and plants under domestication", Kap. XV und XIX), daß ein Kreuzen zwischen unverwandten Rassen oder zwischen verwandten Rassen, deren Eigenschaften aber schon durch Züchtung in sehr abweichender Weise entwickelt sind, zur unrettbaren Entartung führt. „Crossing obliterates characters", sagt er: das Kreuzen löscht die auszeichnenden Eigenschaften beider Elternrassen aus; was es erzeugt, ist der eigentliche Bastard, ein Wesen, dessen Charakter Charakterlosigkeit ist. Wozu noch die Erwägung kommt, daß die weniger edle und geschlechtlich stärkere Rasse stets siegt. Mulatten kehren nach wenigen Generationen zum reinen Negertypus zurück. Die von Juden und Europäern gezeugten Kinder sind Bastarde, die aber ohne Ausnahme zum Judentum hinneigen. Manchmal bleibt diese Tatsache ein, auch zwei Generationen hindurch wenig sichtbar; da plötzlich, ohne neuerliche semitische Beimengung, steht der reine Jude wieder vor uns, als wäre er gestern von den Ufern des Jordan hier eingetroffen! Durch Vermengung mit ihrem riesigen Prozentsatz an Juden werden Sie also die Wurzelkraft des rumänischen Reiches vernichten, nämlich jede Möglichkeit, eine neue starke Nationalrasse zu züchten.

Außerdem ist aber, wie gesagt, ein derartiges Unternehmen illusorisch. Die Juden wollen nicht mit den übrigen Völkern der Erde verschmelzen. Wollten sie es, wäre nicht Absonderung das Grundgesetz und das Lebensprinzip des Judentums, so gäbe es seit mehr als einem Jahrtausend überhaupt keine Juden mehr, ebensowenig wie es aus ihrer nächsten Verwandtschaft Karthager oder Tyräer oder Moabiter oder Ammoniter gibt. Alle Völker sind durch Vermischungen mit anderen größeren Völkern in diese aufgegangen; dagegen existiert der Jude noch heute, weil er sich zu jeder Zeit geweigert hat, mit anderen Völkern die Ehe einzugehen ...

Houston Stewart Chamberlain, Rasse und Nation, in: Deutschlands Erneuerung. J. F. Lehmanns Verlag München, 2. Jahrgang 1918, Heft 7, S. 9—10.

Kommentar: Chamberlain zitiert in dieser Stelle sich selbst mit einem Brief, den er um die Jahrhundertwende an einen rumänischen Gelehrten gerichtet hatte. Der Briefpartner hatte angefragt, ob Chamberlain zurate, den Juden in Rumänien die völlige bürgerliche und politische Gleichberechtigung zu geben.

Auf dem Berliner Kongreß von 1878 hatten die Großmächte von Rumänien verlangt, daß es die die Juden diskriminierenden Artikel aus der Verfassung von 1866 entferne. Rumänien hatte es aber dennoch bis 1918 verstanden, den Juden die staatsbürgerliche Gleichstellung vorzuenthalten.

Die Zahl der Juden im Rumänien vor dem Ersten Weltkrieg betrug rund 250 000 und entsprach damit etwa 4 % der Gesamtbevölkerung.

Nr. 2 Der nordische Mensch

... All die einzelnen seelischen Eigenschaften nordischer Menschen scheinen sich mir gleichsam anzuordnen um Kerneigenschaften des nordischen Wesens: Urteilsfähigkeit, Wahrhaftigkeit und Tatkraft. Mit der bezeichnenden Eigenschaft der Urteilsfähigkeit hängt zusammen der Gerechtigkeitssinn, der Hang zum Sondertum und Zersplitterung, die Neigung zu unbestechlicher Sachlichkeit und die Unzugänglichkeit gegenüber Redensarten und gegenüber dem Geist des Massentums, ferner die Neigung, den Erscheinungen mit Zweifel zu begegnen! Mit der Urteilsfähigkeit hängt zusammen der überlegende, oft unerbittlich und hart erscheinende Wirklichkeitssinn, mit ihr hängt zusammen die Neigung zu Mißtrauen gegenüber Fremden, sowie die offenherzige Treue zu dem, der ins Vertrauen aufgenommen wurde. Selbst die geringe Versöhnlichkeit hängt zusammen mit nordischer Urteilsfähigkeit: der bei klarem Urteil als bösartiger Gegner erkannte, bleibt ja auch bei Änderung seines Verhaltens in seinem Wesen der gleiche.

Der nordische Mensch vermag sich selbst sachlich gegenüberzustehen. Ihn kennzeichnet eine gewisse Abneigung gegen Beeinflussung. Er neigt zum Einzeltum im täglichen Leben, zum Sondertum des Stammes im staatlichen Leben. Sein Einzeltum, das ihn urteilsfähig erhält, macht ihn wortkarg, oft abweisend und oft geradezu hart und schonungslos. Manchem nordischen Menschen fehlt — selbst für die Empfindung anderer nordischer Menschen — die „menschliche Wärme". Eine gewisse kühle Verstandesschärfe kann gelegentlich geradezu verletzend wirken. Der Mensch nordischer Rasse strebt wenig danach, anderen zu gefallen, mehr danach, daß er vor sich selbst bestehe; eigen ist ihm ein hohes Maß an Verantwortung und ein starkes Gewissen. Wenn er besonders tüchtig ist, neigt er dazu, die Tüchtigkeit in herrischer Weise auch von seiner Umwelt zu fordern. Leicht erfaßt er bei seiner Anlage den Begriff der Pflicht, leicht wird er dann aber wie gegen sich so auch gegen andere rücksichtslos hart. Anteilnehmende Güte ist eine Eigenschaft, die man bei nordischen Menschen — bei aller ihnen möglichen Höflichkeit, ja ritterlicher Verbindlichkeit — seltener ausgeprägt findet ...

Fast jeder Deutsche, sei er reinrassig nordisch oder nicht, ist überfremdet von den artlosen, vielfach zersetzenden und entstaltenden Anschauungen der Gegenwart. Ob leiblich oder geistig, alle Menschen der Gegenwart sind irgendwie zu Mischlingen geworden und sind täglich verwirrenden Einflüssen ausgesetzt. Die „individualistischen" sowie die massentümlichen Geistesrichtungen der Zeit ertöten langsam die nordische Seele wie den nordischen Leib. Auf die Rettung der nordischen Seele aber kommt es sicherlich zuallererst an ...

Hans F. K. Günther, Rassenkunde des deutschen Volkes. 16. Aufl. München 1934, S. 192—193 und S. 473.

Kommentar: Hans F. K. Günther, 1891 geboren, war nach fünfjährigem Aufenthalt in Norwegen und Schweden als Aushilfslehrer in Dresden tätig, als ihm 1930 der nationalsozialistische Volksbildungsminister Wilhelm Frick einen Lehrstuhl für Sozialanthropologie an der Universität Jena — gegen deren

Willen — verschaffte und Adolf Hitler seine Antrittsvorlesung besuchte.

Die Rassenkunde des deutschen Volkes war zuerst 1922 erschienen, dann mehrfach umgearbeitet, später auch in einer Kurzfassung herausgekommen. Günther hatte außerdem eine Reihe weiterer rassenkundlicher Bücher und auch einige dichterische Versuche der Öffentlichkeit vorgelegt. In den späten dreißiger Jahren zog er sich vorsichtig von der offiziellen Rassenpolitik zurück, die er durch seine Schriften so maßgeblich mitbegründet hatte. Er starb 1968 an seinem Geburtsort Freiburg i. Br., wo er nach Jena und Berlin eine Professur hatte.

Nr. 3 Völker im Lebenskampf

... Eine Politik, die grundsätzlich kriegerisch ist, wird ein Volk von zahlreichen Lastern und Krankheitserscheinungen fernhalten können, allein im Laufe vieler Jahrhunderte eine Veränderung des inneren Wesens dennoch nicht verhindern können. Der Krieg hat, wenn er zur Dauererscheinung wird, eine innere Gefahr in sich, die um so mehr in Erscheinung tritt, je ungleichmäßiger die rassischen Grundwerte sind, aus denen sich ein Volkskörper zusammensetzt. Dies hat bereits im Altertum für alle uns bekannten Staaten gegolten und gilt auch heute besonders für alle europäischen. Das Wesen des Krieges bringt es mit sich, daß er in tausendfältigen Einzelprozessen zu einer Rassenauslese innerhalb eines Volkes führt, die eine bevorzugte Vernichtung des besten Elements bedeutet ... Denn dem Extrem idealster Männer, die bereit sind, zugunsten der Volksgemeinschaft das eigene Leben zu opfern, steht die Zahl jener erbärmlichsten Egoisten gegenüber, die in der Erhaltung ihres eigenen rein persönlichen Lebens auch die höchste Aufgabe dieses Lebens sehen. Der Held stirbt, der Verbrecher bleibt erhalten. Dies erscheint einer heroischen Zeit und besonders einer idealistischen Jugend als selbstverständlich. Und es ist gut so, denn dies ist der Beweis für den immer noch vorhandenen Wert eines Volkes. Der wahrhafte Staatsmann aber muß eine solche Tatsache mit Sorge sehen und in Rechnung stellen. Denn was in einem Kriege leicht verschmerzt werden kann, führt in 100 Kriegen zur langsamen Ausblutung des besten, wertvollsten Teiles eines Volkes. Damit kann man wohl Siege erfochten haben, aber es wird endlich kein Volk mehr da sein, das dieser Siege würdig ist, und die Erbärmlichkeit der Nachwelt, die manchen unverständlich erscheint, ist nicht selten das Ergebnis der Erfolge der Vorzeit ... Eine Politik, die grundsätzlich friedlich ist, wird demgegenüber zunächst wohl eine Erhaltung der besten Blutsträger ermöglichen, sie wird aber im gesamten ein Volk zu einer Schwäche erziehen, die eines Tages versagen muß, sowie die Existenzvoraussetzungen eines solchen Volkes bedroht erscheinen. Man wird dann, statt zu kämpfen um das tägliche Brot, lieber dieses Brot kürzen oder, was noch wahrscheinlicher ist, die eigene Zahl beschränken, sei es durch friedliche Auswanderung oder durch Geburtenbeschränkung, um auf diesem Wege einer übergroßen Not zu entgehen. Damit aber wird die grundsätzlich friedliche Politik zu einer Geißel für ein Volk. Denn, was auf der einen Seite der dauernde Krieg besorgt, besorgt auf der anderen die Auswanderung. Durch sie wird in hunderttausenden von einzelnen Lebenskatastrophen ein Volk langsam seiner besten Blutsträger beraubt ...

Gerhard L. Weinberg (Hrsg.), Hitlers Zweites Buch. DVA Stuttgart 1961, S. 49—50 = Quellen und Darstellungen zur Zeitgeschichte Band 7.

Kommentar: Das Manuskript, 1928 entstanden, fand sich im Nachlaß Hitlers. Es war noch nicht endgültig für den Druck bearbeitet.

Nr. 4 Juden als wirtschaftliche Macht

... Alle meine Parteigenossen teilen mit mir die Ansicht, daß es die erste Pflicht eines Demokraten ist, sich des armen unterdrückten Volks anzunehmen und gegen eine unberechtigte oder gar schädliche Herrschaft eines kleinen Bruchteiles der Bevölkerung mit aller Entschiedenheit aufzutreten. Die manchesterliberalen Organe pflegen zwar einen Demokraten ihrer Fasson in anderer Weise zu schildern. So meinen sie zum Beispiel, daß es die Pflicht eines solchen Demokraten wäre, gegen die christliche Religion aufzutreten, deren Bekenner und Priester verhöhnen und verspotten zu müssen. Wir aber wissen, daß es mit diesem Manöver nur auf eine Irreführung des Volkes abgesehen ist, was schon daraus hervorgeht, daß merkwürdigerweise derjenige, der gegen die jüdische Religion so auftreten und etwa deren Lehrer und Bekenner verspotten würde, von denselben Organen sofort als reaktionärer Finsterling erklärt werden würde. Diese sonderbare Auffassung tritt aber noch deutlicher hervor in einer wirtschaftlichen Frage. Ganz ungeniert wird nämlich von den liberalen Organen mit der Konfiskation der Kirchengüter gedroht und davon gesprochen, daß die Güter der „toten Hand“ schädlich wären. Hierdurch sucht man die Aufmerksamkeit des Volkes abzulenken von den Gütern der lebendigen Hand, welche meiner Überzeugung nach das Volk in empfindlichster Weise schädigen. Welches Wutgeschrei würde aber in der liberalen Presse ertönen, wenn man dem Schlagworte „Konfiskation der Kirchengüter“ mit einem Schlagworte „Konfiskation der Güter der bewußten lebendigen Hand“ entgegentreten möchte! Der dies wagen würde, riskiert, sofort als ein Verletzer der Heiligkeit des Eigentums hingestellt zu werden, als ein Anarchist, Kommunist, der die Gesellschaftsordnung umkehren und alles Bestehende zerstören möchte. Und nun frage ich: Ist etwa der Titel des Eigentums der bewußten lebendigen Hand stärker oder heiliger als der Titel des Eigentums der Kirchengüter? Gewiß nicht. Und so ist es daher mehr als sonderbar, wenn man den verhältnismäßig armen Priestern ihre Güter wegnehmen, den Reichen einer anderen Konfession aber hierdurch zur Vermehrung ihrer Güter verhelfen würde ...

Aus einer Rede Karl Luegers vom September 1887, Österreichischer Volksfreund, 2. 10. 1887, zitiert nach: Peter G. J. Pulzer, Die Entstehung des politischen Antisemitismus in Deutschland und Österreich 1867 bis 1914. Sigbert Mohn Verlag Gütersloh 1966, S. 273.

Kommentar: Karl Lueger war einer der Führer der antisemitischen Christlich-sozialen Partei in Österreich und von 1897—1910 Bürgermeister von Wien. Hitler nennt ihn in „Mein Kampf“ einen seiner politischen Lehrmeister. Die für uns heute vergleichsweise verhüllende Ausdrucksweise bereitete den zeitgenössischen Hörern keine Verständnisschwierigkeiten. „Manchester-Liberale“ nannte man im 19. Jahrhundert die Anhänger des unbeschränkten Freihandels.

Nr. 5 Juden als Gegenrasse

... Das jüdische Schmarotzertum als eine zusammengeballte Größe leitet sich also her vom jüdischen Mythus, der vom Gott Jahwe den Gerechten zugesagten Weltherrschaft. Die Rassenzucht Esras, der Talmud der Rabbiner haben eine Gesinnungs- und Blutsgemeinschaft von unglaublicher Zähigkeit geschaffen. Der Charakter der Juden in ihrer zwischenhändlerischen Tätigkeit und Zersetzung fremder Typen ist sich stets gleich geblieben, von Joseph in Ägypten bis Rothschild und Rathenau, von Philo über David ben Selomo bis Heine. Züchtend wirkte bis 1800 in erster Linie der skrupellose Moralkodex; ohne Talmud und Schulchan aruch ist das Judentum als Gesamtheit nicht denkbar. Nach einer kurzen Epoche, da auch die Juden „emanzipiert" erscheinen, ist am Ende des 19. Jahrhunderts die gegenrassische Idee als vorberechtigt in den Vordergrund getreten und hat in der zionistischen Bewegung ihre Prägung erfahren. Die Zionisten bekennen sich zum Orient und verwahren sich heute energisch dagegen, etwa als Pioniere Europas nach Palästina zu gehen. Ein führender Schriftsteller sprach sogar offen aus, die Zionisten würden „in den Reihen der erwachenden asiatischen Völker mitkämpfen". Aus dem Feuer aller Dornbüsche und aus den Nächten der Einsamkeit töne ihnen nur ein Ruf entgegen: Asien. Zionismus sei nur ein Teilgedanke des Panasiatismus (E. Höflich, Die Pforte des Ostens). Zu gleicher Zeit geht eine seelische und politische Verbindung zur Idee des roten Bolschewismus hinüber. Der Zionist Holitscher erlebte in Moskau die innere Parallele zwischen Moskau und Zion, und der Zionist F. Kohn erklärt, von den Erzvätern führe eine einzige Linie bis zu Karl Marx, Rosa Luxemburg und allen jüdischen Bolschewisten, die der „Sache der Freiheit" gedient hätten.

Dieser Zionismus gibt vor, einen „Judenstaat" gründen zu wollen; in einigen Führern mag vielleicht auch ganz ehrlich der Wunsch eines Unerlösten lebendig geworden sein, auf eigener Scholle eine Lebenspyramide der „jüdischen Nation" zu erbauen, also ein senkrechtes Gebilde, im Unterschied und Gegensatz zum waagrecht Geschichteten des bisherigen Daseins. Das ist, von urjüdischer Seite aus betrachtet, eine fremde Ansteckung durch das Nationalgefühl und die Staatsauffassung der Völker Europas. Ein Versuch, wirklich eine organische Gemeinschaft jüdischer Bauern, Arbeiter, Handwerker, Techniker, Philosophen, Krieger und Staatsmänner zu bilden, widerspricht allen Instinkten der Gegenrasse und ist von vorneherein zum Zusammenbruch verurteilt, wenn die Juden wirklich unter sich gelassen werden würden ... Eine solch ungeheure Kraft [des Mythus] entfaltet aber nicht nur ein schöpferisches Traumgesicht, sondern auch vom schmarotzerhaften Weltherrschafts-Traum der Juden ist eine ungeheure — wenn auch zerstörende — Kraft ausgegangen. Er hat durch bald drei Jahrtausende schwarze Magier der Politik und der Wirtschaft vorwärtsgetragen, unersättlich stieg oft der Strom dieser triebhaften Mächte des Goldes an, der „Liebe entsagend" wirkten die Kinder Jakobs an den goldenen Netzen zur Fesselung großmütig duldsam denkender oder schwach gewordener Völker. Im Mephistopheles wurde diese Kraft unnachahmlich gezeichnete Gestalt, sie weist aber das gleiche innere Baugesetz auf wie die Herren der heutigen Getreide- und Brillantenbörsen, der „Weltpresse" und Völkerbundsdiplomatie. Wenn irgendwo die Kraft eines nordischen Geistesfluges zu erlahmen beginnt, so saugt sich das erdenschwere Wesen Ahasvers an die erlahmenden Muskeln; wo irgendwo eine Wunde aufgerissen wird am Körper einer Nation, stets frißt sich der jüdische Dämon in die kranke Stelle ein und nutzt als Schmarotzer die schwachen Stunden der Großen dieser Welt. Nicht als Held sich Herrschaft erkämpfen ist sein Sinnen, sondern sich die Welt „zinsbar" zu machen, leitet den traumhaft starken Parasiten. Nicht streiten, sondern erschleichen; nicht Werten dienen, sondern Ent-wertung ausnutzen, lautet sein Gesetz, nach dem er angetreten und dem er nie entgehen kann — solange er besteht.

In dieser großen, vielleicht endgültigen Auseinandersetzung zwischen zwei weltfernen Seelen stehen wir heute ...

Alfred Rosenberg, Der Mythus des 20. Jahrhunderts, 87.—90. Aufl., Hoheneichen-Verlag München 1935, S. 463—464 und S. 459—460.

Kommentar: Um sich mit diesen einseitigen Auslassungen auseinanderzusetzen, müßte man eine Sozialgeschichte des Judentums dagegen stellen. Stattdessen sei auf Schriften hingewiesen, die während des Dritten Reiches gegen die Deutung Rosenbergs veröffentlicht wurden: Studien zum Mythus des XX. Jahrhunderts. Amtliche Beilage zu Kirchlicher Anzeiger der Erzdiözese Köln. J. P. Bachem Köln. 3. Nachdruck 1935, VIII, 175 S. (Katholisch) und Walter Künneth, Antwort auf den Mythus. 4. Aufl. Wichern-V. Berlin 1936, 232 S. (Evangelisch), wobei allerdings in erster Linie die Angriffe Rosenbergs auf das Christentum zurückgewiesen werden.

Nr. 6 Judenfeindschaft in der Wissenschaft

... Was wir heute vor uns sehen, kommt kaum über die ersten Ansätze zu einer völkischen Erneuerung der Wissenschaft und zur Überwindung jenes unerträglichen Dogmatismus hinaus, der heute der gesamten theoretischen Physik das Gepräge gibt. Wie wäre es sonst möglich, daß die Einsteinsche Lehre, dieser große jüdische Weltbluff, der dem deutschen Volke in den Tagen seiner größten Schmach als die erlösende Weltformel präsentiert wurde, heute noch als ernst zu nehmende Grundlage der Physik zugelassen wird! Nichts zeigt deutlicher die Instinktlosigkeit und Urteilslosigkeit der maßgebenden Physiker aus der Systemzeit, daß fast alle auf diesen Schwindel hereingefallen sind und wie auf Kommando aufstanden, um Einstein gegen deutsche Proteste zu verteidigen. Ich würde erst eine Erneuerung von dem Zeitpunkte ableiten, wo die Physiker eine ihrer Tagungen dazu benützen, um geschlossen von dieser Art theoretischer Magie abzurücken. Stattdessen erleben wir, daß die relativistische Massensuggestion noch dauernd in den Gehirnen fortwirkt und daß in der Theorie immer wieder neue Ableger jener Inflationsphysik hervortreten, die in mannigfacher Form die Tradition der Systemzeit wieder herstellen sollen ...

Wilhelm Müller (Hrsg.), Jüdische und deutsche Physik. Helingsche Verlagsanstalt Leipzig (1941), S. 11—12.

... Der jüdische Einfluß im Innern des deutschen Volkes auf dem politischen, wirtschaftlichen und künstlerischen Gebiet ist heute, acht Jahre nach der nationalsozialistischen Machtergreifung, ausgeschaltet. Es wurde dies dadurch erreicht, daß die Juden aus ihren einflußreichen Stellungen entfernt wurden. Dagegen wirkt der jüdische Einfluß in der deutschen Wissenschaft, vor allem in der Physik, noch fort. Dies hat in erster Linie folgenden Grund. Zahlreiche Männer, die in jüdischem Geiste gewirkt, aber den Nachweis der arischen Abstammung erbracht haben, sind in ihren Stellungen als akademische Lehrer verblieben, ja, treten zum Teil sogar in nationalsozialistischer Aufmachung auf, setzten aber ihre Propagandatätigkeit für jüdisch-dogmatische Theorien unverändert fort. So hat noch im Jahre 1936 [Werner] Heisenberg in einem Artikel in der führenden nationalsozialistischen Zeitung „Völkischer Beobachter" erklärt: „In ähnlicher Weise gilt auch die Relativitätstheorie als die selbstverständliche Grundlage weiterer Forschung." [Max] Planck, der langjährige Förderer Einsteins und des jüdischen Einflusses, kann noch heute die Veröffentlichung von Abhandlungen in jüdischem Geiste ermöglichen. Und [Arnold] Sommerfeld, der Hauptpropagandist jüdischer Theorien, war noch bis vor kurzer Zeit akademischer Lehrer.

Bei dieser Sachlage erscheint es notwendig, den jüdisch-dogmatischen Geist und die deutsch-pragmatische Einstellung in der

Physik scharf zu kennzeichnen und ihre wirklichen Erfolge in bleibenden wissenschaftlichen Fortschritten zu vergleichen.

Die dogmatische Einstellung sucht die wissenschaftlichen Erkenntnisse aus dem menschlichen Geist herauszuholen. Sie baut Gedankensysteme auf menschlichen Auffassungen der Außenwelt auf und sieht in dieser nur die Erscheinungsform der eigenen Gedanken und Formeln. Die pragmatische Einstellung holt ihre Erkenntnisse aus der sorgfältigen Beobachtung und aus zweckmäßig angestellten Experimenten; die eigene Vorstellung dient ihr dabei lediglich als Mittel zur Ausdenkung der Experimente; wird sie durch diese nicht bestätigt, so wird sie sofort gegen eine andere, der Wirklichkeit mehr entsprechende Auffassung ersetzt.

Die dogmatische Einstellung glaubt, neue Erkenntnisse durch mathematische Operationen am Schreibtisch gewinnen zu können, sie spinnt ihre Formeln zu großen Theorien aus und propagiert sie in Büchern und Vortragsreisen; ein Beispiel hierfür ist die weltweite aufdringliche Propaganda für Einsteins Relativitätstheorien. Die pragmatische Einstellung sucht die Erkenntnis der Wirklichkeit in geduldiger, oft jahrelanger Laboratoriumsarbeit und beschränkt sich auf die Veröffentlichung von deren Ergebnissen.

Für den Pragmatiker ist die Theorie einer Erscheinung die genaue und kurze Darstellung durch mathematisch formulierte Gleichungen. Er schätzt die Mathematik weiter als Mittel, um aus gesicherten allgemeinen Erkenntnissen die Anwendung auf besondere Fälle zu gewinnen. Der Dogmatiker baut seine Theorien um ihrer selbst willen auf und interessiert sich an den Ergebnissen der Erfahrung nur soweit, als sie seine Theorien zu bestätigen scheinen.

Die dogmatische Einstellung ist dem jüdischen Geist artgemäß. Denn die Juden sind überwiegend dogmatisch veranlagt; auf sie geht die theologische Dogmatik zurück; die Schöpfer und Vertreter der soziologischen Theorien in der neueren Zeit waren auch überwiegend Juden. Die dogmatische Theorie, welche in der Physik der neueren Zeit am meisten propagiert worden ist, stammt von einem Juden. Freilich gibt es auch unter den Nichtjuden Dogmatiker, welche entweder Zöglinge des jüdisch-dogmatischen Geistes oder selbst dogmatisch veranlagt sind. Wegen des entscheidenden Einflusses der Juden auf die Schaffung und Propagierung von dogmatischen Theorien in der Physik kann man deren Gesamtheit auch als jüdische Physik bezeichnen ...

Johannes Stark, ebenda, S. 21—24.

Kommentar: Stark (1874—1957) war Experimentalphysiker an der Universität Würzburg und erhielt 1919 den Nobelpreis, schon Anfang der dreißiger Jahre hatte er sich dem Nationalsozialismus zugewandt. Friedrich Müller war Professor für theoretische Physik an der Universität München.

Die von Albert Einstein seit 1905 entwickelte, 1914/15 veröffentlichte Allgemeine Relativitätstheorie gilt heute allgemein als grundlegende Deutung physikalischer Beobachtungen und wurde Jahre später teilweise auch durch Experimente bestätigt.

Nr. 7 Das verletzte Nationalgefühl

Aufruf!

Nach einem vierjährigen, blutigen Ringen, nach herrlichen Waffentaten und ruhmvollen Siegen, nach unendlichen Opfern an Gut und Blut ist Deutschland schließlich unter der Übermacht seiner Gegner, unter den schweren Erschütterungen und Umwälzungen im Inneren zusammengebrochen. Das starke, von der Meisterhand Bismarcks zusammengeschmiedete, von seinem Geiste geformte und zu hoher wirtschaftlicher und politischer Blüte emporgeführte deutsche Reich ist nicht mehr. Die Flotte, einst unser Stolz, ist den Feinden ausgeliefert, das Heer, das so lange heldenmütig und unbesiegt, die Heimat beschirmte, ist aufgelöst.

In voller Hilflosigkeit steht das deutsche Volk seinen habgierigen Feinden gegenüber, ohnmächtig gegen ihre anmaßenden Forderungen, nicht einmal fähig, die frechen Übergriffe polnischer Horden abzuwehren. Aus dieser tiefen Schmach kann Deutschland nur stahlharte Kraft und eiserner Wille erretten.

Alter Jahnscher Geist muß wieder die Herzen unserer Jugend durchglühen. Wie ehedem soll das Turnen im Verein mit Spiel und Sport dazu helfen, in unserer Jugend, vor allem unserer akademischen, den Körper zum starken Träger eines männlichen Geistes zu machen.

Darum richtet der unterzeichnete Geschäftsausschuß und der Zentralausschuß für Volks- und Jugendspiel an die deutschen Hochschulen, insonderheit an die akademischen Ausschüsse für Leibesübungen die dringende Bitte, unverzüglich die Studierenden auf die Spielplätze zu führen, die Turnräume zu öffnen, die Hochschuljugend zu Leibesübungen anzuhalten. Ein jeder Student soll es als vaterländische Pflicht ansehen, seinen Körper so zu stählen, daß er mit bester Kraft dem Vaterlande dienen kann. Die harte Zeit fordert ein starkes Geschlecht! Drum frisch ans Werk! Es gilt dem Vaterlande!

Der Geschäftsausschuß der akademischen Ausschüsse für Leibesübungen.

Förster, Dresden. Hoffmann, Münster. Partsch, Breslau. Rissom, Heidelberg. Schmidt, Aachen.

Der Zentralausschuß für Volks- und Jugendspiel.

Dominicus, Schöneberg. Kohlrausch, Hannover. Goepel, Eberswalde.

Gedrucktes Rundschreiben an die Rektoren und Senate der deutschen Hochschulen vom April 1919 (Archiv der Universität München).

Kommentar: Der unterzeichnende Geschäftsausschuß war im Dezember 1913 gegründet worden, hatte aber während der Kriegsjahre seine Tätigkeit eingestellt. Bezeichnend ist der Hinweis auf den „Turnvater" Jahn und den Geist der Befreiungskriege von 1813—1815.

Nr. 8 Die Ablehnung des Versailler Vertrages

Schreiben des preußischen Kriegsministers Walther Reinhardt an den Reichspräsidenten Ebert, undatiert, kurz vor dem 21. Juni 1919:

[Reinhardt stellt fest, die Mitgliedschaft im Reichskabinett als Chef der Heeresleitung habe es ihm ermöglicht], mitzuarbeiten am Wiederaufbau des deutschen Vaterlandes, an der Heilung der Wunden der äußeren und inneren Kämpfe. Mein Leitgedanke war dabei, die innere Einigkeit durch festen Zusammenschluß der breitesten Mitte des Volkes stärken zu helfen und dadurch das Maß an Wehrhaftigkeit wieder zu schaffen und im Volke sicher zu verankern, das uns die Abwehr der gefährlichen Bestrebungen des östlichen Bolschewismus wie der uferlosen Drohungen des westlichen Chauvinismus gewährleisten konnte. Diese schwere Doppelaufgabe hat die Reichsregierung bisher gelöst und als einen Schritt auf diesem Wege auch die Ablehnung des unerfüllbaren und unerträglichen feindlichen Friedensdiktates ins Auge gefaßt. Auf den gleichen Standpunkt stellte[n] sich die gesamte Friedensdelegation und die preußischen Minister, während im Reichsministerium eine Wandlung und Umbildung eintrat. Wenn ich auch den Wert der Sachlichkeit der abweichenden Urteile anderer Reichsminister voll anerkenne und die Einschränkungen nicht unterschätze, unter denen die Unterzeichnung vollzogen werden soll, so halte ich doch an der Überzeugung fest, daß der Vertrag auch in seiner nur wenig veränderten Gestalt unannehmbar blieb und daß die Gefahren der Zustimmung für die endgültige Herstellung des Weltfriedens größer sind als diejenigen der Ablehnung, die ich für den gebotenen, ehrlichen und würdigen Ausdruck unserer Überzeugung von der Unerfüllbarkeit und Unausführbarkeit des Vertrages ansehe. Ich bitte Sie, Herr Reichspräsident, unter diesen Umständen mich aus der Zahl der Mitglieder des Reichsministeriums ausscheiden zu lassen, wobei ich meine mitberatende Tätigkeit im Reichskabinett auf Ihren Wunsch und im Einvernehmen mit der preußischen Staatsregierung gerne weiterführen will, solange ich noch das Amt des preußischen Kriegsministers zu verwalten habe ...

Konzept des am 21. Juni 1919 an den Reichspräsidenten abgegangenen Briefes, zitiert von Fritz Ernst, Aus dem Nachlaß des Generals Walther Reinhardt. W. Kohlhammer Stuttgart 1958, S. 42/43.

Kommentar: Der Reichspräsident entsprach Reinhardts Bitte am 22. Juni, betonte aber die von Reinhardt ausgesprochene Bereitschaft, der Reichsregierung weiterhin beratend zur Seite zu stehen, ausdrücklich, um damit auch für das Offizierskorps ein Beispiel zu geben. In der Kabinettssitzung vom 19. Juni hatte Reinhardt, obwohl er keine militärischen Chancen für einen erfolgreichen Widerstand sah, den Befürwortern der Unterzeichnung vorgehalten: „Sie nehmen den Giftkeim der eigenen freiwilligen Unterwerfung unter einen ehrlich unmöglich zu haltenden Vertrag in Kauf“ (Ebenda, S. 40).

Nr. 9 Die deutsche Freiheit

Was rauscht dort am Meeresstrande? Was donnert die Brandung drein?
Frei soll'n die deutschen Lande, frei soll die Heimat sein.
Brüll es, o Brandung, im Sturmgebraus,
tragt es, ihr Wellen, zur Welt hinaus!
Frei soll die Heimat sein, frei soll die Heimat sein!

Was rauschen die deutschen Eichen in waldlicher Einsamkeit?
Das Rauschen sei ein Zeichen für Deutschlands Einigkeit.
Rauscht es, ihr Eichen, ins Land hinein:
Frei soll die deutsche Scholle sein!
Frei soll die Heimat sein, frei soll die Heimat sein!

Wir braunen Kolonnen marschieren dem Führer, Hitler, nach,
und müßten wir drum sterben, wir dulden nicht mehr die Schmach!
Heil Hitler, schallt's in die Welt hinien,
wir wollen nie mehr Knechte sein!
Wir stehn zum Kampf bereit
für Deutschlands Herrlichkeit.

Wir heben zum Schwure die Hände und schwören den Fahneneid:
Für Deutschland bis ans Ende, zum Sterben stets bereit.
Dem Hakenkreuz für immer die Treu'.
Daß Deutschland frei von der Schande sei:
Allzeit zum Sterben bereit! Heil Hitler allezeit.

Verfasser: Gerhard Beeser und K. F. Petrow, veröffentlicht in: Sturm- und Kampflieder für Front und Heimat. Ausgabe 1941. Propaganda-Verlag Paul Hochmuth Berlin, S. 14.

Kommentar: Die vier Strophen des Liedes enthalten nur einen einzigen Gedanken: Deutschland soll frei sein. Wovon wird nur in einer Zeile angedeutet: von der Schande. Das ist eines der Schlüsselworte der nationalsozialistischen Propaganda, das die Ereignisse vom Zusammenbruch des Jahres 1918 bis zu Hitlers Machtergreifung zusammenfaßt.

Nr. 10 Die Deutschkirche

Die Deutschkirche sagt Krieg an:

einer Kirche, die die Irrlehre verbreitet, daß Gott sich nur einem einzigen, fremden Volke vollgültig offenbart habe,

einer Kirche, die toten Buchstabenglauben lehrt und mit jüdischen Religionslehren Zwiespalt und Verderben in deutsche Seelen bringt,

einer Kirche, die für alttestamentliche Lohngesetzlichkeit eintritt gegenüber der Heldenmoral unserer Väter und die ihre Anhänger lehrt, zuerst an das eigene Heil zu denken, statt an das Volksganze, einer Kirche, die das Bild des Heilandes mit jüdischen Farben übermalt und so dem deutschen Volke entfremdet und verhaßt macht,

einer Kirche, die deutsches Volksgut gegenüber fremden, insbesondere jüdischem herabsetzt und verächtlich macht,

einer Kirche, die das religiöse Geistesgut unserer Altvordern nicht pflegt und liebt und in Unwissenheit darüber hält,

einer Kirche, die deutsche Eigenart für Sünde erklärt,

einer Kirche, die sich als Sendbotin eines internationalen Willens neben das deutsche Volk stellt,

einer Kirche, die Freimaurer beschützt und Deutschbewußte bekämpft,

einer Kirche, die Volkstum und Rasse, Vaterland und Freiheit für Güter zweiten Ranges erklärt, die, statt gegen die sittliche Vergiftung des Volkes tatkräftig zu kämpfen, Heiden- und Judenmission treibt und mit dem Bau von Krüppel- und Blindenhäusern das Volksübel am Ende bekämpft, statt am Ursprung, durch Schaffung eines gesunden Volkskörpers.

Wir erstreben eine Kirche:

die den Heiland als starken Gotteshelden, als Rufer zur Ganzheit, Reinheit und Echtheit zeigt,

die die Stimme der deutschen Offenbarer hört und ihnen folgt,

die das Vaterland als heiligstes Land und die deutsche Geschichte als heilige Geschichte erkennt und lehrt; die deshalb lehrt, zuerst für das Wohl, die Freiheit und das Heil des Volkes zu beten und zu sorgen, nicht für die Seligkeit der privaten Einzelseele,

die nur mit deutscher Zunge singt und redet, nur aus deutscher Seele betet, feiert und verkündet,

die charaktervolle, ursprüngliche, innerlich mächtige Menschen aus dem Gute nur deutscher Offenbarung heranbildet,

die den Gott der deutschen Seele liebt und nicht fremden Götzen nachläuft,

die das Erbgut deutschen Blutes und deutscher Art als heiligste Gabe und Verpflichtung achtet, die entschlossen ist, die Kirchenzucht vor allem in den Dienst der Pflege der Rassenwerte des Volkes zu stellen, die die Reformation Luthers fortsetzt, um immer wieder das reine Evangelium herauszuarbeiten,

die Heimat und Band aller Deutschgeborenen auf der Erde sein will, die mit sicherem Führerwillen den Deutschen vorangeht und der heiße Atem der deutschen Befreiung wird.

Gedrucktes Werbeblatt der Halbmonatszeitschrift „Die Deutschkirche", undatiert (etwa 1929).

Kommentar: Der „Bund für deutsche Kirche", der diese Zeitschrift herausgab, wurde im Juni 1921 gegründet. Zu seinen Ideengebern gehörten der Studienrat Joachim Kurd Niedlich, der Schriftsteller Hans von Wolzogen und der Dichter und Literarhistoriker Adolf Bartels. Mitte der zwanziger Jahre schloß sich der Bund mit anderen völkischen Gruppen des Protestantismus zu einer Arbeitsgemeinschaft zusammen, seit Anfang der dreißiger Jahre wirkte er mit der „Kirchenbewegung Deutsche Christen" zusammen.

Nr. 11 Als Katholik zur NSDAP

... Aus dem Boden der Rassen, aus der Kultivierung des Nationalen ist die deutsche Rebe gewachsen unter der Sonne Christi. Darum: je christlicher, desto schöner vollendet sich der Deutsche als Glied der Volksgemeinschaft. Und auch: je nationaler, desto schöner vollendet sich der Deutsche als Christ. Weil: je mehr Sonne die Rebe getrunken hat, desto herrlicher sie reift im Weinberg der Nation. Und auch: je ausschließlicher die Rebe aus dem Boden sich nährt, den der Schöpfer ihr bestimmt hat, desto eigenartiger wird die Süße ihres Weines. Denn Gott will die Süßigkeit seines Weines aus der Sonne Christi kosten auf eine mannigfaltige Weise in jeglicher Eigenart seiner Nationen.

Welche Bekenntnisform christlicher Religion aber die richtige sei, lehnt zu entscheiden der Nationalsozialismus ein für allemal ab. Denn er ist aus seiner organisch gewordenen Einheitsfront auch der selbstverständliche Förderer und Schützer geworden jeder im Volksorganismus als Heilfaktor seelischen Lebens historisch gewordenen christlichen Religionsgemeinschaft. Er verhindert nicht den dogmatischen Wettstreit der Erkenntnisse, so wenig wie den Wetteifer christlicher Liebestätigkeit seiner unterschiedlichen Konfessionen. Aber alle Zwietracht um des Glaubens willen muß er unterdrücken, denn sie verstößt gleicherweise gegen die nationale Bruderliebe wie gegen die christliche Nächstenliebe. Negatives Christentum kann nicht geduldet werden.

Der künftige Historiker unserer Epoche wird einmal die geschichtliche Auswirkung der nationalsozialistischen Idee in großer Zusammenschau darstellen. Dann wird ein monumentales Denkmal für alle deutsche Zukunft entstehen. Dies wird die Geschichte eines einzigen kleinen Gottesfunkens sein, der aufleuchtete in einer Seele, die ausersehen war, nationaler Apostel neuer deutscher Zukunft zu werden. An diesem Funken, eines Tages im personalen Leben dieses Apostels zur Flamme geworden, entzündeten sich tausende erloschener Lichter. Und tausende, die in abgeschlossenen Zellen heimlich brannten, vereinigten ihr Feuer mit dem seinen. Die in Schluchten und Höhlen verbannt waren von einer alles beherrschenden nationalen Finsternis, kommen hervor auf die breite Heerstraße. Fackelzüge pilgern durch die Nacht, und Sonnwendfeuer flammen auf den Höhen ... Die nationale Idee der Gestrigen hatte nicht die Reinheit und Leuchtkraft der Heutigen. Sie hatte Schatten, die sie in die Seelen ihrer Träger warf, darum mußte die Finsternis ausbrechen, als die Katastrophe kam. Diese Schatten hießen Sozialismus. *Denn Nationalismus und Sozialismus waren auch in der Idee sich feind. Der gestrige Nationalismus hatte aus sich selbst keinen Sozialismus. Darum wuchs ein furchtbares Menetekel vor ihm* auf, der internationale marxistische Sozialismus. Ihn zu hassen war wichtig, viel wichtiger aber wäre es gewesen, den Mangel im eigenen Haus und damit seine Schuld an diesem Marxismus zu erkennen, der so vernichtend über den gestrigen Nationalismus gesiegt hat.

Aber dann, im Kameradschaftserlebnis der Front, wurde er nachgeboren, der nationale Sozialismus. Die Helden läuterten sich im Schicksal des Krieges zur sozialen Idee. Sühnten fallend, was in ihren Ideen durch Unterlassung schuldhaft gewesen. Und die so heroisch Sühnenden wurden Märtyrer zugleich, aus deren Opfersaat ein neues nationales Heil ersproß.

Es ist kein nationales Unglück, daß Helden dezimiert werden, wenn anders ein Sieg der Idee, eine Apotheose in neuer, bisher ungeahnter Leuchtkraft nicht möglich gewesen wäre. Mögen unter hundert Helden neunzig gefallen sein, die nationalsozialistische Idee war es wert. Denn umgekehrt, was sollen wir mit neunzig überlebenden unter hundert Nationalisten von gestern beginnen, ohne die nationalsozialistische Idee? Könnte man sie finden, schaffen, empfangen in der Seele und zur Herrschaft im Volk bringen, ohne die Blutopfer der deutschen Tragödie, warum fand sie dann gestern keiner? Da hätte der herrschende Nationalismus, denn er hatte die Macht, sie ohne große Schwierigkeiten durchsetzen können.

Man kann solche Fragen nicht beantworten, wenn man die Rechnung macht ohne Gott. Denn allein aus seiner Gnade werden alle Ideen, was sie sind. Darum können wohl Ideen die Menschen zu Helden, nie aber können Helden Ideen machen. Geschichte hat das vor unseren Augen bewiesen. Die Dezimierung unserer Helden ist heute aufgeholt allein durch die Macht der Idee durch die Gnade Gottes. Aber die nicht durch Blut und Leiden aus der Gnade erkämpfte Idee hätte nie wieder eingeholt werden können, auch nicht von Millionen überlebender Helden ...

Kuno Brombacher, Die nationalsozialistische Idee. Franz Eher Verlag München 1932, S. 12—14.

Kommentar: Der Verfasser dieses „Manifests eines katholischen Dichters" [Umschlag der Broschüre] hatte auf dem Katholikentag 1931 gesprochen, obwohl er damals bereits Mitglied der NSDAP war. Im Vorwort hatte Alfred Rosenberg, einer der schärfsten Kritiker des Christentums unter den damals führenden Nationalsozialisten, diese Schrift begrüßt, „welche hoffentlich neuen Hunderttausenden katholischen Deutschen zeigt, daß sie um das Entweder — Oder nicht herumkommen: Entweder Deutschlands Rettung durch den Nationalsozialismus oder Bolschewismus mit Hilfe des roten Zentrums", mit leichter Distanzierung hinzufügend „gleich wie der einzelne zur religiösen Form ihrer Begründung stehen mag" (Ebenda, S. 3).

Bezeichnenderweise wird Hitler als „nationaler Apostel neuer deutscher Zukunft" bezeichnet.

2. Programmatisches

Nr. 12 Programm der Nationalsozialistischen Deutschen Arbeiterpartei

Das Programm der Deutschen Arbeiterpartei ist ein Zeit-Programm. Die Führer lehnen es ab, nach Erreichung der im Programm aufgestellten Ziele neue aufzustellen, nur zu dem Zweck, um durch künstlich gesteigerte Unzufriedenheit der Massen das Fortbestehen der Partei zu ermöglichen.

1. Wir fordern den Zusammenschluß aller Deutschen auf Grund des Selbstbestimmungsrechtes der Völker zu einem Groß-Deutschland.

2. Wir fordern die Gleichberechtigung des deutschen Volkes gegenüber den anderen Nationen, Aufhebung der Friedensverträge von Versailles und St. Germain.

3. Wir fordern Land und Boden (Kolonien) zur Ernährung unseres Volkes und Ansiedlung unseres Bevölkerungs-Überschusses.

4. Staatsbürger kann nur sein, wer Volksgenosse ist. Volksgenosse kann nur sein, wer deutschen Blutes ist, ohne Rücksichtnahme auf Konfession. Kein Jude kann daher Volksgenosse sein.

5. Wer nicht Staatsbürger ist, soll nur als Gast in Deutschland leben können und muß unter Fremdengesetzgebung stehen.

6. Das Recht, über Führung und Gesetze des Staates zu bestimmen, darf nur dem Staatsbürger zustehen. Daher fordern wir, daß jedes öffentliche Amt, gleichgültig welcher Art, gleich ob im Reich, Land oder Gemeinde, nur durch Staatsbürger bekleidet werden darf.
Wir bekämpfen die korrumpierende Parlamentswirtschaft einer Stellenbesetzung nur nach Parteigesichtspunkten ohne Rücksicht auf Charakter und Fähigkeiten.

7. Wir fordern, daß sich der Staat verpflichtet, in erster Linie für die Erwerbs- und Lebensmöglichkeit der Staatsbürger zu sorgen. Wenn es nicht möglich ist, die Gesamtbevölkerung des Staates zu ernähren, so sind die Angehörigen fremder Nationen (Nicht-Staatsbürger) aus dem Reich auszuweisen.

8. Jede weitere Einwanderung Nicht-Deutscher ist zu verhindern. Wir fordern, daß alle Nicht-Deutschen, die seit dem 2. August 1914 in Deutschland eingewandert sind, sofort zum Verlassen des Reiches gezwungen werden.

9. Alle Staatsbürger müssen gleiche Rechte und Pflichten besitzen.

10. Erste Pflicht jedes Staatsbürgers muß sein, geistig oder körperlich zu schaffen. Die Tätigkeit des Einzelnen darf nicht gegen die Interessen der Allgemeinheit verstoßen, sondern muß im Rahmen des Gesamten und zum Nutzen Aller erfolgen.

Daher fordern wir:

11. Abschaffung des arbeits- und mühelosen Einkommens.

12. Im Hinblick auf die ungeheuren Opfer an Gut und Blut, die jeder Krieg vom Volke fordert, muß die persönliche Bereicherung durch den Krieg als Verbrechen am Volke bezeichnet werden. Wir fordern daher restlose Einziehung aller Kriegsgewinne.

13. Wir fordern die Verstaatlichung aller (bisher) bereits vergesellschaftlichen (Trusts) Betriebe.

14. Wir fordern Gewinnbeteiligung an Großbetrieben.

15. Wir fordern einen großzügigen Ausbau der Alters-Versorgung.

16. Wir fordern die Schaffung eines gesunden Mittelstandes und seine Erhaltung, sofortige Kommunalisierung der Groß-Warenhäuser und ihre Vermietung zu billigen Preisen an kleine Gewerbetreibende, schärfste Berücksichtigung aller kleinen Gewerbetreibenden bei Lieferung an den Staat, die Länder oder Gemeinden.

17. Wir fordern eine unseren nationalen Bedürfnissen angepaßte Bodenreform, Schaffung eines Gesetzes zur unentgeltlichen Enteignung von Boden für gemeinnützige Zwecke. Abschaffung des Bodenzinses und Verhinderung jeder Bodenspekulation.

18. Wir fordern den rücksichtslosen Kampf gegen diejenigen, die durch ihre Tätigkeit das Gemeininteresse schädigen. Gemeine Volksverbrecher, Wucherer, Schieber usw. sind mit dem Tode zu bestrafen, ohne Rücksichtnahme auf Konfession und Rasse.

19. Wir fordern Ersatz für das der materialistischen Weltordnung dienende römische Recht durch ein deutsches Gemeinrecht.

20. Um jedem fähigen und fleißigen Deutschen das Erreichen höherer Bildung und damit das Einrücken in führende Stellung zu ermöglichen, hat der Staat für einen gründlichen Ausbau unseres gesamten Volksbildungswesens Sorge zu tragen. Die Lehrpläne aller Bildungsanstalten sind den Erfordernissen des praktischen Lebens anzupassen. Das Erfassen des Staatsgedankens muß bereits mit dem Beginn des Verständnisses durch die Schule (Staatsbürgerkunde) erzielt werden. Wir fordern die Ausbildung besonders veranlagter Kinder armer Eltern ohne Rücksicht auf deren Stand oder Beruf auf Staatskosten.

21. Der Staat hat für die Hebung der Volksgesundheit zu sorgen durch den Schutz der Mutter und des Kindes, durch

Verbot der Jugendarbeit, durch Herbeiführung der körperlichen Ertüchtigung mittels gesetzlicher Festlegung einer Turn- und Sportpflicht, durch größte Unterstützung aller sich mit körperlicher Jugend-Ausbildung beschäftigenden Vereine.

22. Wir fordern die Abschaffung der Söldnertruppe und die Bildung eines Volksheeres.

23. Wir fordern den gesetzlichen Kampf gegen die bewußte politische Lüge und ihre Verbreitung durch die Presse. Um die Schaffung einer deutschen Presse zu ermöglichen, fordern wir, daß:

a) sämtliche Schriftleiter und Mitarbeiter von Zeitungen, die in deutscher Sprache erscheinen, Volksgenossen sein müssen,
b) nichtdeutsche Zeitungen zu ihrem Erscheinen der ausdrücklichen Genehmigung des Staates bedürfen. Sie dürfen nicht in deutscher Sprache gedruckt werden,
c) jede finanzielle Beteiligung an deutschen Zeitungen oder deren Beeinflussung durch Nicht-Deutsche gesetzlich verboten wird und fordern als Strafe für Übertretungen die Schließung eines solchen Zeitungsbetriebes, sowie die sofortige Ausweisung der daran beteiligten Nicht-Deutschen aus dem Reich.
   Zeitungen, die gegen das Gemeinwohl verstoßen, sind zu verbieten. Wir fordern den gesetzlichen Kampf gegen eine Kunst- und Literatur-Richtung, die einen zersetzenden Einfluß auf unser Volksleben ausübt und die Schließung von Veranstaltungen, die gegen vorstehende Forderungen verstoßen.

24. Wir fordern die Freiheit aller religiösen Bekenntnisse im Staat, soweit sie nicht dessen Bestand gefährden oder gegen das Sittlichkeits- und Moralgefühl der nordischen Rasse verstoßen.

Die Partei als solche vertritt den Standpunkt eines positiven Christentums, ohne sich konfessionell an ein bestimmtes Bekenntnis zu binden. Sie bekämpft den jüdisch-materialistischen Geist in und außer uns und ist überzeugt, daß eine dauernde Genesung unseres Volkes nur erfolgen kann von innen heraus auf der Grundlage:

Gemeinnutz vor Eigennutz

25. Zur Durchführung alles dessen fordern wir: Die Schaffung einer starken Zentralgewalt des Reiches. Unbedingte Autorität des politischen Zentralparlamentes über das gesamte Reich und seine Organisationen im allgemeinen.

Die Bildung von Stände- und Berufskammern zur Durchführung der vom Reich erlassenen Rahmengesetze in den einzelnen Bundesstaaten.

Die Führer der Partei versprechen, wenn nötig unter Einsatz des eigenen Lebens für die Durchführung der vorstehenden Punkte rücksichtslos einzutreten.

München, den 24. Februar 1920

Gottfried Feder, Das Programm der N.S.D.A.P. und seine weltanschaulichen Grundgedanken. 96.—100. Aufl. Verlag Franz Eher Nachf. München 1933, S. 19—22.

Kommentar: „Die beiden Eckpfeiler des Programms sind auch äußerlich von Adolf Hitler durch Sperrdruck (richtig: Fettdruck) herausgehoben worden" (Feder, a. a. O., S. 22).

Nr. 13 Das „Programm" des deutschen Sozialismus

Die deutsche Revolution

Der Sinn des Großen Krieges? — Deutsche Revolution heißt er! Jene gewaltige Revolution des 20. Jahrhunderts, davon der „Weltkrieg" nur der erste Abschnitt war, deren alle „Putsche", „Aufstände", „Kämpfe" nur Teilaktionen waren, in denen das Schicksal verschiedene Lösungen probierte, verwarf, um die Lösung zu finden. —

Auf allen drei Ebenen des Lebens: im Seelischen, im Geistigen, im Körperlichen gehen die gewaltigen Umwälzungen vor sich, wirr im Ausdruck, zerrissen in der Form, und doch von der gleichen Melodie erfüllt, dem gleichen Ziel entgegengehend!

Dieses Ziel aber ist die Deutsche Revolution, die Revolution des Konservativismus, die die Große Französische Revolution, diesen Sieg des Liberalismus, stürzen wird, überwinden, ablösen! Sie ist die Revolution der Seele gegen den Geist, des Nationalismus gegen den Individualismus, des Sozialismus gegen den Kapitalismus, und wenn wir versuchen, ihren ungeheuren Inhalt thesenartig kund zu machen, dann schreiben wir:

Die 14 Thesen der deutschen Revolution

I.

Die Deutsche Revolution verneint vor Gott und der Welt die Verbindlichkeit der auf der Lüge von Deutschlands Schuld aufgebauten, durch brutale Gewalt erpreßten „Friedensverträge“ von Versailles und St. Germain und führt einen unermüdlichen, fanatischen Kampf mit allen Mitteln bis zur völligen Vernichtung dieser Diktate und aller auf sie gegründeten Abmachungen.

II.

Die Deutsche Revolution proklamiert die Freiheit der Deutschen Nation in einem starken, alle deutschen Stämme des mitteleuropäischen Siedlungsraumes umfassenden deutschen Staat, der von Memel bis Straßburg, von Eupen bis Wien die Deutschen des Mutterlandes und der unerlösten Gebiete umfaßt und kraft seiner Größe und Fähigkeit das Rückgrat und Herz des weißen Europa bildet. —

III.

Die Deutsche Revolution lehnt es ab, über fremde Völker und Nationen zu herrschen und sie auszubeuten; sie will nicht mehr und nicht weniger als genügend Lebensraum für die junge Nation der Deutschen — und soweit die Erfüllung dieses tiefsten Urrechtes des Lebens mit dem gleichen Recht anderer Völker und Nationen in Gegensatz gerät, erkennt sie die Entscheidung des Krieges als den Willen des Schicksals an. —

IV.

Die Deutsche Revolution erklärt als den einzigen Zweck des Staates die Zusammenfassung aller Kräfte der Nation, die einheitliche Einsetzung dieser Kräfte zur Sicherstellung des Lebens und der Zukunft dieser Nation und bejaht jedes Mittel, das diesen Zweck fördert, und verneint jedes Mittel, das ihn hindert.

V.

Die Deutsche Revolution fordert daher die schroffste Ausgestaltung einer starken Zentralgewalt gegen alle einheitszerstörenden oder störenden Bildungen staatlicher, parteilicher oder konfessioneller Art. Ihr Einheitsstaat der deutschen Nation bindet die aus landschaftlicher und stammesmäßiger Gliederung erwachsenen Kräfte zur machtvollsten Einheit. —

VI.

Die Deutsche Revolution gibt den durch ein lebenswidriges liberales System gehemmten und unterdrückten Kräften ständischer Selbstverwaltung freien Raum zur Entfaltung als sinngemäße Ergänzung zu den betonten Hoheitsaufgaben des Staates. Sie setzt die lebendige Gliederung in Berufs- und Ständekammern an Stelle eines konstruierten Parlamentarismus, so wie sie in allem und jedem die persönliche Verantwortlichkeit der Führenden an Stelle der Verantwortungslosigkeit einer anonymen Masse setzt.

VII.

Die Deutsche Revolution proklamiert die Schicksalsgemeinschaft der deutschen Nation. Sie ist sich aber bewußt, daß eine Schicksalsgemeinschaft nicht nur Notgemeinschaft, sondern auch Brotgemeinschaft bedeutet und bejaht alle sich aus dieser Erkenntnis ergebenden Forderungen nach ihrem Fundamentalsatz: „Gemeinnutz vor Eigennutz". —

VIII.

Die Deutsche Revolution verwirft daher das individuelle Wirtschaftssystem des Kapitalismus, dessen Sturz die Voraussetzung zum Gelingen der Deutschen Revolution ist. Sie bekennt sich mit gleicher Entschiedenheit zum korporativen Wirtschaftssystem des Sozialismus, ausgehend davon und darin endend, daß der Sinn der Wirtschaft einzig und allein die Deckung des Bedarfs für die Nation ist, nicht aber Reichtum und Gewinn.

IX.

Die Deutsche Revolution erklärt daher das Obereigentum an Grund und Boden und Bodenschätzen, deren Eigentümer nur Lehensträger der Nation sind, ihr bzw. ihrem Staat Rechenschaft und Leistung schuldig, wie die Nation gesamt dies Eigentum verteidigt. —

X.

Die Deutsche Revolution proklamiert aus gleichem Recht den Anteil der Gesamtheit aller Schaffenden an Eigentum, Gewinn und Leitung der Wirtschaft der Nation, in deren Dienst auch jener Volksgenosse steht, dessen persönlicher Anteil an Besitz, Gewinn und Leitung durch erhöhte Leistung, vergrößerte Verantwortung erworben oder bedingt ist. Sie kennt und anerkennt den Motor persönlichen Interesses, aber sie baut ihn ein in die Maschine zum Wohle der Nation.

XI.

Die Deutsche Revolution sieht dies Wohl der Nation nicht in der Häufung materieller Werte, nicht in einer uferlosen Steigerung des Lebensstandards, sondern ausschließlich in der Gesundung und Gesundhaltung jenes gottgewollten Organismus der Nation, auf daß dieser deutschen Nation die Erfüllung der ihr vom Schicksal gestellten Aufgabe möglich ist.

XII.

Die Deutsche Revolution sieht diese Aufgabe in der vollen Entfaltung jener einmaligen völkischen Eigenart und kämpft daher mit allen Mitteln gegen rassische Entartung, kulturelle Überfremdung, für völkische Erneuerung und Reinhaltung, für deutsche Kultur. Im besonderen gilt dieser Kampf dem Judentum, das im Verein mit den überstaatlichen Mächten der Freimauerei und des Ultramontanismus teils aus Artzwang, teils aus Willen das Leben der deutschen Seele zerstört.

XIII.

Die Deutsche Revolution kämpft daher auch gegen die Herrschaft des jüdisch-römischen Rechtes, für ein deutsches Recht, das den deutschen Menschen und seine Ehre als Achse hat und bewußt die Ungleichheit der Menschen bejaht und wertet. Dies deutsche Recht erkennt als Staatsbürger nur den Volksgenossen und kennt als Maßstab nur das Wohl des Ganzen.

XIV.

Die Deutsche Revolution stürzt das Weltbild der Großen Französischen Revolution und formt das Gesicht des 20. Jahrhunderts.

Sie ist *nationalistisch* — gegen die Versklavung des deutschen Volkes; sie ist *sozialistisch* — gegen die Tyrannei des Geldes; sie ist *völkisch* — gegen die Zerstörung der deutschen Seele — alles aber nur um der Nation willen. —

Und um dieser Nation willen scheut die Deutsche Revolution vor keinem Kampf zurück, ihr ist kein Opfer zu groß, kein Krieg zu blutig,

denn Deutschland muß leben!

So fühlen wir Jungen den Herzschlag der Deutschen Revolution pochen, so sehen wir Frontsoldaten das Gesicht der nahen Zukunft vor uns und empfinden demütig-stolz die Auserwähltheit, mitkämpfen, mitsiegen zu können den Kampf des 20. Jahrhunderts, handelnd erfüllt zu sehen den Sinn des Krieges,

das dritte Reich.

Nationalsozialistische Briefe 5 (1929/30), S. 22—24.

Kommentar: Diese Zeitschrift wurde von Gregor Strasser herausgegeben, 1926—1932 Reichspropagandaleiter der NSDAP; Schriftleiter war Herbert Blank, einer der führenden Köpfe der sogenannten „konservativen Revolution".

Nr. 14 Das Regierungs„programm" von 1933

Aufruf an das deutsche Volk vom 1. Februar 1933

Über 14 Jahre sind vergangen seit dem unseligen Tage, da, von inneren und äußeren Versprechungen verblendet, das deutsche Volk der höchsten Güter unserer Vergangenheit, des Reiches, seiner Ehre und seiner Freiheit vergaß und dabei alles verlor.

Seit diesem Tage des Verrats hat der Allmächtige unserem Volk seinen Segen entzogen.

Zwietracht und Haß hielten ihren Einzug. In tiefster Bekümmernis sehen Millionen bester deutscher Männer und Frauen aus allen Lebensständen die Einheit der Nation dahinsinken und sich auflösen in ein Gewirr politisch-egoistischer Meinungen, wirtschaftlicher Interessen und weltanschaulicher Gegensätze.

Wie so oft in unserer Geschichte bietet Deutschland seit diesem Tage das Bild einer herzzerbrechenden Zerrissenheit.

Die versprochene Gleichheit und Brüderlichkeit erhielten wir nicht, aber die Freiheit haben wir verloren.

Denn dem Verfall der geistigen und willensmäßigen Einheit unseres Volkes im Innern folgte der Verfall seiner politischen Stellung in der Welt.

Heiß durchdrungen von der Überzeugung, daß das deutsche Volk im Jahre 1914 in den großen Kampf zog, ohne jeden Gedanken an eine eigene Schuld und nur erfüllt von der Last der Sorge, das angegriffene Reich, die Freiheit und die Existenz des deutschen Menschen verteidigen zu müssen, sehen wir in dem erschütternden Schicksal, das uns seit dem November 1918 verfolgt, nur das Ergebnis unseres inneren Verfalls. Allein, auch die übrige Welt wird seitdem nicht minder von großen Krisen durchrüttelt.

Das geschichtlich ausgewogene Gleichgewicht der Kräfte, das einst nicht wenig beitrug zum Verständnis für die Notwendigkeit einer inneren Solidarität der Nationen, mit all den daraus resultierenden glücklichen wirtschaftlichen Folgen, ist beseitigt.

Die Wahnidee vom Sieger und Besiegten zerstört das Vertrauen von Nation zu Nation und damit auch die Wirtschaft der Welt.

Das Elend unseres Volkes aber ist entsetzlich! Dem arbeitslos gewordenen, hungernden Millionen-Proletariat der Industrie folgt die Verelendung des gesamten Mittel- und Handwerkerstandes. Wenn sich dieser Verfall auch im deutschen Bauern endgültig vollendet, stehen wir in einer Katstrophe von unübersehbarem Ausmaß.

Denn nicht nur ein Reich zerfällt dann, sondern eine zweitausendjährige Erbmasse an hohen und höchsten Gütern menschlicher Kultur und Zivilisation.

Drohend künden die Erscheinungen um uns den Vollzug dieses Verfalls. In einem unerhörten Willens- und Gewaltansturm versucht die kommunistische Methode des Wahnsinns das in seinem Innersten erschütterte und entwurzelte Volk endgültig zu vergiften und zu zersetzen, um es einer Zeit entgegenzutreiben, die sich zu den Versprechungen der kommunistischen Wortführer von heute noch schlimmer verhalten würde als die Zeit hinter uns zu den Versprechungen derselben Apostel im November 1918.

Angefangen bei der Familie, über alle Begriffe von Ehre und Treue, Volk und Vaterland, Kultur und Wirtschaft hinweg, bis zum ewigen Fundament unserer Moral und unseres Glaubens, bleibt nichts verschont von dieser nur verneinenden, alles zerstörenden Idee.

14 Jahre Marxismus haben Deutschland ruiniert. Ein Jahr Bolschewismus würde Deutschland vernichten.

Die heute reichsten und schönsten Kulturgebiete der Welt würden in ein Chaos und Trümmerfeld verwandelt. Selbst das Leid der letzten anderthalb Jahrzehnte könnte nicht verglichen werden mit dem Jammer eines Europas, in dessen Herzen die rote Fahne der Vernichtung aufgezogen würde.

Die Tausende von Verletzten, die unzähligen Toten, die dieser innere Krieg schon heute Deutschland kostet, mögen ein Wetterleuchten sein der Warnung vor dem Sturme.

In diesen Stunden der übermächtig hereinbrechenden Sorgen um das Dasein und die Zukunft der Nation rief uns Männer nationaler Parteien und Verbände der greise Führer des Weltkrieges auf, noch einmal, wie einst an den Fronten, nunmehr in der Heimat

in Einigkeit und Treue für des Reiches Rettung

unter ihm zu kämpfen. *Indem der ehrwürdige Herr Reichspräsident uns in diesem großherzigen Sinne die Hände zum gemeinsamen Bunde schloß, wollen wir als nationale Führer Gott, unserem Gewissen und unserem Volke geloben, die uns damit übertragene Mission als nationale Regierung entschlossen und beharrlich zu erfüllen.*

I.

Das Erbe, das wir übernehmen, ist ein furchtbares.

Die Aufgabe, die wir lösen müssen, ist die schwerste, die seit Menschengedenken deutschen Staatsmännern gestellt wurde.

Das Vertrauen in uns allen aber ist unbegrenzt, denn wir glauben an unser Volk und seine unvergänglichen Werte. Bauern, Arbeiter und Bürger, sie müssen gemeinsam die Bausteine liefern zum neuen Reich.

So wird es die nationale Regierung als ihre oberste und erste Aufgabe ansehen, die geistige und willensmäßige Einheit unseres Volkes wiederherzustellen. Sie wird die Fundamente wahren und verteidigen, auf denen die Kraft unserer Nation beruht. Sie wird das Christentum als Basis unserer gesamten Moral, die Familie als Keimzelle unseres Volks- und Staatskörpers in ihren festen Schutz nehmen. Sie wird über Stände und Klassen hinweg unser Volk wieder zum Bewußtsein seiner volklichen und politischen Einheit und der daraus entspringenden Pflichten bringen. Sie will die Ehrfurcht vor unserer großen Vergangenheit, den Stolz auf unsere alten Traditionen zur Grundlage machen für die Erziehung der deutschen Jugend. Sie wird damit der geistigen, politischen und kulturellen Nihilisierung einen unbarmherzigen Krieg ansagen. Deutschland darf und wird nicht in anarchischen Kommunismus versinken.

Sie wird an Stelle turbulenter Instinkte wieder die nationale Disziplin zum Regenten unseres Lebens erheben. Sie wird dabei all der Einrichtungen in höchster Sorgfalt gedenken, die die wahren Bürgen der Kraft und Stärke unserer Nation sind.

II.

Die nationale Regierung wird das große Werk der Reorganisation der Wirtschaft unseres Volkes mit

zwei großen Vierjahresplänen
lösen: Rettung des deutschen Bauern zur Erhaltung der Ernährungs- und damit Lebensgrundlage der Nation,

Rettung des deutschen Arbeiters durch einen gewaltigen und umfassenden Angriff gegen die Arbeitslosigkeit.

In 14 Jahren haben die November-Parteien den deutschen Bauernstand ruiniert. In 14 Jahren haben sie eine Armee von Millionen Arbeitslosen geschaffen.

Die nationale Regierung wird mit eiserner Entschlossenheit und zähester Ausdauer folgenden Plan verwirklichen:

Binnen 4 Jahren muß der deutsche Bauer der Verelendung entrissen sein. Binnen 4 Jahren muß die Arbeitslosigkeit endgültig überwunden sein.

Gleichlaufend damit ergeben sich die Voraussetzungen für das Aufblühen der übrigen Wirtschaft. Mit dieser gigantischen Aufgabe der Sanierung unserer Wirtschaft wird die nationale Regierung verbinden die Aufgabe und Durchführung einer Sanierung des Reiches, der Länder und der Kommunen in verwaltungsmäßiger und steuertechnischer Hinsicht.

Damit erst wird der Gedanke der föderativen Erhaltung des Reiches blut- und lebensvolle Wirklichkeit.

Zu den Grundpfeilern dieses Programms gehört der Gedanke der Arbeitsdienstpflicht und der Siedlungspolitik.

Die Sorge für das tägliche Brot wird aber ebenso die Sorge sein für die Erfüllung der sozialen Pflichten bei Krankheit und Alter.

In der Sparsamkeit ihrer Verwaltung, der Förderung der Arbeit, der Erhaltung unseres Bauerntums sowie der Nutzbarmachung der Initiative des einzelnen liegt zugleich die beste Gewähr für die Vermeidung jedes Experimentes der Gefährdung unserer Währung.

III.

Außenpolitisch wird die nationale Regierung ihre höchste Mission in der Wahrung der Lebensrechte und damit der Wiedererringung der Freiheit unseres Volkes sehen.

Indem sie entschlossen ist, den chaotischen Zuständen in Deutschland ein Ende zu bereiten, wird sie mithelfen, in die Gemeinschaft der übrigen Nationen einen Staat gleichen Wertes und damit allerdings auch gleicher Rechte einzufügen. Sie ist dabei erfüllt von der Größe der Pflicht, mit diesem freien, gleichberechtigten Volke für die Erhaltung und Festigung des

Friedens einzutreten, dessen die Welt heute mehr bedarf als je zuvor.

Möge auch das Verständnis all der anderen mithelfen, daß dieser unser aufrichtigster Wunsch zum Wohle Europas, ja der Welt sich erfüllt.

So groß unsere Liebe zu unserem Heere als Träger unserer Waffen und Symbol unserer großen Vergangenheit ist, so wären wir doch beglückt, wenn die Welt durch eine Beschränkung ihrer Rüstungen eine Vermehrung unserer eigenen Waffen niemals mehr erforderlich machen würde.

Soll aber Deutschland diesen politischen und wirtschaftlichen Wiederaufstieg erleben und seine Verpflichtungen den anderen Nationen gegenüber gewissenhaft erfüllen, dann setzt dies eine entscheidende Tat voraus:

die Überwindung der kommunistischen Zersetzung Deutschlands.

Wir Männer dieser Regierung fühlen uns vor der deutschen Geschichte verantwortlich für die Wiederherstellung eines geordneten Volkskörpers und damit für die endgültige Überwindung des Klassenwahnsinns und Klassenkampfes.

Nicht einen Stand sehen wir, sondern das deutsche Volk, die Millionen seiner Bauern, Bürger und Arbeiter, die entweder gemeinsam die Sorgen dieser Zeit überwinden werden oder ihnen sonst gemeinsam erliegen. Entschlossen und getreu unserem Eide, wollen wir damit angesichts der Unfähigkeit des derzeitigen Reichstages, diese Arbeit zu unterstützen, dem deutschen Volk selbst die Aufgabe stellen, die wir vertreten.

Der Reichspräsident Generalfeldmarschall von Hindenburg hat uns berufen mit dem Befehl, durch unsere Einmütigkeit der Nation die Möglichkeit des Wiederaufstiegs zu bringen.

Wir appellieren deshalb nunmehr an das deutsche Volk, diesen Akt der Versöhnung selbst mit zu unterzeichnen.

Die Regierung der nationalen Erhebung will arbeiten, und sie wird arbeiten. Sie hat nicht 14 Jahre lang die deutsche Nation zugrunde gerichtet, sondern will sie wieder nach oben führen.

Sie ist entschlossen, in 4 Jahren die Schuld von 14 Jahren wieder gutzumachen.

Allein sie kann nicht die Arbeit des Wiederaufbaus der Genehmigung derer unterstellen, die den Zusammenbruch verschuldeten.

Die Parteien des Marxismus und seiner Mitläufer haben 14 Jahre lang Zeit gehabt, ihr Können zu beweisen.

Das Ergebnis ist ein Trümmerfeld. Nun, deutsches Volk, gib uns die Zeit von 4 Jahren, und dann urteile und richte uns! Getreu dem Befehl des Generalfeldmarschalls wollen wir beginnen: Möge der allmächtige Gott unsere Arbeit in seine Gnade nehmen, unseren Willen recht gestalten, unsere Einsicht segnen und uns mit dem Vertrauen unseres Volkes beglücken.

Denn wir wollen nicht kämpfen für uns, sondern für Deutschland!

Rundfunkrede Hitlers am 1. Februar 1933, 22 Uhr, gedruckt in: Völkischer Beobachter, Berliner Ausgabe, Nr. 33 (2. Februar 1933), S. 1—2.

Kommentar: Diese Rede eröffnete den Wahlkampf des Jahres 1933, der Hitler hätte die absolute parlamentarische Mehrheit bringen sollen. Sie verspricht einerseits innenpolitisch sehr viel, andererseits hält sie sich in Fragen der Außenpolitik sehr zurück. Von der Bevölkerungsgruppe, die bis dahin in der Agitation eine so große Rolle gespielt hatte, von den Juden, ist mit keinem Worte die Rede. Nach den vier Jahren der Wahlperiode wollte sich Hitler dem Urteil des Volkes stellen. Er hat dann freilich alles getan, um dieses „Urteil" zu manipulieren.

Das eigentliche Regierungsprogramm ist in der Reichstagsrede vom 23. März 1933 enthalten, s. Verhandlungen des Deutschen Reichstages, Band 457 (1933), S. 25—37.

Nr. 15 Das Raum„programm" von 1937

Aufzeichnung des Obersten Hoßbach über eine Besprechung in der Reichskanzlei zwischen Hitler, dem Kriegs-, dem Außenminister und den Oberbefehlshabern der drei Wehrmachtsteile am 5. November 1937, 16.15—20.30 Uhr.

Der Führer stellte einleitend fest, daß der Gegenstand der heutigen Besprechung von derartiger Bedeutung sei, daß dessen Erörterung in anderen Staaten wohl vor das Forum des Regierungskabinetts gehörte, er — der Führer — sähe aber gerade im Hinblick auf die Bedeutung der Materie davon ab, diese in dem großen Kreise des Reichskabinetts zum Gegenstand der Besprechung zu machen. Seine nachfolgenden Ausführungen seien das Ergebnis eingehender Überlegungen und der Erfahrung seiner viereinhalbjährigen Regierungszeit; er wolle den anwesenden Herren seine grundlegenden Gedanken über die Entwicklungsmöglichkeiten und -notwendigkeiten unserer außenpolitischen Lage auseinandersetzen, wobei er im Interesse einer auf weite Sicht eingestellten deutschen Politik seine Ausführungen als seine testamentarische Hinterlassenschaft für den Fall seines Ablebens anzusehen bitte ...

Das Ziel der deutschen Politik sei die Sicherung und die Erhaltung der Volksmasse und deren Vermehrung. Somit handele es sich um das Problem des Raumes.

Die deutsche Volksmasse verfüge über 85 Millionen Menschen, die nach der Anzahl der Menschen und der Geschlossenheit des Siedlungsraumes in Europa einen in sich so fest geschlossenen Rassekern darstelle, wie er in keinem anderen Land wiederanzutreffen sei, wie er andererseits das Anrecht auf größeren Lebensraum mehr als bei anderen Völkern in sich schlösse. Wenn kein dem deutschen Rassekern entsprechendes politisches Ergebnis auf dem Gebiete des Raumes vorläge, so sei das eine Folge mehrhundertjähriger historischer Entwicklung und bei Fortdauer dieses politischen Zustandes die größte Gefahr für die Erhaltung des deutschen Volkstums auf seiner jetzigen Höhe. Ein Aufhalten des Rückgangs des Deutschtums in Österreich und in der Tschechoslowakei sei ebensowenig möglich als die Erhaltung des augenblicklichen Standes in Deutschland selbst. Statt Wachstum setze Sterilität ein, in deren Folge Spannungen sozialer Art nach einer Reihe von Jahren einsetzen müßten, weil politische und weltanschauliche Ideen nur so lange von Bestand seien, als sie die Grundlage zur Verwirklichung der realen Lebensansprüche eines Volkes abzugeben vermöchten. Die deutsche Zukunft sei daher ausschließlich durch die Lösung der Raumnot bedingt, eine solche Lösung könne naturgemäß nur für eine absehbare, etwa 1—3 Generationen umfassende Zeit gesucht werden.

Bevor er sich der Frage der Behebung der Raumnot zuwende, sei die Überlegung anzustellen, ob im Wege der Autarkie oder einer gesteigerten Beteiligung an der Weltwirtschaft eine zukunftsreiche Lösung der deutschen Lage zu erreichen sei.

Autarkie: Durchführung nur möglich bei straffer nationalsozialistischer Staatsführung, welche die Voraussetzung sei; als Resultat der Verwirklichungsmöglichkeit sei festzustellen:

A. Auf dem Gebiet der Rohstoffe nur bedingte, nicht aber totale Autarkie.

...

B. Auf dem Gebiet der Lebensmittel sei die Frage der Autarkie mit einem glatten „nein“ zu beantworten.

...

Beteiligung an der Weltwirtschaft: Ihr seien Grenzen gezogen, die wir nicht zu beheben vermöchten. Einer sicheren Fundierung der deutschen Lage ständen die Konjunkturschwankungen entgegen, die Handelsverträge böten keine Gewähr für die praktische Durchführung. Insbesondere sei grundsätzlich zu bedenken, daß seit dem Weltkriege eine Industrialisierung gerade früherer Ernährungsausfuhrländer stattgefunden habe ...

Die einzige, uns vielleicht traumhaft erscheinende Abhilfe läge in der Gewinnung größeren Lebensraumes, ein Streben, das zu allen Zeiten die Ursache der Staatenbildungen und Völkerbewegungen gewesen sei. Daß dieses Streben [beim Völkerbund] in Genf und bei den gesättigten Staaten keinem Interesse begegne, sei erklärlich. Wenn die Sicherheit unserer Ernährungslage im Vordergrund stände, so könne der hierfür notwendige Raum nur in Europa gesucht werden, nicht aber ausgehend von liberalistisch-kapitalistischen Auffassungen in der Ausbeutung von Kolonien. Es handele sich nicht um die Gewinnung von Menschen, sondern von landwirtschaftlich nutzbarem Raum. Auch die Rohstoffgebiete seien zweckmäßiger im unmittelbaren Anschluß an das Reich in Europa und nicht in Übersee zu suchen, wobei die Lösung sich für ein bis zwei Generationen auswirken müsse ...

Für Deutschland laute die Frage, wo größter Gewinn unter geringstem Einsatz zu erreichen sei.

Die deutsche Politik habe mit den beiden Haßgegnern England und Frankreich zu rechnen, denen ein starker deutscher Koloß inmitten Europas ein Dorn im Auge sei ...

England könne aus seinem Kolonialbesitz infolge des Widerstandes der Dominien keine Abtretungen an uns vornehmen. Nach dem durch Übergang Abessiniens in italienischen Besitz eingetretenen Prestigeverlust Englands sei mit einer Rückgabe Ostafrikas nicht zu rechnen ...

In summa sei festzustellen, daß trotz aller ideellen Festigkeit das Empire machtpolitisch auf die Dauer nicht mit 45 Millionen Engländern zu halten sei. Das Verhältnis der Bevölkerungszahl des Empires zu der des Mutterlandes von 9 : 1 sei eine Warnung für uns, bei Raumerweiterungen nicht die in der eigenen Volkszahl liegende Plattform zu gering werden zu lassen ...

Immerhin seien heute in unsere politischen Berechnungen als Machtfaktoren einzusetzen: England, Frankreich, Rußland und die angrenzenden kleineren Staaten.

Zur Lösung der deutschen Frage könne es nur den Weg der

Gewalt geben, dieser niemals risikolos sein ... Stelle man an die Spitze der nachfolgenden Ausführungen den Entschluß zur Anwendung von Gewalt unter Risiko, dann bleibe noch die Beantwortung der Fragen „wann“ und „wie“.

Hierbei seien drei Fälle zu unterscheiden:

Fall 1: Zeitpunkt 1943—1945.

Nach dieser Zeit sei nur noch eine Veränderung zu unseren Ungunsten zu erwarten.

Die Aufrüstung der Armee, Kriegsmarine, Luftwaffe sowie die Bildung des Offizierskorps seien annähernd beendet. Die materielle Ausstattung und Bewaffnung seien modern, bei weiterem Zuwarten läge die Gefahr ihrer Veraltung vor. Besonders der Geheimhaltungsschutz der „Sonderwaffen“ ließe sich nicht immer aufrecht erhalten. Die Gewinnung von Reserven beschränke sich auf die laufenden Rekruten-Jahrgänge, ein Zusatz aus älteren unausgebildeten Jahrgängen sei nicht mehr verfügbar.

Im Verhältnis zu der bis dahin durchgeführten Aufrüstung der Umwelt nähmen wir an relativer Stärke ab. Wenn wir bis 1943/45 nicht handelten, könne infolge des Fehlens von Reserven jedes Jahr die Ernährungskrise bringen, zu deren Behebung ausreichende Devisen nicht verfügbar seien. Hierin sei ein „Schwächungsmoment des Regimes“ zu erblicken. Zudem erwarte die Welt unseren Schlag und treffe ihre Gegenmaßnahmen von Jahr zu Jahr mehr. Während die Umwelt sich abriegele, seien wir zur Offensive gezwungen. Wie die Lage in den Jahren 1943/45 tatsächlich sein würde, wisse heute niemand. Sicher sei nur, daß wir nicht länger warten können. Auf der einen Seite die große Wehrmacht mit der Notwendigkeit der Sicherstellung ihrer Unterhaltung, das Älterwerden der Partei und ihrer Führer, auf der anderen Seite die Aussicht auf Senkung des Lebensstandards und auf Geburteneinschränkung ließen keine andere Wahl als zu handeln. Sollte der Führer noch am Leben sein, so sei es sein unabänderlicher Entschluß, spätestens 1943/45 die deutsche Raumfrage zu lösen. Die Notwendigkeit zum Handeln vor 1943/45 käme in Fall 2 und 3 in Betracht.

Fall 2:

Wenn die sozialen Spannungen in Frankreich sich zu einer derartigen innenpolitischen Krise auswachsen sollten, daß durch letztere die französische Armee absorbiert und für eine Kriegsverwendung gegen Deutschland ausgeschaltet würde, sei der Zeitpunkt zum Handeln gegen die Tschechei gekommen.

Fall 3:

Wenn Frankreich durch einen Krieg mit einem anderen Staat so gefesselt ist, daß es gegen Deutschland nicht „vorgehen" kann. Zur Verbesserung unserer militärpolitischen Lage müsse in jedem Fall einer kriegerischen Verwicklung unser erstes Ziel sein, die Tschechei und gleichzeitig Österreich niederzuwerfen, um die Flankenbedrohung eines etwaigen Vorgehens nach Westen auszuschalten ...

Bei Annahme einer Entwicklung der Situation die zu einem planmäßigen Vorgehen unsererseits in den Jahren 1943/45 führe, sei das Verhalten Frankreichs, Englands, Italiens, Polens, Rußlands voraussichtlich folgendermaßen zu beurteilen:

An sich glaube der Führer, daß mit hoher Wahrscheinlichkeit England, voraussichtlich aber auch Frankreich die Tschechei bereits im stillen abgeschrieben und sich damit abgefunden hätten, daß diese Frage eines Tages durch Deutschland bereinigt würde. Die Schwierigkeiten des Empire und die Aussicht, in einen langwährenden europäischen Krieg erneut verwickelt zu werden, seien bestimmend für eine Nichtbeteiligung Englands an einem Kriege gegen Deutschland. Die englische Haltung werde gewiß nicht ohne Einfluß auf die Frankreichs sein. Ein Vorgehen Frankreichs ohne die englische Unterstützung und in der Voraussicht, daß seine Offensive an unseren Westbefestigungen sich festlaufe, sei wenig wahrscheinlich. Ohne die Hilfe Englands sei auch nicht mit einem Durchmarsch Frankreichs durch Holland und Belgien zu rechnen, der auch bei einem Konflikt mit Frankreich für uns außer Betracht bleiben müsse, da er in jedem Fall die Feindschaft Englands zur Folge haben müßte. Naturgemäß sei eine Abriegelung im Westen in jedem Fall während der Durchführung unseres Angriffs gegen die Tschechei und Österreich notwendig. Hierbei sei zu berücksichtigen, daß die Verteidigungsmaßnahmen der Tschechei von Jahr zu Jahr zunehmen und daß auch eine Konsolidierung der inneren Werte der österreichischen Armee im Laufe der Jahre stattfände. Wenn auch die Besiedelung insbesondere der Tschechei keine dünne sei, so könne die Einverleibung der Tschechei und Österreichs den Gewinn von Nahrungsmitteln für 5—6 Millionen Menschen bedeuten unter Zugrundelegung, daß eine zwangsweise Emigration aus der Tschechei von zwei, aus Österreich von einer Million Menschen zur Durchführung gelange ... Von der Seite Italiens seien gegen die Beseitigung der Tschechei keine Einwendungen zu erwarten, wie dagegen seine Haltung in der österreichischen

Frage zu bewerten sei, entziehe sich der heutigen Beurteilung und sei wesentlich davon abhängig, ob der Duce noch am Leben sei.

Das Maß der Überraschung und der Schnelligkeit unseres Handelns sei für die Stellungnahme Polens entscheidend. Gegen ein siegreiches Deutschland wird Polen — mit Rußland im Rücken — wenig Neigung haben, in den Krieg einzutreten. Einem militärischen Eingreifen Rußlands müsse durch die Schnelligkeit unserer Operationen begegnet werden; ob ein solches überhaupt in Betracht kommen werde, sie angesichts der Haltung Japans mehr als fraglich.

Trete der Fall 2 — Lahmlegung Frankreichs durch einen Bürgerkrieg — ein, so sei infolge des Ausfalls des gefährlichsten Gegners die Lage jederzeit zum Schlag gegen die Tschechei auszunutzen.

In gewissere Nähe sähe der Führer den Fall 3 gerückt, der sich aus den derzeitigen Spannungen im Mittelmeer entwickeln könne und den er eintretenden Falls zu jedem Zeitpunkt, auch bereits im Jahre 1938, auszunutzen entschlossen sei ... [Aus dem spanischen Bürgerkrieg könne ein englisch-französischer Krieg gegen Italien herauswachsen, den Italien mit deutscher Rückendeckung kaum verlieren könne.] Der Zeitpunkt unseres Angriffs auf die Tschechei und Österreich müsse abhängig von dem Verlauf des italienisch-englisch-französischen Krieges gemacht werden ... und blitzartig schnell erfolgen ...

Dokument 386 PS, zitiert nach Friedrich Hoßbach, Zwischen Wehrmacht und Hitler 1934—1938. Wolfenbütteler VA, Wolfenbüttel, Hannover 1949, S. 207—216.

Kommentar: In der Aussprache erhoben die Generale von Blomberg und von Fritsch Bedenken gegen einen drohenden Krieg Englands und Frankreichs gegen Deutschland, wiesen auf die Stärke der tschechischen Grenzbefestigung hin und bezweifelten die Fähigkeit Italiens, genügend Kräfte Frankreichs an seiner Alpengrenze zu binden. Der Außenminister sah einen Konflikt zwischen Italien und den beiden Westmächten noch nicht in greifbarer Nähe, während Göring als Konsequenz von Hitlers Ausführungen eine Verminderung der deutschen Unterstützung für General Franco in Spanien vorschlug. Auf die Einwände antwortete Hitler pauschal, vor dem Sommer 1938 werde es kaum zu einem großen Konflikt im Mittelmeer kommen, und er wiederholte seine Überzeugung, daß England nicht gegen Deutschland auftreten werde und daher auch Frankreich nicht.

Die Niederschrift Hoßbachs, der damals Hitlers militärischer Adjutant und als Generalstabsoffizier darin geschult war, den wesentlichen Inhalt auch längerer mündlicher Ausführungen zusammenzufassen, entstand einige Tage nach der Besprechung an Hand von Stichwortnotizen. Sie kann also nicht nach ihrem Wortlaut, sondern nur nach ihrem — zweifellos richtig wiedergegebenen Inhalt — historisch gedeutet werden.

Bemerkenswert ist, daß Hitler weder die Vereinigten Staaten, deren wiedergewählter Präsident am 5. Oktober 1937 seine scharfe Rede gegen den Angreifer Japan gehalten hatte, erwähnt, noch auf die Möglichkeit, von den Polen die durch Versailles verlorenen Gebiete in Westpreußen, Posen und Oberschlesien zurückzuholen, eingeht. Nennenswerte deutsche Befestigungen entlang der Westgrenze wurden erst seit dem Mai 1938 errichtet. Daß Hitler die abschätzige Bezeichnung „Tschechei" für Tschechoslowakei verwendete, ist wahrscheinlich. Völlig unklar bleibt, wie er die „Zwangsemigration" von 2 Millionen Menschen aus der Tschechoslowakei bewirken wollte, von der 1 Million Österreichern, die ja seine engeren Landsleute waren, ganz abgesehen.

Es scheint, daß die geringe Begeisterung von Fritschs, von Blombergs und von Neuraths Hitler veranlaßte, die Niederschrift nicht zu unterzeichnen.

Nr. 16 Das politische Testament Hitlers

Mein politisches Testament

Seit ich 1914 als Freiwilliger meine bescheidenen Kräfte im Ersten, dem Reich aufgezwungenen Weltkrieg einsetzte, sind nunmehr über dreißig Jahre vergangen.

In diesen drei Jahrzehnten haben mich bei all meinem Denken, Handeln und Leben nur die Liebe und Treue zu meinem Volk bewegt. Sie gaben mit die Kraft, schwerste Entschlüsse zu fassen, wie sie bisher noch keinem Sterblichen gestellt worden sind. Ich habe meine Zeit, meine Arbeitskraft und meine Gesundheit in diesen drei Jahrzehnten verbraucht.

Es ist unwahr, daß ich oder irgend jemand anderer in Deutschland den Krieg im Jahr 1939 gewollt habe. Er wurde gewollt und angestiftet ausschließlich von jenen internationalen Staatsmännern, die entweder jüdischer Herkunft waren oder für jüdische Interessen arbeiteten. Ich habe zuviele Angebote zur Rüstungsbeschränkung gemacht, die die Nachwelt nicht auf alle Ewigkeiten wegzuleugnen vermag, als daß die Verantwortung dieses Krieges auf mir lasten könnte. Ich habe weiter nie gewollt, daß nach dem ersten unseligen Krieg ein zweiter gegen England oder gar gegen Amerika entsteht. Es werden Jahrhunderte vergehen, aber aus den Ruinen unserer Städte und Kunstdenkmäler wird sich der Haß gegen das letzten Endes verantwortliche Volk immer wieder erneuern, dem wir das alles zu verdanken haben: dem internationalen Judentum und seinen Helfern!

Ich habe noch drei Tage vor Ausbruch des deutsch-polnischen Krieges dem britischen Botschafter in Berlin eine Lösung der deutsch-polnischen Probleme vorgeschlagen — ähnlich der im Falle des Saargebietes unter internationaler Kontrolle. Auch dieses Angebot kann nicht weggeleugnet werden. Es wurde nur verworfen, weil die maßgebenden Kreise der englischen Politik den Krieg wünschten, teils der erhofften Geschäfte wegen, teils getrieben durch eine vom internationalen Judentum veranstaltete Propaganda.

Ich habe aber auch keinen Zweifel darüber gelassen, daß, wenn die Völker Europas wieder nur als Aktienpakete dieser internationalen Geld- und Finanzverschwörer angesehen werden, dann auch jenes Volk mit zur Verantwortung gezogen werden wird, das der eigentliche Schuldige an diesem mörderischen Ringen ist: das Judentum! Ich habe weiter keinen darüber im unklaren gelassen, daß diesmal nicht nur Millionen erwachsener Männer den Tod erleiden und nicht nur Hunderttausende Frauen und Kinder in den Städten verbrannt und zu Tode bombardiert werden dürften, ohne daß der eigentliche Schuldige, wenn auch durch humanere Mittel seine Schuld zu büßen hat.

Nach einem sechsjährigen Kampf, der einst in die Geschichte trotz aller Rückschläge als ruhmvollste und tapferste Bekundung des Lebenswillens eines Volkes eingehen wird, kann ich mich nicht von der Stadt trennen, die die Hauptstadt dieses Reiches ist. Da die Kräfte zu gering sind, um dem feindlichen Ansturm gerade an dieser Stelle noch standzuhalten, der eigene Widerstand aber durch ebenso verblendete wie charakterlose Subjekte allmählich entwertet wird, möchte ich mein Schicksal mit jenem teilen, das Millionen andere auf sich genommen haben, indem ich in dieser Stadt bleibe. Außerdem will ich nicht Feinden in die Hände fallen, die zur Belustigung ihrer verhetzten Massen ein neues, von Juden inszeniertes Schauspiel benötigen.

Ich habe mich daher entschlossen, in Berlin zu bleiben und dort aus freien Stücken in dem Augenblick den Tod zu wählen, in dem ich glaube, daß der Sitz des Führers und Kanzlers nicht mehr gehalten werden kann. Ich sterbe mit freudigem Herzen angesichts der mir bewußten unermeßlichen Taten und Leistungen unserer Soldaten an der Front, unserer Frauen zu Hause, den Leistungen unserer Bauern und Arbeiter und dem in der Geschichte einmaligen Einsatz unserer Jugend, die meinen Namen trägt.

Daß ich ihnen allen meinen aus tiefstem Herzen kommenden Dank ausspreche, ist ebenso selbstverständlich, wie mein Wunsch, daß sie deshalb den Kampf unter keinen Umständen aufgeben mögen, sondern ganz gleich, wo immer, ihn gegen die Feinde des Vaterlandes weiterführen, getreu den Bekenntnissen eines großen Clausewitz. Aus dem Opfer unserer Soldaten und aus meiner eigenen Verbundenheit mit ihnen bis in den Tod wird in der deutschen Geschichte so oder so einmal wieder der Same aufgehen zur strahlenden Wiedergeburt der nationalsozialistischen Bewegung und damit Verwirklichung einer wahren Volksgemeinschaft.

Viele tapferste Männer und Frauen haben sich entschlossen, ihr Leben bis zuletzt an das meine zu binden. Ich habe sie gebeten und ihnen endlich befohlen, dies nicht zu tun, sondern am weiteren Kampf der Nation teilzunehmen. Die Führer der Armeen, der Marine und der Luftwaffe bitte ich, mit äußersten Mitteln den Widerstandsgeist unserer Soldaten im nationalsozialistischen Geist zu verstärken, unter dem besonderen Hinweis darauf, daß auch ich selbst als der Gründer und Schöpfer dieser Bewegung den Tod dem feigen Absetzen oder gar einer Kapitulation vorgezogen habe.

Möge es dereinst zum Ehrbegriff des deutschen Offiziers gehören — so wie dies in unserer Marine schon der Fall ist — daß die Übergabe einer Landschaft oder einer Stadt unmöglich ist und daß vor allem die Führer hier mit leuchtendem Beispiel voranzugehen haben in treuester Pflichterfüllung bis in den Tod.

Zweiter Teil des politischen Testaments

Ich stoße vor meinem Tode den früheren Reichsmarschall Hermann Göring aus der Partei und entziehe ihm alle Rechte, die sich aus dem Erlaß vom 29. Juni 1941 sowie aus meiner Reichstagserklärung vom 1. September 1939 ergeben könnten.

Ich ernenne an dessen Stelle den Großadmiral Dönitz zum Reichspräsidenten und Obersten Befehlshaber der Wehrmacht.

Ich stoße vor meinem Tode den früheren Reichsführer SS und Reichsminister des Innern, Heinrich Himmler, aus der Partei sowie allen Staatsämtern aus. Ich ernenne an seiner Stelle den Gauleiter Karl Hanke zum Reichsführer SS und den Gauleiter Paul Giesler zum Reichsminister des Innern. Göring und Himmler haben durch geheime Verhandlungen mit dem Feinde, die sie ohne mein Wissen und gegen meinen Willen abhielten, sowie durch den Versuch, entgegen dem Gesetz die Macht im Staate an sich zu reißen, dem Lande und dem gesamten Volk unabsehbaren Schaden zugefügt, gänzlich abgesehen von der Treulosigkeit gegenüber meiner Person.

Um dem deutschen Volk eine aus ehrenhaften Männern zusammengesetzte Regierung zu geben, die die Verpflichtung erfüllt, den Krieg mit allen Mitteln weiter fortzusetzen, ernenne ich als Führer der Nation folgende Mitglieder des neuen Kabinetts: Reichspräsident: Dönitz, Reichskanzler: Goebbels, Parteiminister: Bormann, Außenminister: Seyss-Inquart, Innenminister: Gauleiter Giesler, Kriegsminister: Dönitz, Oberbefehlshaber des Heeres: Schörner, Oberbefehlshaber der Kriegsmarine: Dönitz, Oberbefehlshaber der Luftwaffe: Greim, Reichsführer der SS und Chef der deutschen Polizei: Gauleiter Hanke, Wirtschaft: Funk, Landwirtschaft: Backe, Justiz: Thierack, Kultus: Dr. Scheel, Propaganda: Dr. Naumann, Finanzen: Schwerin-Krosigk, Arbeit: Dr. Hupfauer, Rüstung: Saur, Leiter der deutschen Arbeitsfront und Mitglied des Reichskabinetts: Reichsminister Dr. Ley.

Obwohl sich eine Anzahl dieser Männer wie Martin Bormann, Dr. Goebbels usw. einschließlich ihrer Frauen aus freiem Willen zu mir gefunden haben und unter keinen Umständen die Hauptstadt des Reiches verlassen wollten, sondern bereit waren, mit mir unterzugehen, muß ich sie doch bitten, meiner Aufforderung zu gehorchen und in diesem Falle das Interesse der Nation über ihr eigenes Gefühl zu stellen. Sie werden mir durch ihre Arbeit und ihre Treue als Gefährten nach dem Tode ebenso nahestehen, wie ich hoffe, daß mein Geist unter ihnen weilen und sie stets begleiten wird. Mögen sie hart sein, aber niemals ungerecht, mögen sie vor allem nie die Furcht zum Ratgeber ihres Handelns erheben und die Ehre der Nation über alles stellen, was es auf Erden gibt. Mögen sie sich endlich bewußt sein, daß unsere Aufgabe des Ausbaues eines nationalsozialistischen Staates die Arbeit kommender Jahrhunderte darstellt, die jeden einzelnen verpflichtet, immer dem gemeinsamen Interesse zu dienen und seine eigenen Vorteile dem gegenüber zurückzustellen. Von allen Deutschen, allen Nationalsozialisten, Männern und Frauen und allen Soldaten der Wehrmacht, verlange ich, daß sie der neuen Regierung und ihrem Präsidenten treu und gehorsam sein werden bis in den Tod.

Vor allem verpflichte ich die Führung der Nation und die Gefolgschaft zur peinlichen Einhaltung der Rassengesetze und zum unbarmherzigen Widerstand gegen den Weltvergifter aller Völker, das internationale Judentum.

Gegeben zu Berlin, den 29. April 1945, 4.00 Uhr Adolf Hitler

Als Zeuge:

Dr. Joseph Goebbels — Wilhelm Burgdorf
Martin Bormann — Hans Krebs

Internationaler Militärgerichtshof 3569 — PS, Teil II, zit. nach Max Domarus, Hitler. Reden und Proklamationen 1932—1945. Süddeutscher Verlag München 1965, S. 2236—2239.

Kommentar: Das Politische Testament Hitlers war zwar mit dem Blick auf die Nachwelt verfaßt, in erster Linie eine Rechtfertigung für den Leidensweg, den Hitler sein deutsches Volk geführt hatte, aber es wird doch daraus deutlich, wie entscheidend die jüdische Frage in Hitlers Denken war. Das internationale Judentum war nach seiner Überzeugung der Urheber des Zweiten Weltkrieges und er habe nie einen Zweifel daran gelassen, daß es dafür, wenn auch „durch humanere Mittel" (mit diesem Ausdruck verdeckt er schönfärberisch das grauenvolle Geschehen in Konzentrationslagern und Gaskammern) zu büßen haben werde. Tatsächlich hatte der deutsche Reichskanzler am 30. Januar 1939 vor dem Reichstag erklärt: „Wenn es dem internationalen Finanzjudentum innerhalb und außerhalb Europas gelingen sollte, die Völker noch einmal in einen Weltkrieg zu stürzen, dann wird das Ergebnis nicht die Bolschewisierung der Erde und damit der Sieg des Judentums sein, sondern die Vernichtung der jüdischen Rasse in Europa" (Völkischer Beobachter, Süddeutsche Ausgabe, Nr. 32, 1. 2. 1939, S. 3).

Von den Ministern, mit denen Hitler am 30. Januar 1933 die Regierungsarbeit begonnen hatte, war nur der Finanzminister Graf Schwerin von Krosigk übriggeblieben. An einen Post- bzw. Verkehrsminister hat Hitler nicht mehr gedacht. Neben den wenigen Fachleuten für Finanzen, Wirtschaft, Landwirtschaft,

Justiz, Propaganda, Arbeit und Rüstung und den Befehlshabern der drei Wehrmachtsteile handelt es sich bei den Ministern ausschließlich um hohe Parteifunktionäre, wobei allein drei Gauleiter neu ins Kabinett aufgenommen wurden (Scheel, Giesler und Hanke). Bemerkenswert ist, daß Hitler letztwillig die von ihm 1934 verfassungswidrig herbeigeführte Vereinigung der Ämter des Reichspräsidenten und des Reichskanzlers wieder aufhob, daß er die unter ihm selbst als höchst unglücklich erwiesene Verbindung des Obersten Befehlshabers der Wehrmacht mit dem Amt des Kriegsministers und dem Oberbefehl über eine Teilstreitmacht (in Dönitz) beibehielt. Nicht geklärt war die Frage, wer der oberste Parteiführer hätte sein sollen — Dönitz oder Bormann.

Die Berufung auf den Geist von Clausewitz ist sehr eigenartig; denn gerade dieser Militärtheoretiker des 19. Jahrhunderts hatte sich für den Vorrang der Politik vor dem Militärischen ausgesprochen.

Hitlers „16-Punkte" zur Lösung des Konflikts mit Polen wurden erst am 31. August 1939, 21.15 Uhr, dem britischen Botschafter in Berlin übergeben.

3. Verwirklichtes

Nr. 17 Das Dritte Reich naht

Der Traum ist aus . . .

Vom Süden bis zur Waterkant geht es von Mund zu Mund:
Aus Mecklenburg, vom Hessenland dringt letzte Siegeskund'!
Und wo nach altem Recht und Fug fürs Parlament votiert,
wird roter Bonzen Lug und Trug im *besten Sinn* quittiert!

Der Siege werden täglich mehr! Das Endziel liegt nicht weit!
Vorwärts marschiert das braune Heer im Takt der neuen Zeit!
Wo *gestern* noch die rote Macht hemmend im Wege stand,
hat die *Idee heut* über Nacht die *Schranken eingerannt!*

Derweilen kracht es im *System schwarz-roter Kumpanei!*
Sie macht die Sache sich bequem durch Lug und Hetzerei!
Durch Bürgerkrieg und Straßenschlacht! Sie hetzt von Haus zu Haus!
Was sie für *Braunschweig* auserdacht, führt sie in Bremen aus! —

Mit Spitzelei wird nicht regiert!? Doch wenn das Gegenteil
bewiesen ist, wird *dementiert!* Das *letzte* Rettungsseil!
Und *trotz Beweise im Prozeß,* dreht man geschickt das Ding
kurfürstendammisch flott und keß! Nicht wahr, Herr Severing?

Doch selbst auch *diese* Hoffnung flieht! Es brodelt überall!
Kam doch im roten Ruhrgebiet der Bonzen Macht zu Fall!
Der Traum ist aus, das Volk erwacht! Es rammt den letzten
Deich!
Novemberdeutschland stürzt und kracht! *Es naht das Dritte
Reich!*

Pidder Lüng

Illustrierter Beobachter Nr. 47 (27. 11. 1931), S. 1077.

Kommentar: Die Wochenzeitung „Illustrierter Beobachter" hatte nach eigenen Angaben 1931 eine Druckauflage von 400 000. Pidder Lüng ist ein Tarnname für den 1895 geborenen Schriftleiter des Illustrierten Beobachters Bernd Lembeck. (Carl) Severing war preußischer Innenminister vom 5. 11. 1921 bis 6. 10. 1926 und vom 22. 10. 1930 bis 21. 5. 1932.

Nr. 18 Die Verherrlichung Hitlers

[Nach längeren Ausführungen über Nörgler und die Kritik durch deutsche Emigranten.] Um so mehr aber müssen wirkliche nationalsozialistische Führer dafür Sorge tragen, daß berechtigte Kritik dorthin durchdringt, wo die Möglichkeit besteht, Besserung zu schaffen. Ich erwarte von den Führern des Nationalsozialismus, daß sie mit offenen Augen und offenen Ohren durch den ihnen anvertrauten Befehlsbereich gehen und alles, was der Kritik wert ist und durch Kritik geändert werden kann, nach oben melden, wobei sie auch der nüchternen Selbstkritik nicht vergessen mögen.

Um so mehr wird derjenige, der lange in der Bewegung des Führers zu stehen die Ehre hatte, großzügig sein gegenüber menschlichen Eigenarten und Schwächen bei Führern des Nationalsozialismus, wenn sie Hand in Hand gehen mit großen Leistungen. Und er wird — das unterscheidet ihn ja gerade vom Kritikaster — mit den großen Leistungen die kleinen Schwächen verzeihen, statt umgekehrt die kleinen Schwächen herausstellen, um die Leistungen zu schmälern.

Wir Nationalsozialisten sind eine große deutsche Familie — jede Familie hat auch ungeratene Kinder.

Parteigenossen und Volksgenossen, ich bin weit entfernt von einem Vollkommenheitsstandpunkt für alle Nationalsozialisten. Eine Millionenorganisation mit nur vollkommenen Führern ist undenkbar auf dieser Welt. Daraus ergibt sich natürlich auch, daß an den Maßnahmen mancher Unterführer Kritik nicht nur berechtigt, sondern auch notwendig sein kann. Es darf keiner, der berechtigte Kritik an zuständiger Stelle vorbringt, im übrigen aber zur Bewegung gehört und seine Arbeit für die Bewegung geleistet hat, deswegen in irgendeiner Form benachteiligt werden.

Ich bin mir bewußt: Bei jeder großen Massenbewegung stellt sich hin und wieder heraus, daß ein Unterführer an einen falschen Platz geraten ist — selbstverständlich wird von uns dann eingegriffen.

Demjenigen Parteigenossen aber, der eben wirklich an irgendeinem Ort in Deutschland unter solch einem Unterführer leidet, rufe ich zu: Vergiß nie, was aus Deutschland geworden ist. Was ist die Last, die da und dort ein nicht ganz zulänglicher Unterführer bedeutet, gegenüber der Last, die das Deutschland der Unehre und des Niedergangs dir aufbürdete.

Mit Stolz sehen wir: Einer bleibt von aller Kritik stets ausgeschlossen — das ist der Führer. Das kommt daher, daß jeder fühlt und weiß: Er hatte immer recht und wird immer recht haben. In der kritiklosen Treue, in der Hingabe an den Führer, die nach dem Warum im Einzelfalle nicht fragt, in der stillschweigenden Ausführung seiner Befehle, liegt unser aller Nationalsozialismus verankert. Wir glauben daran, daß der Führer einer höheren Berufung zur Gestaltung deutschen Schicksals folgt: An diesem Glauben gibt es keine Kritik!

Rede von Reichsminister Rudolf Heß über den Rundfunk am 25. 6. 1934, zitiert nach: Rudolf Heß, Reden. Franz Eher München 1938, S. 24—25.

Kommentar: Die Rede hatte unter anderem die Aufgabe, die in den ersten 15 Monaten der Regierung Hitlers in verschiedenen Teilen der Bevölkerung, aber auch innerhalb der N.S.D.A.P. laut gewordene Kritik vor allem an der Stellenbesetzung zurückzuweisen. Dabei wurden zwar Mißgriffe als durchaus denkbar eingeräumt, aber Hitler grundsätzlich von aller Kritik ausgenommen. Dieser Verzicht auf Kritik gegenüber dem „Führer" ist dann in den folgenden zehn Jahren in Deutschland fast Allgemeingut geworden.

Nr. 19 Die Arbeit für Führer und Vaterland

Unsere Spaten sind Waffen im Frieden,
unsere Lager sind Burgen im Land.
Gestern in Stände und Klassen geschieden,
gestern der eine vom andern gemieden,
graben wir heute gemeinsam im Sand.
Treu dem Befehl des Führers,
Stoßtrupp des Friedens zu sein,
ziehn wir mit Hacke und Schaufel und Spaten
stolz in die Zukunft hinein.

Unsere Spaten sind Waffen der Ehre,
unsere Lager sind Inseln im Moor,
daß sich das Land unsrer Väter vermehre,
daß sich die Heimat des Hungers erwehre,
graben wir Acker aus Ödland hervor.
Treu dem Befehl des Führers,
Stoßtrupp der Ehre zu sein,
ziehn wir mit Hacke und Schaufel und Spaten
stolz in die Zukunft hinein.

Unsere Spaten sind Waffen im Glauben,
unsere Lager sind Türme im Land,
wer uns den Glauben an Deutschland will rauben,
alle Verhetzten, Verstockten und Tauben
graben wir klaftertief in den Sand.
Treu dem Befehl des Führers,
Stoßtrupp des Glaubens zu sein,
ziehn wir mit Hacke und Schaufel und Spaten
stolz in die Zukunft hinein.

Verfasser Thilo Scheller, in: Sturm- und Kampflieder für Front und Heimat. Ausgabe 1941. Propaganda-Verlag Paul Hochmuth Berlin, S. 34.

Kommentar: Thilo [Theodor] Scheller war ein Reichsarbeitsdienstführer aus Niedersachsen (1897 geboren), der eine Reihe von Schriften für die Praxis des RAD und Romane schrieb. Aus dem Wortlaut der 3. Strophe könnte man ableiten, daß der Verfasser bereits ankündigte, daß die politischen Gegner umgebracht und verscharrt werden würden; aber es ist durchaus möglich, daß dieses Bild nur in übertragenem Sinne gemeint war.

Nr. 20 Die Notwendigkeit der Autarkie

„Wer den Frieden will, muß zum Kriege gerüstet sein."

Diese alte Wahrheit ist nun auch in unserem Volke wieder zur Geltung gekommen, nachdem uns ihre Nichtbeachtung an den Rand des Verderbens gebracht hatte. Das Deutschland Adolf Hitlers hat wieder aufgerüstet und ist nun wehrhaft wie einst, ja, es ist viel umfassender aufgerüstet als ehedem. Daß uns das gelungen ist, ohne daß unsere Gegner es zu hindern wagten, gehört mit zu den vielen Wundern dieser Zeit.

Einst dachte man, es sei genug, für den Krieg ein starkes Heer, wohldurchdachte Aufmarschpläne und einen hinreichenden Vorrat an Waffen und Kriegsmaterial zu haben. Als wir 1914 in den furchtbaren Krieg gerieten, da waren wir denn auch nach *dieser* Seite hin wohl gerüstet, wenn allerdings auch noch mehr hätte geschehen müssen, wie sich bald zeigte. Unser Heer war aber wirklich auf der Höhe. Und wahrlich, es hat Ungeheures geleistet. Und doch war unsere Rüstung nur unvollkommen, weil Deutschland nicht *wirtschaftlich* gerüstet war. Das kam vor allem daher, daß es allgemein als unumstößliche Meinung galt, ein moderner Krieg könne nur von kurzer Dauer sein. Es galt ja einfach als selbstverständlich, daß kein Land und Volk die furchtbare Last eines längeren Krieges mit solchen Riesenheeren ertragen könne. Wir haben erfahren, daß auch Völker viel mehr ertragen können, als sie glauben, solange noch keine Notwendigkeit auf Tod und Leben vorliegt. Und auch im spanischen Krieg zeigt es sich wieder, daß die modernen Kriege lange dauern.

Der fast völlige Mangel an wirtschaftlicher Ausrüstung war 1914 ein verhängnisvoller schwacher Punkt. Er hat uns den Krieg so unendlich schwer gemacht. Dieser schwache Punkt war eine der wesentlichsten Ursachen dafür, daß die anfangs so feste moralische Haltung des Volkes untergraben und die Widerstandskraft so erschüttert wurde, daß sie schließlich ganz zusammenbrach. Die Versuche, während des Krieges das zu schaffen und zu tun, was vorher nicht erkannt und getan war, scheiterten, zumal sich leider zu viele Leute einzuschalten wußten, die dabei ihr Schäfchen ins Trockene zu bringen suchten, und denen auch nichts an einem Siege Deutschlands lag. Auch in diesem so traurigen Kapitel haben die *Juden* eine überaus schlimme Rolle gespielt. Es braucht ja nur an den wahnwitzigen Schweinemord von 1915 erinnert zu werden.

Es ist doch ein *sehr* beruhigendes Gefühl, daß die Führung des Dritten Reiches so klar die ungeheure Bedeutung einer *totalen* Rüstung für den Fall der Not erkannt hat, und daß sie diese mit einer einzigartigen Tatkraft und Umsicht durchführt. Wenn in späterer Zeit das einmal vor aller Welt offenbar wird, dann wird man erst begreifen, was in unseren Tagen geleistet ist. Wenn schon der Weltkrieg ein ganz anderes Gepräge trug als die anderen Kriege der neueren Zeit, z. B. der von 1870/71, so würde sich das in einem etwaigen neuen Krieg erst recht zeigen. Tritt aber dieser Fall sein, dann wird das *ganze* Volk mobilisiert werden, Männer und Frauen, Junge und Alte, auch die ältesten, sofern sie noch irgendetwas zu tun vermögen. Es sei bloß auf den Luftschutz hingewiesen, der eine Bedeutung gewinnen wird, von der wir uns trotz unserer Luftschutzübungen doch schwerlich eine richtige Vorstellung machen können. Was hätte es für den Ausgang des Weltkrieges zu bedeuten gehabt, wenn wir damals in unserer Volksernährung und in der Rohstoffversorgung unabhängig vom Ausland gewesen wären! Dann hätte uns die folgenschwere englische Hungerblockade nicht so furchtbar treffen können, wie es nun der Fall war.

Es kommt alles darauf an, daß Deutschland im Kriegsfall sich so weitgehend selbst helfen und versorgen kann, wie es nur irgend möglich ist. Solange das nicht erreicht ist, haben unsere Nachbarn immer noch die Hand an unserer Gurgel, und wenn sie zudrücken — und sie würden das erbarmungslos tun, dann ginge uns bald der Atem aus, so wie während des letzten Krieges. Was helfen dann aber alle militärischen Großtaten, sofern sie nicht durchbrechend Luft schaffen! Und das ist bei der heutigen Kriegstechnik außerordentlich schwer. Unsere Heere haben, das sage ich noch einmal, in dem mehr als vierjährigen Krieg Gewaltiges geleistet, aber sie mußten am Ende doch weichen, weil es nicht nur an der Front, sondern auch in der Etappe und in der Heimat an so vielem fehlte, was nun einmal nicht entbehrt werden kann. Und dadurch wurde denen, die die Niederlage Deutschlands wollten, ihre zersetzende Tätigkeit so leicht gemacht.

Ich betone immer wieder: *der zweite Vierjahresplan, mit dessen Durchführung jetzt begonnen ist, hat eine unermeßliche Bedeutung!* Ich bin der festen Zuversicht, daß er gelingen wird! Aber er *muß* auch unbedingt gelingen, soweit das überhaupt in Menschen Willen und Menschen Kraft liegt; denn im Ernstfall geht es um Sein oder Nichtsein. Immer wieder bitte, ja beschwöre ich die Volksgenossen aller Stände und Berufsklassen, welche ich mit meinen Worten erreichen kann:

Tut ihr doch an eurem Teil alles, was ihr nur irgend könnt, um dem Vierjahresplan zur Durchführung zu helfen! Hört nicht auf die, die aus Engstirnigkeit und Unverstand die Notwendigkeit der Maßnahmen nicht verstehen oder aus selbstsüchtigen Gründen und reaktionärer Einstellung vielleicht auch nicht verstehen wollen! Jeder hat gegen sein Volk, gegen seinen Führer, aber auch gegen sich selbst und seine Familie die unbedingte Pflicht, sich für diese große Sache völlig einzusetzen und auch all denen entgegenzutreten, die nicht guten Willens sind, oder die, um mit einem Hiobswort zu sprechen, „reden wie die törichten Weiber".

Es darf für unsere innere und äußere Haltung wirklich nicht bestimmend sein, ob uns diese oder jene Maßnahme persönlich bequem oder unbequem, vorteilhaft oder nachteilig ist, auch nicht, ob wir sie als verkehrt oder richtig ansehen. Denn unsere Wirtschaftslage im Großen richtig zu beurteilen, sind wir ebensowenig fähig, wie es im Kriege der einfache Soldat oder Unteroffizier oder der Durchschnittsfrontoffizier bezügl. der ganzen Front war. Die sahen ja auch im wesentlichen nur ihren kleinen Abschnitt, konnten aber nicht das große Ganze und seine Notwendigkeiten überblicken. Und selbst wenn etwas nicht richtig angefaßt wäre: immer noch zehnmal besser, als wenn gar nichts gemacht würde. Und auch im Großen gilt es: wer noch nichts verkehrt machte, der hat wahrscheinlich überhaupt wenig geleistet. Es ist doch sicherlich ganz unvergleichlich besser, allerlei Unbequemlichkeiten und nebensächliche Einschränkungen in den Kauf zu nehmen, als daß man wieder, wenn es hart auf hart geht, das erlebt, was wir während des großen Krieges erfahren haben. Bedenkt, es geht um Deutschland! Es geht aber auch um dich selbst und um die Deinen! Denn wenn es unserem Volk schlecht geht, dann geht es uns allen schlecht, höchstens einige habgierige, gewissenlose Aasgeier werden „gesund" dabei. Wir aber, die wir uns um den Zeitspiegel scharen, sollten nach unserer ganzen Einstellung das alles besonders klar erkennen und sollten auch wissen, daß im willigen Gehorsam und in der selbstlosen Hingabe an eine große Sache auch zugleich ein hoher geistlicher Gewinn steckt, den man freilich meistens erst nachher richtig erkennt.

Wir haben auch die Aufgabe, in unserm Kreis den schiefen, verkehrten Auffassungen und der oberflächlichen und kurzsich-

tigen Beurteilung und allem unverständigen und bösartigen Nörgeln entgegenzutreten. Nicht erregt und polternd, sondern ruhig, sachlich, aufklärend. Gerade diese Aufklärung im Kleinen, in Familienkreisen und bei Familienfesten, bei Gesprächen in Pausen und auf dem Wege bietet soviel Gelegenheit, hier einen wirklich vaterländischen Hilfsdienst zu tun, der dann auch zugleich ein innerer Hilfsdienst für die ist, denen er geleistet wird. Wenn ich mir über eins gewiß bin, dann ist es das, daß unser Führer keinen Krieg will und keinen Angriff vorbereitet. Er und viele seiner engsten Mitarbeiter wissen aus Erfahrung, was Krieg ist und was er für Land und Volk bedeutet. Aber der Führer erfüllt die höchste Pflicht seines ihm anvertrauten Amtes, wenn er alles tut, was er nur zu tun vermag, um Deutschland in den größtmöglichen Verteidigungszustand zu versetzen. Nächst Gottes Bewahrung schützt uns nichts so sehr vor den Schrecken eines Krieges als solches Gerüstetsein nach allen Seiten und in jeder Beziehung.

Zeitspiegel Nr. 20 (16. Mai 1937), S. 77/78.

Kommentar: Der Herausgeber und alleiniger Verfasser dieser „wöchentlichen Zeitschau", Wilhelm Goebel, Wuppertal-Barmen, stand den evangelischen Freikirchen nahe. Seine Ausführungen lassen deutlich erkennen, wie das Erlebnis des Ersten Weltkrieges und ein gläubiges Vertrauen zu Hitler seine Haltung zur Autarkie-Politik prägten. Die Wirkung solcher Artikel in Kreisen evangelischer Christen war sicherlich nicht gering.

Nr. 21 Die Moral der Partei im Kriege

Ist der Krieg befohlen — kennt das deutsche Volk nur einen Gedanken: Sieg! Verantwortlich für die militärische Schlagkraft der Nation ist die Wehrmacht. Verantwortlich für die innere Leistungsfähigkeit des deutschen Volkes ist die Partei.

Unsere Waffen sind an Zahl und Güte unerreicht!

Unsere innere Organisation ist vorbildlich!

Der entscheidende Faktor im Kriege ist die Moral des Sieges im ganzen Volk: die Moral des Sieges bei den Männern, die die Waffen führen und die Moral des Sieges in der Heimat, die der Front seelische und materielle Kraftquelle ist.

Der eherne Rückhalt dieser Moral ist die NSDAP.

Sie erhält die Heimat politisch stark, materiell leistungsfähig und moralisch unbeugsam!

Sorgsam ist der Plan abgewogen, nach welchem der Einsatz der inneren Kräfte durch die Partei erfolgt. Er wird hiermit den verantwortlichen Männern der NSDAP übergeben. Die Erfüllung der ihnen in diesem Plane zugewiesenen Pflichten ist selbstverständlich!

Der Weltkrieg hat die Notwendigkeit klar abgegrenzter straffer Führungs-, Befehls- und Verantwortungsverhältnisse bewiesen. Die Erfahrungen des letzten Weltkrieges sind genutzt; ein klarer Umriß der Aufgaben ist geschaffen.

Die Partei garantiert, daß die ihr obliegenden Aufgaben aufs Genaueste durchgeführt werden.

Die Partei wird der Front der waffenführenden Männer ein unerschütterlicher Rückhalt sein!

Ist die Wehrmacht Garant des Sieges an der Front — so ist die Partei Garant des Sieges in der Heimat! Unser Glaube heißt Sieg — denn er heißt Adolf Hitler!

Deine Pflichten

1. Der Führer tut immer das Rechte für das deutsche Volk. Durch ihn gestaltet die Allmacht deutsches Schicksal. Jeder Befehl, den er gibt, ist notwendig für die Zukunft Deutschlands.
2. Befolge bedingungslos und genauestens jeden dir gegebenen Befehl.
3. Gib nur klare und unmißverständliche Befehle.
4. Sprich nie in früher üblichen „patriotischen“ Phrasen.
5. Verbreite keine Illusionen und hüte Dich vor Schwarzsehen. Das Wort eines Hoheitsträgers der Bewegung und besonders eines alten Mitkämpfers des Führers kann in ernster Zeit zehnfach wiegen.
6. Bleibe in Deinem politischen Handeln stets im Angriff. Laß Dich nie in die Verteidigung drängen.
7. Zeige Dich in jeder Lage als der einsatzbereiteste und opferbereiteste Gefolgsmann des Führers. Sei im Opfern und Entbehren Vorbild. Halte stets Gemeinschaft mit Deinen Volksgenossen. Gib ihnen keinen Anlaß zum Glauben, daß Dein Schicksal im Kriege ein anderes sei als das ihre.
8. Zeige stets Mut, Kaltblütigkeit und Zuversicht. An Deiner Ruhe und Deinem unerschütterlichen Glauben erheben sich Deine Volksgenossen.

9. Setze Dich unermüdlich für die Durchführung der Dir gegebenen Aufgaben ein.
10. Sei bereit, schnell und auf eigene Faust zu handeln und höchste Anforderungen auf Dich zu nehmen, wenn es die Lage erfordert.
11. Poche nie kleinlich auf „Zuständigkeiten". Rufe keine Eifersüchteleien zwischen Organisationen außerhalb und innerhalb der Partei hervor, und dulde solche Eifersüchteleien auch bei Deinen Untergebenen nicht. Bringe Reibungen sofort in Ordnung und warte nicht, bis erst die vorgesetzte Instanz eingreifen muß. Übe und dulde keine Bürokratie.
12. Gliedere Deine Arbeit stets dem Ganzen ein. Tue Deine Pflicht und rede nicht von ihr.
13. Glaube nie, daß Dir jemand glaubt, wenn Du selbst oder Deine Familie anders handeln, als Du sprichst. Auf Deine Lebensführung wird man besonders achten.
14. Bewahre Dir stets einen klaren Blick über die Verhältnisse.
15. Sei hart und energisch auch bei der Vertretung jener Maßnahmen, deren Notwendigkeit der Bevölkerung und vielleicht Dir selbst nicht ohne weiteres einleuchtend ist.
16. Glaube nie, daß die geringste Deiner Aufgaben unwichtig sei. Handle stets, als käme es allein auf Dich an.

    Je höher der Dienstgrad — desto besser das Vorbild — umso straffer die Disziplin!

In 1000 Ausfertigungen an die höheren Parteiführer verteiltes Rundschreiben des Stellvertreters des Führers, Abteilung M, undatiert. Bundesarchiv Koblenz, NS 6/146. Facsimile-Abdruck, in: Deutschland im Zweiten Weltkrieg, hrsg. von einem Autorenkollektiv unter Leitung von Wolfgang Schumann und Gerhart Hass. Bd. 1 (Akademie Verlag Berlin 1974), S. 208/209.

Kommentar: Vom Staat als dem Träger der Verwaltung ist in diesem Dokument überhaupt nicht die Rede. Einerseits „garantiert" die Partei selbstsicher die Durchführung der ihr übertragenen Aufgaben, andererseits werden die Führer der Partei fast beschwörend ermahnt, in ihrer Arbeit und ihrer Haltung einen ausführlichen Moralkatalog zu beachten.

Nr. 22 Schutzhaftbefehl

Geheime Staatspolizei *Berlin SW 11, den 2. 3. 1940*
Geheimes Staatspolizeiamt *Prinz-Albrechtstr. 8*
IV C 2 (II D) M. Nr. W 7361

Vor- und Zuname: Arnold Weiß-Rüthel
Geburtstag und Ort: 21. 2. 00. München
Beruf: Schriftsteller
Familienstand:
Staatsangehörigkeit: R[eichs] D[eutscher]
Religion:
Rasse (bei Nichtariern anzugeben):
Wohnort und Wohnung: München, Hohenzollernstr. 13/0
wird in Schutzhaft genommen.

Gründe:

Er — xxx — gefährdet nach dem Ergebnis der staatspolizeilichen Feststellungen durch sein — xxx — Verhalten den Bestand und die Sicherheit des Volkes und Staates, indem er — xxx — dadurch [...], daß er in den von ihm verfaßten Tagebuchaufzeichnungen und in seinem Manuskript der „Volkswitz" den Nationalsozialismus [...] und Mitglieder der Reichsregierung verächtlich macht, seine staatsfeindliche, auf Zersetzung des Nationalsozialismus hinzielende Einstellung erkennen läßt und unter Berücksichtigung seiner ablehnenden Haltung Anlaß zu der Befürchtung gibt, er werde sich bei vorzeitiger Freilassung insbesondere in der Kriegszeit gegen die Interessen des deutschen Reiches betätigen.

gez. Heydrich

Rundstempel der Geheimen Staatspolizei

Beglaubigt:
(Unterschrift unleserlich)
Kanzleiangestellte

Umschlag zu Arnold Weiß-Rüthel, Nacht und Nebel. 2. Aufl. Herbert Kluger, München 1947.

Kommentar: Der Schriftsteller Weiß-Rüthel war der Gestapo als dem Regime nicht gerade freundlich gegenüberstehender Mann bekannt, eine Haussuchung brachte im März 1940 sein Tagebuch in die Hände der politischen Polizei, gegen dessen unverhüllte Sprache kein Argument mehr helfen konnte. Es konnten dem Schutzhäftling aber keine Handlungen gegen das Regime nachgewiesen werden. Dennoch mußte er aufgrund des Schutzhaftbefehls fünf Jahre im Konzentrationslager Sachsenhausen bei Berlin verbringen und wurde erst im März 1945 zur Wehrmacht entlassen.

Die kursiv gesetzten Teile des Dokumentes sind im Original vorgedruckt, die übrigen mit Schreibmaschine ausgefüllt.

Nr. 23 Überwachung ehemaliger politischer Häftlinge

Rundschreiben des Präsidenten des Geheimen Staatspolizeiamtes Sachsen an die Herren Polizeipräsidenten zu Dresden, Leipzig, Chemnitz, Herren Polizeidirektoren zu Plauen und Zwickau, Herren Amtshauptleute, Herren Bürgermeister der Städte, denen die Befugnisse der unteren Verwaltungsbehörde voll übertragen sind, vom 7. März 1936:

Betrifft: Nachüberwachung entlassener politischer Strafgefangener.
Ausfüllen der Übersichtsblätter.

I. Es hat sich wiederholt herausgestellt, daß politische Strafgefangene aus der Strafhaft entlassen wurden, ohne daß von den betreffenden Justizbehörden die erforderliche Anzeige hier eingereicht worden ist. Der Herr Generalstaatsanwalt zu Dresden hat deshalb auf seine Veranlassung [recte: meine Veranlassung] erneut auf Befolgung der wegen der Nachüberwachung entlassener politischer Strafgefangener erlassenen Vorschriften hingewiesen. Es wird deshalb in Zukunft möglich sein, die Anordnung der Nachüberwachung rechtzeitig vor Entlassung aus der Strafhaft vorzunehmen. Sollte jedoch in einzelnen Fällen Entlassung aus der Strafhaft erfolgen, bevor die hiesige Anweisung eingegangen ist, so ersuche ich, die betreffende Person vorläufig unter verschärfte Nachüberwachung zu stellen und mir davon Mitteilung zu machen.

II. Bei Überprüfung der von einzelnen Überwachungsbehörden hierher gegebenen Übersichtsblätter, die wegen Abmeldung der überwachten Person einer außersächsischen Polizeibehörde zugeleitet werden sollten, hat sich wiederholt herausgestellt, daß die Übersichtsblätter außerordentlich mangelhaft ausgefüllt waren. Häufig ging aus ihnen über die politische Einstellung der betr[effenden] Person nichts hervor, so daß es zwecklos war, das Übersichtsblatt der in Frage kommenden neuen Überwachungsbehörde zu übersenden. Ich ersuche deshalb, die Übersichtsblätter auf Grund der dort vorhandenen Akten genau auszufüllen.

Im Auftrage: gez. Kaufmann

Gedruckt, in: SS im Einsatz. Eine Dokumentation über die Verbrechen der SS. Hrsg. vom Komitee der antifaschistischen Widerstandskämpfer in der DDR. Kongress-Verlag Berlin 1960, S. 69.

Kommentar: Diese Anordnung wurde natürlich reichseinheitlich gegeben; das Beispiel stammt nur deshalb aus einem sächsischen Archiv, weil hier die Herausgeber auf einen durch Kriegsereignisse wenig gestörten Aktenbestand trafen.

Der Amtshauptmann entsprach in Sachsen dem Landrat in den übrigen Ländern.

Die Verfügung bedeutete das Eingeständnis, daß die Polizei von dem in ihrem Sinne positiven Ergebnis der von politischen Gegnern verbüßten Strafe, gleich Umerziehung, nicht überzeugt war.

Nr. 24 Kampf gegen die Kirchen

Mündliche Erklärungen des Kirchenreferenten beim Reichsstatthalter des Warthegaus gegenüber Vertretern des Posener evangelischen Konsistoriums am 10. Juli 1940:

Daß der Führer gewillt ist, auch im Kriege das Verhältnis zwischen Kirche und Staat eindeutig zu klären, beweist der Auftrag, den er dem Gauleiter des jüngsten und auch schwierigsten Gaues, Pg. [Arthur] Greiser, gab. Greiser hat dementsprechend am 14. März 1940 folgende Verordnung erlassen:

1. Es gibt keine Kirchen mehr im staatlichen Sinne, sondern es gibt nur noch religiöse Kirchengesellschaften im Sinne von Vereinen
2. Die Leitung liegt nicht in Händen von Behörden, sondern von Vereinsvorständen.
3. Aus diesem Grunde gibt es auf diesem Gebiete keine Gesetze, Verfügungen und Erlasse mehr.

4. Es bestehen keine Beziehungen mehr zu Gruppen außerhalb des Gaues, auch keine rechtliche, finanzielle und dienstliche Bindung an die Reichskirche.
5. Mitglieder können nur Volljährige durch eine schriftliche Beitrittserklärung werden. Sie werden also nicht hineingeboren, sondern müssen erst bei Volljährigkeit ihren Beitritt erklären. Es gibt keine Landes-, Volks- oder Territorialkirchen. Wer vom Altreich in den Warthegau zieht, muß sich auch erst schriftlich neu eintragen lassen.
6. Alle konfessionellen Untergruppen, Nebenorganisationen (Jugendgruppen) sind aufgehoben und verboten.
7. Deutsche und Polen dürfen nicht mehr zusammen in einer Kirche sein (Nationalitätenprinzip). Dies tritt für den Nationalsozialismus zum ersten Mal in Kraft.
8. In den Schulen darf kein Konfirmandenunterricht abgehalten werden.
9. Es dürfen außer dem Vereinsbeitrag keine finanziellen Zuschüsse geleistet werden.
10. Die Vereine dürfen kein Eigentum wie Gebäude, Häuser, Felder, Friedhöfe außer den Kulträumen besitzen.
11. Alle Stifte und Klöster werden aufgelöst, da diese der deutschen Sittlichkeit und der Bevölkerungspolitik nicht entsprechen.
12. Die Vereine dürfen sich nicht in der Wohlfahrtspflege betätigen, dies steht einzig und allein der N[ational] S[ozialistischen] V[olkswohlfahrt] zu.
13. In den Vereinen dürfen sich die Geistlichen nur aus dem Warthegau betätigen. Dieselben sind nicht hauptamtliche Geistliche, sondern müssen einen Beruf haben.

Auf Grund von stenographischen Aufzeichnungen des Oberkirchenrats Nehring von den Beteiligten rekonstruiert, zitiert von Paul Gürtler, Nationalsozialismus und evangelische Kirchen im Warthegau. Vandenhoeck & Ruprecht, Göttingen 1958, S. 200—201 = Arbeiten zur Geschichte des Kirchenkampfes, Band 2.

Kommentar: Der Warthegau war — zunächst als Reichsgau Posen — am 8. Oktober 1939 aus Teilen Polens errichtet worden, die zum größten Teil 1793 bei der 2. polnischen Teilung an Preußen gelangt, 1815 zu einem guten Teil aber dem russischen „Kongreßpolen“ zugeschlagen worden waren.

Der Gauleiter und Reichsstatthalter Arthur Greiser hatte sich als Senatspräsident von Danzig im Sinne der NSDAP Verdienste erworben.

In diesen dem Deutschen Reich angegliederten Gebieten versuchte die Partei, Ziele zu verwirklichen, die sie im „Altreich" noch nicht durchzusetzen wagte. Die Durchführung der „13 Punkte" hätte auf längere Sicht die Evangelische Kirche auf den Rang einer Sekte herabgedrückt. Daß freilich auch unter derartigen Bedingungen die christlichen Kirchen erstaunliche Lebenskraft bewahren können, zeigen die Verhältnisse in den kommunistischen Staaten Ostmitteleuropas nach 1945.

Nr. 25 Beseitigung der „Asozialen"

... So glaube ich zusammenfassend, daß das von mir wissenschaftlich in Angriff genommene Problem der Asozialenfrage eine bevölkerungs- und rassenpolitische Bedeutung allerersten Ranges verdient. Gerade für unsere Generation, die das Glück hat, an dem gewaltigsten Aufartungsprozeß mitwirken zu können, den jemals ein Volk bislang auf dieser Welt begonnen hat, besteht die Verpflichtung, alle Gefahren zu sehen und rechtzeitig zu erkennen, die eine Gefährdung der Zukunft unseres Volkes herbeiführen könnten. Immer aber wird die Erhaltung der Leistungsfähigkeit unseres Volkes abhängig sein von der Erbtüchtigkeit des einzelnen. Wir wissen nicht, welche Aufgaben die Vorsehung unserem Volke noch stellen wird. Wären sie klein, so hätte das deutsche Volk von der Vorsehung nicht eine so gewaltige Ausrüstung mit erblichen Hoch- und Rassewerten auf den Weg bekommen. Sie zu erhalten und zu pflegen, ist unsere vornehmste Aufgabe. Wenn wir aus geschichtlich tiefsten Tiefen kommend heute unter der genialen Führung eines einmalig Begnadeten nach den Sternen greifen und — inmitten eines Rassenverfalles der übrigen europäischen Welt — eine neue Ordnung aufzubauen berufen scheinen, so müssen und wollen wir alles daransetzen, unser Volk und sein Erbe so gesund und so tüchtig zu machen, wie es nur irgend möglich ist, denn nur so werden wir für unseren Teil und für diejenigen, die nach uns kommen, die Ewigkeit unseres Volkes verdienen helfen.

H. W. Kranz (Professor Dr. med., Direktor des Instituts für Erb- und Rassenpflege an der Universität Gießen), „Das Problem der Gemeinschaftsunfähigen im Aufartungsprozeß unseres Volkes", in: NS-Volksdienst 7 (1940), S. 66.

Kommentar: Der ganze Artikel referiert den Inhalt eines von Prof. Kranz unter dem Titel „Die Gemeinschaftsunfähigen" (Gießen 1939) veröffentlichten Buches. Er faßt darin Kriminelle und „Gemeinschaftsuntüchtige" zusammen, versucht deren blut- und sippenmäßige Zusammengehörigkeit nachzuweisen und schätzt ihre Zahl auf etwa 1 Million in Deutschland. Nur durch die Anwendung sowohl der Sterilisierung wie der „Bewahrung" (sprich: Einsperrung) könne die schlechte Erbanlage langfristig beseitigt werden. „Aufartung" ist der damals übliche Begriff für Hochzüchtung.

Nr. 26 Der „Gnadentod" für Geistesschwache

Schreiben des Pfarrers Leube, Vertrauensmannes der Württembergischen Arbeitsgemeinschaft evangelischer Seelsorger an Gemüts- und Nervenkranken, an den Herrn Reichsminister des Innern Reichsgesundheitsführer Dr. Conti, Schussenried im Oktober 1940:

Betr. Vernichtung des Lebens von Anstaltspfleglingen

Sehr geehrter Herr Reichsminister!

Die württembergische Arbeitsgemeinschaft evangelischer Seelsorger an Gemüts- und Nervenkranken, veranlaßt durch die Vernichtung des Lebens von Anstaltspfleglingen, trat am 11. Oktober zu einer vertraulichen Aussprache zusammen. Die berufliche Arbeit an den Kranken, die seelsorgerischen Beziehungen zu deren Angehörigen und Stimmen aus weitesten Volkskreisen, welche zu den Gliedern der Arbeitsgemeinschaft drangen, haben für diese ein solch ernstes Bild von den Folgen der getroffenen Maßnahmen ergeben, daß die Arbeitsgemeinschaft im Gewissen sich verpflichtet fühlt, Ihnen, sehr geehrter Herr Reichsminister, von den gemachten Erfahrungen und Beobachtungen Mitteilung zu geben.

1. Die Maßnahmen der Lebensvernichtung, welche unter strengstem Geheimnis bleiben sollten, sind in breiter Öffentlichkeit bekannt geworden. Kinder wie Erwachsene wissen darum und sprechen davon.
2. Es ist ein offenes Geheimnis, daß die Mitteilungen an die Angehörigen über den unerwarteten und plötzlichen Tod der in eine andere Anstalt verlegten Kranken in wichtigen Punk-

ten nicht der Wirklichkeit entsprechen. Das Vertrauen in die Glaubwürdigkeit amtlicher Angaben ist dadurch im Volk erschüttert.

3. Soldaten, welche aus dem Feld auf Urlaub in die Heimat kommen und davon hören, sind entsetzt und fragen: „Was tut man dann mit uns?" Sie fühlen sich für die Zukunft nicht mehr ihres Lebens sicher, ihre Opferfreudigkeit leidet not; denn sie erfahren, daß auch Kameraden, welche im Weltkrieg ihre geistige Gesundheit verloren haben, Opfer der Maßnahmen geworden sind.
4. Rentenempfängern und Pensionären, welche lebenslang ihre Zeit und Kraft treu und fleißig eingesetzt haben, graut es vor der Zukunft, weil das Recht auf Leben nicht mehr gesichert sei.
5. Auf dem Pflegepersonal in den Anlagen liegt ein schwerer Druck. Nicht nur, daß jeder neue Abschied eines Transportes zunehmende seelische Erschütterung im Innersten verursachte: Die besten unter dem Personal verlieren die Freude an ihrem Beruf, dem sie mit aufopfernder Liebe sich hingaben, und trachten danach, loszukommen; denn ihre Arbeit ist ja entwertet. Für gewissenlose Pfleger aber wächst die Versuchung, störende und unangenehme Kranke kurzerhand zu beseitigen.
6. Selbst Ärzten wird ihr Beruf entleidet. Denn der Gesichtspunkt der Heilung und Pflege der Kranken ist Nebensache geworden. Dadurch ist der Ernst und die Vertrauenswürdigkeit des auf Heilung und Erhaltung des Lebens gerichteten ärztlichen Wirkens erschüttert und in Frage gestellt. Die von ihnen geforderte Mitwirkung zur Durchführung der Maßnahme ist für die persönliche Verantwortung gewissenhafter Ärzte geradezu untragbar.
7. Von den Pfleglingen weiß eine größere Anzahl, als man denken möchte, um die Maßnahme. Teils sprechen sie es offen und grimmig aus, teils befinden sie sich in ständiger Angst, daß eines Tages das gleiche Los sie treffe. Wie sich dies auf Geist und Gemüt der Labilen unter ihnen auswirkt, braucht nicht besonders gesagt zu werden.
8. Auf der Bevölkerung im Allgemeinen lastet um der Maßnahme willen schwerer Druck und düstere Sorge.

Auch hat sich die Einstellung zur Heilanstalt gewandelt. Wurden bisher Kranke, welche das Unglück hatten, geistig zu erkranken, der Heilanstalt mit Vertrauen zu treuen Händen übergeben, so suchen jetzt die Familien erkrankte Angehörige von der Anstalt fernzuhalten oder aus ihr herauszubekommen, damit ihnen die Maßnahme der Lebensvernichtung erspart bleibe. Welcher Mensch aber hat sichere Gewähr, daß er die geistige Gesundheit immer behalten wird?

Das im gegenwärtigen Schreiben Ausgeführte stützt sich auf Tatsachen. Die eigene Stellung, welche wir auf Grund unserer persönlichen und amtlichen Verantwortung als Seelsorger der Kranken zu der ganzen Frage einnehmen, ist im Schreiben nicht berührt.

Heil Hitler!
Im Auftrag der Arbeitsgemeinschaft
der Vertrauensmann
gez. Pfarrer Leube

In: Die Ermordeten waren schuldig. Amtliche Dokumente der Direction de la Santé Publique der französischen Militärregierung. Schröder Verlag Baden-Baden o. J. (ca. 1946), S. 48—49.

Kommentar: Es war für den Verfasser dieses Briefes ganz klar, daß er mit Argumenten aus seiner ethischen Überzeugung von der Unerlaubtheit des „Gnadentodes" auf die Machthaber des Dritten Reiches keinen Eindruck würde machen können; deshalb stellt er nur die Folgen des Bekanntwerdens dieser „eugenischen" Maßnahmen für die Haltung von Soldaten und Bürgern, Ärzten, Pflegern und Kranken heraus.

Nr. 27 Erhaltung der Volkskraft im Kriege

Rundschreiben des Reichsführers SS vom 28. Oktober 1939: SS-Befehl für die gesamte SS und Polizei

Jeder Krieg ist ein Aderlaß des besten Blutes. Mancher Sieg der Waffen war für ein Volk zugleich eine vernichtende Niederlage seiner Lebenskraft und seines Blutes. Hierbei ist der leider notwendige Tod der besten Männer, so bedauernswert er ist, noch nicht das Schlimmste. Viel schlimmer ist das Fehlen der während des Krieges von den Lebenden und der nach dem Krieg von den Toten nicht gezeugten Kinder.

Die alte Weisheit, daß nur der ruhig sterben kann, der Söhne und Kinder hat [sic], muß in diesem Kriege gerade für die Schutzstaffel wieder zur Wahrheit werden. Ruhig kann der sterben, der weiß, daß seine Sippe, daß all das, was seine Ahnen und er selbst gewollt und erstrebt haben, in den Kindern seine Fortsetzung findet. Das größte Geschenk für die Witwe eines Gefallenen ist immer das Kind des Mannes, den sie geliebt hat.

Über die Grenzen vielleicht sonst notwendiger bürgerlicher Gesetze und Gewohnheiten hinaus wird es auch außerhalb der Ehe für deutsche Frauen und Mädel guten Blutes eine hohe Aufgabe sein können, nicht aus Leichtfertigkeit, sondern in tiefstem sittlichen Ernst Mütter der Kinder ins Feld ziehender Soldaten zu werden, von denen das Schicksal allein weiß, ob sie heimkehren oder für Deutschland fallen.

Auch für Männer und Frauen, deren Platz durch den Befehl des Staates in der Heimat ist, gilt gerade in dieser Zeit die heilige Verpflichtung, wiederum Väter und Mütter von Kindern zu werden.

Niemals wollen wir vergessen, daß der Sieg des Schwertes und das vergossene Blut unserer Soldaten ohne Sinn wären, wenn nicht der Sieg des Kindes und das Besiedeln des neuen Bodens folgen würden.

Im vergangenen Krieg hat mancher Soldat im Verantwortungsbewußtsein um seine Frau, wenn sie wieder ein Kind mehr hätte, nicht nach seinem Tode in Sorgen und Not zurücklassen zu müssen, sich entschlossen, während des Krieges keine weiteren Kinder mehr zu erzeugen. Diese Bedenken und Besorgnisse braucht ihr SS-Männer nicht zu haben; sie sind durch folgende Regelung beseitigt:

1. Für alle ehelichen und unehelichen Kinder guten Blutes, deren Väter im Kriege gefallen sind, übernehmen besondere, von mir persönlich Beauftragte im Namen des Reichsführers SS die Vormundschaft. Wir stellen uns zu diesen Müttern und werden menschlich die Erziehung und materiell die Sorge für das Großwerden dieser Kinder bis zu ihrer Volljährigkeit übernehmen, so daß keine Mutter und Witwe aus Not Kümmernisse haben muß.

2. Für alle während des Krieges erzeugten Kinder ehelicher und unehelicher Art wird die Schutzstaffel während des Krieges für die werdenden Mütter und für die Kinder, wenn Not oder Bedrängnis vorhanden ist, sorgen. Nach dem Kriege wird die Schutzstaffel, wenn die Väter zurückkehren, auf begründeten Antrag des Einzelnen wirtschaftlich zusätzliche Hilfe in großzügiger Form gewähren.

SS-Männer
und ihr Mütter dieser von Deutschland erhofften Kinder zeigt, daß ihr im Glauben an den Führer und im Willen zum ewigen Leben unseres Blutes und Volkes ebenso tapfer, wie ihr für Deutschland zu leben und zu sterben versteht, das Leben für Deutschland weiterzugeben willens seid!

Der Reichsführer SS
gez. Heinrich Himmler

Theodor Groppe, Ein Kampf um Recht und Sitte. Erlebnisse um Wehrmacht, Partei, Gestapo. Paulinus-Verlag Trier 1947, S. 14—16 = Dokumente und Geschehen aus den 12 Jahren 1.

Kommentar: Theodor Groppe war als gläubigem katholischem Christen und Kommandeur der 214. Infanterie-Division im Dezember 1939 dieses Schreiben zugegangen. Um seine Vorgesetzten zum Einschreiten zu ermuntern, leitete er es an das vorgesetzte Generalkommando weiter und unterstellte wider besseres Wissen in seinem Begleitschreiben: „Offensichtlich handelt es sich um ein Flugblatt des feindlichen Nachrichtendienstes, das im Ausland den Eindruck erwecken soll, als ob das deutsche Volk aus der Reihe der Kultur-Nationen ausgeschieden sei.“ Er weist dann auf mögliche nachteilige Folgen für die eigene Truppe hin: „Wenn der angebliche SS-Befehl bei den an der Front stehenden Truppen bekannt wird, steht zu befürchten, daß Verheiratete aus Angst um das Schicksal ihrer Frauen und Töchter sich ohne Erlaubnis in die Heimat begeben, um die ihren zu schützen.“

Der damalige Oberbefehlshaber des Heeres hat daraufhin an den Chef des Oberkommandos der Wehrmacht ein Schreiben gerichtet, das als „vertraulich“ im Abdruck an alle Kommandostellen bis zur Division verteilt wurde und in dem er sich energisch gegen diese Untergrabung der Moral verwahrte. Der Brief Himmlers wurde indessen nicht zurückgezogen. Dafür wurde Generalleutnant Groppe auf Druck Himmlers im Dezember 1941 aus der Wehrmacht entlassen, im August 1944 von der Gestapo verhaftet und bis Kriegsende in Haft gehalten.

Es ist nicht ohne Pikanterie, daß Himmler selbst den dringenden Rat, den er seinen SS-Männern ans Herz gelegt hatte, auch für sich selbst befolgte und neben seiner Ehefrau eine Geliebte unterhielt, die ihm einen Sohn und eine Tochter gebar.

Nr. 28 „Eindeutschung“ von Tschechen

Denkschrift von Walter König-Beyer vom Rasse- und Siedlungshauptamt der SS, Berlin 23. 10. 1940:

[Nach einer rassenkundlichen Analyse der tschechischen und sudetendeutschen Siedlungsgebiete, die zu dem Ergebnis kommt, daß die Rassenschichtung im Sudetenland „weitaus schlechter“ sei, schlägt der Verfasser folgendes vor]:

Im Protektoratsgebiet verbleiben:

1. tschechische Familien, die bei einer Rassenbeurteilung die Noten I, II und III (gewöhnlich 8 a A I bis 4 cd B I) erhalten haben, sofern sie nicht
   a) politisch unassimilierbar, bzw. deutschfeindlich sind,
   b) Mangelberufsträger sind, die im Altreichsgebiet unterzubringen wären und dort assimiliert werden können;
   c) sofern nicht erbgesundheitliche Bedenken gegen die Familie, bzw. gegen Teile der Familie erhoben werden müssen.
2. Einzelpersonen: Männer über 60 Jahre, Frauen über 50 Jahre auch wenn sie eine schlechtere Rassenbewertung erfahren haben, gleichgültig welcher Nationalität sie sind.

Im Sudetengau verbleiben:

Personen tschechischer Volkszugehörigkeit, die bisher keine deutschfeindliche Haltung zeigen, bei einer Rassenbewertung mindestens die Noten I und II erhielten und gegen die keine erbgesundheitlichen Bedenken erhoben werden.

Aus dem Protektoratsgebiet scheiden aus:

1. Familien und Einzelpersonen mit vorwiegend ostischen, ostbaltischen und außereuropäischen Rassenmerkmalen, die also die Note IV erhielten, gleichgültig, ob sie sonst als erbgesund angesehen werden oder nicht.
2. Unassimilierbare Elemente mit deutschfeindlicher Haltung.
3. Mangelberufsträger tschechischer Nationalität, ohne Rücksicht auf die Rassenbewertung, insofern als mit I, II und III bewertete Personen im Altreichsgebiet unterkommen, mit IV bewertete Personen in das Generalgouvernement abgeschoben werden.
4. Tschechische Familien, gegen die erbgesundheitliche Bedenken erhoben werden müssen.

Aus dem Sudetengau scheiden aus:

1. Alle Familien und Personen, die auch heute noch dem Deutschtum gegenüber eine feindselige Haltung einnehmen, mithin unassimilierbar sind, gleichgültig welche Rassenzugehörigkeit sie haben.
2. Tschechische Familien und Einzelpersonen, die bei einer Rassenbewertung die Note III erhalten haben, sofern sie im Sudetengau über Haus- und Grundbesitz bisher verfügten.

Bei der Annahme von Siedlern für das Protektoratsgebiet oder das Sudetenland müssen insbesondere deutsche Frontkämpfer und im rassenpolitischen Interesse Angehörige der Schutzstaffel berücksichtigt werden.

In: Vaclav Král, Die Deutschen in der Tschechoslowakei 1933—1947. Dokumentensammlung. Nakladatelství Československé Akademie VĚD Prag 1964, S. 423—424 = Acta occupationis Bohemiae et Moraviae.

Kommentar: Die Denkschrift war auf Weisung des Chefs des Sicherheitshauptamtes der SS und späteren stellvertretenden Reichsprotektors in Böhmen und Mähren, Reinhard Heydrich, angefertigt worden. Tatsächliche Aussiedlungen von Tschechen aus dem Sudetenland und Ansiedlungen von Deutschen im Protektorat haben nur in geringem Umfang stattgefunden, allerdings wurde in größerem Umfang von deutscher Seite Grund- und Immobilienbesitz in Böhmen erworben.

Nr. 29 Früher Antisemitismus an Universitäten

Brief Richard Willstätters (1872—1942) an den Präsidenten der Bayerischen Akademie der Wissenschaften Geheimrat Max von Gruber, München, den 27. Juni 1924:

Für Ihren geehrten, gütigen Brief vom 25. ds., dessen Darlegungen einen starken Eindruck auf mich machten, bitte ich meinen aufrichtigen Dank anzunehmen. In einem wichtigen Punkt aber wollen Sie mir erlauben, eine andere Meinung darzulegen. Ich erhebe keine Anklage gegen meine Fakultät. Es sind tiefgehende Meinungsverschiedenheiten zwischen der Fakultät und mir vorhanden, aber ich nehme mir nicht etwa heraus, zu urteilen, ich sei im Recht, und die Mehrheit, zu der mehrere meiner bedeutendsten und verehrtesten Kollegen zählen, sei im Unrecht. Vor allem aber bezweifle ich nicht im mindesten, daß jeder von meinen Kollegen nach bestem Ermessen und entsprechend seiner Pflichtauffassung gehandelt hat. Eine Anzahl von Kollegen aus der Fakultät hat mir erklärt, daß die letzten Berufungsvorschläge von antisemitischen Erwägungen entscheidend beeinflußt waren, und zwar in dem Sinne, den Zeitströmungen Rechnung zu tragen und Unruhe an der Universität zu vermeiden. Andere Kollegen von der Fakultätsmehrheit haben mir erklärt, nicht so sehr antisemitische Rücksichten als überhaupt Opportunitätserwägungen seien für ihr Vorgehen bei den Berufungsverhandlungen bestimmend gewesen. Diesem Standpunkt steht meine Meinung gegenüber, daß nur sachliche Umstände (Würdigung der Persönlichkeit, wissenschaftliche Leistungen, Lehrbegabung) für die Aufstellung der Vorschlagslisten bestimmend sein sollen, und daß es den Verwaltungsbehörden überlassen sein soll, ihre Wahl unter den vorgeschlagenen Gelehrten unter Berücksichtigung sämtlicher Umstände zu treffen.

Eine Kopie erlaube ich mir dem Herrn Dekan der philosophischen Fakultät (Sektion II) zu unterbreiten.

In ausgezeichneter Verehrung
Euer Hochwohlgeboren ergebenster
gez. Willstätter

Arthur Stoll (Hrsg.), Richard Willstätter, Aus meinem Leben. Verlag Chemie Weinheim 1949, S. 343—344.

Kommentar: Der 1915 mit dem Nobelpreis für Chemie ausgezeichnete Münchner Chemiker trat 1924/25 mit 53 Jahren aus Protest gegen die Haltung seiner Kollegen gegenüber der Berufung ausgezeichneter, aber jüdischer Gelehrter von seinem Lehrstuhl zurück. Als ihm darauf unter anderen die Universität Heidelberg ein Ordinariat anbot, erhielt er von Korpsstudenten auf einer offenen Postkarte folgende Zeilen: „Knoblauch brauchen [Sie] nicht mitzubringen, da schon damit reichlich versorgt sind". (Ebenda, S. 346.)

Nr. 30 Der Jude als Verbrecher

Der Riesenskandal um den Wurstjuden Bauernfreund

August Bauernfreund ist *Angehöriger der jüdischen Rasse.* Er war reich. Bei Judenknechten hohen und niederen Standes hatte er großes Ansehen. Seinen Reichtum erwarb er sich im Kriege. Diesen machte er nicht mit als Soldat. *Bauernfreund* stand nicht an der Front und setzte nicht sein Leben für Deutschland ein. Er marschierte nicht, hungerte nicht, kämpfte nicht und blutete nicht für Deutschland. Das überließ er den „Gojim", den Nichtjuden. Er wußte, daß im jüdischen Gesetzbuch, im *Talmud*, geschrieben steht. „*Wenn Du in den Krieg ziehst, gehe als letzter hinaus, dann kommst Du als erster wieder nach Haus.*" Der Jude August Bauernfreund zog es vor, überhaupt nicht in den Krieg zu ziehen. Er befaßte sich mit *Heereslieferungen*. Ursprünglich war er Judenmetzger und stand als solcher, mit dem Schächtmesser bewaffnet, in seinem kleinen Laden in der *Breitengasse* in Nürnberg. Er hatte Verbindungen mit *Viehhändlern* (sie gehörten alle seiner Rasse an) und hatte Verbindungen mit dem *Heeresbelieferungsamt* (dort saßen ebenfalls seine Rassegenossen). So konnte es nicht fehlgehen, daß er Aufträge bekam. Es konnte auch nicht fehlgehen, daß sie größer und größer wurden und daß er schließlich einen erheblichen Teil der Fleisch- und Viehlieferungen an das bayerische Heer betätigte. *Bauernfreund* war ein mächtiger Mann geworden. Aber er wäre kein Jude gewesen, wenn er nicht diese Gelegenheit in jeder Hinsicht und in der skrupellosesten Weise zu seinem Vorteil ausgenützt hätte. Im Talmud steht geschrieben: „*Es ist verboten, den Juden zu betrügen. Aber den Nichtjuden zu betrügen ist erlaubt*" (Coschen hamischpat 227, 1 und 26).

Bauernfreund schob und schwindelte und betrog, was in seinen Kräften stand. *Er lieferte schlechtes Vieh gegen teures Geld. Er verkaufte Fleisch, das dem Heere zugewiesen war, an seine jüdische Privatkundschaft. Er verwendete aus seinem Metzgerladen „treferes" und verdorbenes Fleisch* (das der Jude als Aas bezeichnet) *zu Konservenlieferungen für das Heer* ... Im Jahre 1917 wurde ihm wegen fortgesetzter Betrügereien das Recht der Heereslieferung entzogen. Aber das schadete ihm nicht mehr. Er war bereits ein reicher Mann geworden.

Der Judenbetrieb in Fürth

Als der Krieg durch den jüdisch-marxistischen Novemberverrat zu Ende gebracht wurde, da blühte auch für den Juden *August Bauernfreund* der Weizen. Sein Auge richtete sich auf die *alte Trainkaserne* in Fürth. „Die Zeit des deutschen Soldaten ist vorbei, jetzt kommt unsere Zeit." So sagte sich höhnisch grinsend *August Bauernfreund* ...

[Es folgen Vorwürfe über Unreinlichkeit im Produktionsvorgang]

Dabei spielte der Jude nach außen den „großen Wohltäter". Er ließ die in seinem Betrieb abfallende Fleisch- und Wurstbrühe „großzügig" an die Bevölkerung verteilen. Von dem damaligen jüdischen Wohlfahrtsreferenten der Stadt Fürth, Rechtsrat *Bornkessel*, wurde ihm wiederholt öffentlich dafür die Anerkennung ausgesprochen. Jedoch das Fleisch, das in der Brühe gekocht war, war derart verdorben, daß dem Wasser *Salpeter* zugesetzt werden mußte. *Im Juli 1931 erkrankten in Fürth etwa 40 Personen an Salpetervergiftung.* Zwölf davon mußten ins Krankenhaus eingeliefert werden. Sie befanden sich tagelang in Lebensgefahr. Der Schuldige war der Jude *Bauernfreund.* Er hatte der armen Bevölkerung eine vergiftete „Fleischsuppe" gespendet. Anzeige bei der Staatsanwaltschaft wurde erstattet ... Das Ergebnis war ein sehr merkwürdiges. Die damalige judendienerische Gerichtsbarkeit konnte dem Fremdrassigen „nichts nachweisen". Der jüdische Anschlag auf die Gesundheit der Nichtjuden blieb ungesühnt.

Aber der Jude *Bauernfreund* schädigte nicht nur auf diese Weise die nichtjüdische Bevölkerung. Er leistete sich noch weitere Talmudereien.

[Es folgen ausführliche Schilderungen der Ausnutzung verbilligter Kredite für den Aufkauf inländischer Schweine im Jahre 1928 und zollfreier Gefrierfleischeinfuhr im Jahre 1925 mit Hilfe von Bestechung von Abgeordneten und des bayerischen Landwirtschaftsministers Fehr, sowie von dessen Ministerialrat Niklas. Der „Stürmer" hatte diese Vorgänge bereits 1929 veröffentlicht und sein Herausgeber Julius Streicher auch im bayerischen Landtag darüber eine Brandrede gehalten.]

Angesichts dieses ungeheuerlichen und erdrückenden Beweismaterials wußte der Jude *Bauernfreund* eines: Trotz der guten Verbindungen mußte er selbst ebenfalls die größten Anstrengungen machen, um die Gerechtigkeit niederzuhalten. Er tat, was er konnte.

Das Judentum, als die größte Verbrecherorganisation auf dieser Erde, hatte, gewitzigt durch die vielen jüdischen Korruptionsskandale, sich ein besonderes Verteidigungssystem ausgebaut. Es machte durch ein ungeheures Pressegeschrei einige besonders frech auftretende jüdische Rechtsanwälte zu „hervorragenden" und „berühmten" Verteidigern. Diesen brutalen Rechtsverdrehern hängte sich gewöhnlich ein ganzer Troß jüdischer Journalisten an. Mit vereinten Kräften, der Rechtsanwaltsjude vor Gericht, die Journalisten in der Presse, fielen sie über die nichtjüdischen Richter her. Nur selten brachten diese die Kraft auf, sich dieses Terrors zu erwehren. Der Jude blieb meistens Sieger und die Gerechtigkeit lag, von jüdischer Frechheit niedergeknüppelt, am Boden. Ein solcher jüdischer Rechtsanwaltshäuptling war der Herr *Dr. Max Alsberg* in Berlin. Wo irgend das Judentum in Gefahr war, da erschien dieser monokeltragende, rothaarige Fremdrassige auf dem Plan. Die Richter aber begannen zu zittern und ängstlich zu werden. (Die nationalsozialistische Revolution machte dem Treiben *Alsbergs* ein Ende. Der Jude erkannte dies, ging hin und brachte sich um. Alljuda hatte einen Kämpfer weniger.) Diesen Juden *Alsberg* holte sich der Jude *Bauernfreund* als Verteidiger.

[Wie der „Stürmer" vorausgesehen zu haben behauptete, wurde der Angeklagte freigesprochen; über das Ergebnis des Berufungsantrages des Oberstaatsanwaltes erklärte sich die Zeitung als nicht unterrichtet.]

Drahtzieher des Bolschewismus

August Bauernfreund sicherte sich nicht nur die einstigen Machthaber in Bayern. Er vergaß auch die andere Seite nicht, die *anarchistischen Umstürzler.* Er verband sich mit der *kommunistischen Partei.* Seine Schwester *Klothilde* hatte einen Sprößling, der hatte das Zeug zum *revolutionären Juden.* Er hieß *Karl Lehrburger.* Mehrere Jahre hindurch war er tätiges Mitglied der *Bezirksleitung Nordbayern* der KPD. Er war tätig in der *Tscheka,* er führte die sogenannten *Terrorgruppen* und befand sich in der Leitung des *kommunistischen Nachrichtendienstes.* Er besaß zwei Personenautos, die dauernd im Dienst der KPD standen. Mit Hilfe dieser Wagen sollten die nationalsozialistischen Führer im Nürnberg nachts überfallen und beseitigt werden. Ständig fanden in der Wohnung des Bolschewistenjuden *Lehrburger* geheime Sitzungen der kommunistischen Bezirksleitung statt. Als die nationalsozialistische Revolution ausbrach, war es dieser Jude, der dem von der Polizei gesuchten *Jakob Boulanger,* dem Kommunistenführer von Nordbayern, bei sich Unterschlupf gewährte. *Von seiner Wohnung aus und unter seiner Mithilfe wurde noch nach der nationalsozialistischen Revolution die KPD in Nordbayern heimlich weitergeführt.* Die Polizei ließ *Lehrburger* verhaften und in das Konzentrationslager nach Dachau bringen. Dort wurde er am 25. Mai 1933 erschossen, als er einen Mann des Überwachungsdienstes tätlich angriff.

Mit diesem seinen Neffen stand *August Bauernfreund* in enger politischer und persönlicher Verbindung. *Lehrburger* selbst war vermögenslos. Er erhielt die Gelder für seine bolschewistische Betätigung von seinem Onkel. Von ihm hatte er auch die beiden Kraftwagen. *So wurden also die aus dem betrogenen Volk und von den betrogenen Behörden herausgeschwindelten riesigen Geldbeträge zu staatsfeindlichen bolschewistischen Umsturzzwekken verwendet. Bauernfreund* selbst war Marxist. Das heißt, er war als Jude ein Freund und Förderer der jüdisch-marxistischen Bewegung. (Diese Bewegung war von Juden zum Zwecke der Eroberung der jüdischen Weltherrschaft gegründet worden.) [Als Beweis werden ein Dutzend marxistischer und freimaurerischer Bücher und Broschüren aus seiner Bibliothek angeführt] ... [Im März 1933 emigrierte Bauernfreund. Vorher hatte er seiner jüdischen Sekretärin Anweisung gegeben, die Geschäftsbücher bis zurück auf das Jahr 1928 zu vernichten, was diese auch tat. Vom Ausland aus versuchte er, seine festgelegten Vermögenswerte flüssig zu machen. Er gab dabei vor, durch Fleischexport nach Großbritannien für Deutschland Devisen beschaffen zu können. Das Eingreifen der politischen Polizei verhinderte diese Transaktion. Seine Firma wurde in deutschen Besitz übergeführt.]

Dieses Ergebnis führte einen völligen Umschwung in *Bauernfreunds* Stimmung herbei. Ihm gefiel es plötzlich im Ausland nicht mehr. Er will jetzt wieder nach Deutschland zurück. Im Ausland gab es nichts zu verdienen und das Geld ging ihm aus. Das Geld aber ist der Gott der Juden. Wo er es erraffen kann, da ist er zu Hause. Darum sehnt sich *Bauernfreund* nun wieder nach den Fleischtöpfen in Fürth. Und weil er weiß, daß er sich auf normalem Wege nie mehr in Fürth blicken lassen kann, darum glaubt er sich der *Justiz* bedienen zu können. Er dingte sich abermals einen Rechtsanwalt. Der wohnt in Berlin in der Viktoriastraße 10. Er heißt *Dr. Heinrich Ehlers.* Er ist Mitglied der NSDAP. *Man sollte es nicht glauben, daß sich ein Deutscher finden würde, der es fertig bringt, für jüdische Silberlinge einen fremdrassigen „Emigranten“ zu vertreten. Man sollte nicht glauben, daß ein Deutscher für Judengeld ein derart schmutziges Mandat annehmen würde.* Das Mandat eines jüdischen *Großbetrügers,* eines *Fälschers* und *Schiebers.* Daß aber ein *Parteimitglied* derartiges fertigbringt, ist für einen wirklichen Nationalsozialisten unfaßbar ...

[Aus einer Verteidigungsschrift des Rechtsanwaltes an das Innenministerium wird zitiert]:

„Streitigkeiten zwischen dem Gauleiter Streicher und dem Minister Fehr führten zur Eröffnung eines gerichtlichen Verfahrens gegen Bauernfreund". (Der gewaltige und heroische Kampf zwischen der NSDAP und den korrupten Systemparteien und ihren Bonzen sind in den Augen des Rechtsanwaltes *Ehlers „Streitigkeiten"! Julius Streicher* ist einer der ältesten und bewährtesten Vorkämpfer der nationalsozialistischen Bewegung. Sein Name ist in der ganzen Welt bekannt. Von allen Juden und Judengenossen wird *Streicher* tödlich gehaßt. Der Aufklärungskampf *Julius Streichers* gegen die jüdische Rasse ist mit der größte und gigantischste weltanschauliche Kampf, der je auf dieser Erde ausgefochten wurde. Der Herr *Ehlers* erlaubt sich diesen Kampf *„Streitigkeiten"* zu nennen. Und dieser Mann ist *Rechtsanwalt*, hat den *Doktortitel*, er rechnet sich zu den *„Gebildeten"* und ist *Parteimitglied!* D[ie] Schr[iftleitung].

Ehlers schreibt, warum er für Bauernfreund eintritt:

a) weil ihm nach seiner „positiven Überzeugung schweres Unrecht zugefügt worden ist",

b) weil es „der Auffassung des Führers und dem sauberen Schild und der Würde der Bewegung entspricht, daß offensichtliches Unrecht wieder gutgemacht wird, ohne Rücksicht darauf, ob es deutschen Volksgenossen oder in Deutschland lebenden Nichtariern zugefügt worden ist".

Daß *Ehlers* einzig deswegen für den jüdischen Volksschädling und Staatsfeind eintritt, weil dieser ihn (den Dr. *Ehlers)* gut bezahlt, das hat er zu erwähnen unterlassen. Den sauberen Schild und die Würde der Bewegung haben nicht die Stürmerleute beschmutzt, sondern Rechtsanwalt *Dr. Ehlers.* Er ist es, der für Judengeld seine Gesinnung verkaufte. D[ie] Schr[iftleitung].

Der Herr Rechtsanwalt *Dr. Ehlers* wird sich täuschen, wenn er glaubt, hier einen billigen Sieg erfechten zu können. Die Zeit, in der *Juden und Judenknechte* das Recht beugen und brechen konnten, ist vorbei. Wir leben im Deutschland *Adolf Hitlers* und in diesem Deutschland wird nicht der deutsche Freiheitskämpfer verurteilt, sondern der jüdische Schieber . . .

Der Deutsche wird siegen

Der Jude *August Bauernfreund* ist ein Musterexemplar seiner Rasse. Er stand einst im Volke als der große Täuscher, als der „anständige Jude". Er war reich und angesehen und die „Gojim" deckelten den Hut und katzbuckelten vor ihm. Der „Stürmer" aber riß ihm die Maske herunter. Heute steht er entlarvt und gebrandmarkt vor der Öffentlichkeit. Sein Reichtum ist erschwindelt und erstohlen. Sein Ansehen war Lüge und Heuchelei. Mit Grauen sieht die nichtjüdische Öffentlichkeit einen Verbrecher vor sich. *August Bauernfreund* gehörte zu den Zersetzern und Verderbern des deutschen Volkes und Reiches. Er war *Lebensmittelschieber* im Kriege. Er *betrog* den Staat und die Bevölkerung nach dem Kriege. Er schnitt aus der Not des Volkes seine Riemen. Er *fälschte Urkunden, bestach Beamte,* er *verschob Devisen.* Und er war dazu noch *kommunistischer Drahtzieher, Geldgeber der Bolschewisten.*

Daß dieser Jude einst von einem deutschen Gericht freigesprochen werden konnte, ist kein Beweis für seine Schuldlosigkeit. Diese traurige Tatsache ist vielmehr ein Beweis dafür, wie *verjudet* und *korrupt* das Rechtswesen in Deutschland war. Wie die Gerichte *ungerecht, beeinflußt* und *parteiisch* handelten und urteilten.

Wie wurden vor diesen Gerichten ein ganzes Jahrzehnt hindurch die Stürmerleute behandelt! Wie wurden sie verfolgt, gehetzt, gepeinigt! Es brauchte nur ein beleidigter Jude auf den Knopf zu drücken, dann war schon die ganze Justiz alarmiert. Dann kam die Polizei und verbot und beschlagnahmte. Dann kamen Staatsanwalt und Untersuchungsrichter und verhörten und klagten an. Die Stürmerleute wurden auf die Anklagebank befohlen. Sie verteidigten sich mit aller Kraft und mit allen ihnen zu Gebote stehenden Mitteln. Sie wiesen die zersetzende und verbrecherische Tätigkeit der jüdischen Rasse nach. Sie legten die Talmudgesetze vor und brachten tausend Beispiele. Sie wiesen hin auf das in den Klauen des Juden sich windende deutsche Volk. Und sie sprachen von der rettenden nationalsozialistischen Freiheitsbewegung. Es half ihnen nichts. Die Richter saßen mit tauben Ohren da und Juden höhnten siegesbewußt in den Zeugenbänken. Die Stürmerleute wurden verurteilt. Barbarische Geldstrafen wurden über sie verhängt, und in die Gefangenenhäuser wurden sie gesperrt. Der jüdische Verbrecher aber, der das Volk verdarb, wurde freigesprochen und konnte triumphieren. Wer aber glaubt, daß in dem heutigen Deutschland noch der Fremdrassige den Sieg über das Gute davontragen würde, ist im Irrtum. Die Zeit der jüdischen Teufelei ist vorbei. Sie ist vorbei für immer. Der Nationalsozialismus regiert die Stunde. Er wird regieren die Jahre, die Jahrzehnte und die Jahrhunderte. Er wird wachsen und mächtig werden lassen alles, was *groß* ist und *heldisch* und *deutsch*. Und er wird zu Boden zwingen alles, was gemein ist und jüdisch. Dies werden auch erfahren müssen der Jude *Bauernfreund* und seine nichtjüdischen Helfer.

Karl Holz, in: Der Stürmer, Sondernummer 1 (Januar 1935).

Kommentar: Die 11 redaktionell gestalteten Seiten dieser für 20 Pfennig verkauften Sonderausgabe sind ausschließlich dem „Fall" Bauernfreund gewidmet. Facsimilia von Briefen, die der Beschuldigte mit seiner Frau und seinen Anwälten wechselte, sowie Fotos der im Text angeführten Personen verleihen dem Artikel einen scheinbar authentischen Charakter. Ehemalige Angestellte berichten über die unhygienischen Verhältnisse in der Fabrik, über den Lohndruck seitens des Unternehmers und über seine Manipulationen. Es ist offenkundig, daß der Verfasser von der Polizei den Zugang zu diesen Zeugnissen erhielt. Um so eigenartiger erscheint es, daß es der Zeitung nicht möglich gewesen sein soll, den Ablauf des Berufungsverfahrens zu ermitteln.

Über den Einzelfall hinaus ist aber die journalistische Methode aufschlußreich, mit der das Verhalten eines Individuums mit seiner rassisch bestimmten Eigenart erklärt wird, wie von dem Einzelnen auf die ganze Menschengruppe zurückgeschlossen wird.

Das Quellenstück zeigt aber auch, daß es zu diesem Zeitpunkt noch Parteimitglieder gab, die glaubten, im Sinne Hitlers zu handeln, wenn sie sich für eine saubere Rechtspflege einsetzten.

Nr. 31/32 Die Ausnahme von der Regel

Brief des Reichsministers Hermann Göring an den Reichsleiter Philipp Bouhler, Kanzlei des Führers Berlin, vom 23. Juli 1937:

Herr Arthur Imhausen, Witten/Ruhr, Mitinhaber der Firma Märkische Seifenindustrie, dortselbst, hat den Hauptanteil an der epochemachenden Erfindung der Erzeugung von Seife und synthetischem Speisefett aus Kohle geleistet.

Herr Imhausen ist Halbjude. — Drei seiner Brüder sind im Weltkrieg gefallen. Des weiteren hat er während der Entwicklung des obigen Problems in bester und loyaler Weise mit den maßgeblichen Stellen gearbeitet. Auf Grund dieses Sachverhaltes hat der Führer bei einer Rücksprache, die ich mit ihm hatte, entschieden, daß Herr Imhausen als Vollarier erkannt werden soll, und ich bitte Sie, hierzu das Erforderliche zu veranlassen. Sollten Sie noch irgendwelche Auskünfte benötigen, so bitte ich Sie, sich dieserhalb an den Parteigenossen Keppler, Berlin W 8, Behrensstraße 39 A, zu wenden.

Heil Hitler

Göring

Brief Görings an Herrn Arthur Imhausen, Witten/Ruhr, Ruhrstraße 70, ebenfalls vom 23. Juli 1937

Sehr geehrter Herr Imhausen!

In Anbetracht der großen Verdienste, die Sie sich um die Entwicklung der synthetischen Seife und des synthetischen Speisefettes aus Kohle erworben haben, hat der Führer auf meinen Vorschlag Ihre Anerkennung als Voll-Arier gutgeheißen, und ich freue mich, Ihnen diese Mitteilung in Würdigung Ihrer verdienstvollen Arbeiten machen zu können. — Ich habe die Kanzlei des Führers um die formale Durchführung dieser Maßnahme gebeten.

Heil Hitler

Göring

T. R. Emessen, Aus Görings Schreibtisch. Ein Dokumentenfund. Allgemeiner deutscher Verlag Berlin 1947, S. 49—50.

Kommentar: Für Göring als Beauftragten für den Vierjahresplan und seinen Mitarbeiter, den Generalsachverständigen für deutsche Roh- und Werkstoffe Dr. ing. Wilhelm Keppler, war in diesem Einzelfall und zu diesem Zeitpunkt noch eine Möglichkeit gegeben, eine Ausnahme von der allgemeinen Entfernung von Juden und „Judenstämmlingen" aus einer leitenden Stellung in der Wirtschaft durchzusetzen.

Nr. 33 Das frühe „Programm" der „Endlösung"

... „Weder Mr. Roosevelt, noch ein englischer Erzbischof noch sonst ein prominenter Patentdemokrat würde sein Töchterlein einem schmierigen Ostjuden ins Bett legen; allein, wenn es um Deutschland geht, kennen sie auf einmal gar keine Judenfrage, sondern nur die „Verfolgung Unschuldiger um ihres Glaubens willen", als ob es uns je interessiert hätte, was ein Jude glaubt oder nicht glaubt ...

Weil es notwendig ist, weil wir das Weltgeschrei nicht mehr hören und weil uns schließlich auch keine Macht der Welt daran hindern kann, werden wir also die Judenfrage nunmehr ihrer totalen Lösung zuführen. Das Programm ist klar. Es lautet: Völlige Ausscheidung, restlose Trennung ...

Die Juden müssen daher aus unseren Wohnungen und Wohnvierteln verjagt und in Straßenzügen oder Häuserblocks untergebracht werden, wo sie unter sich sind und mit Deutschen so wenig wie möglich in Berührung kommen. Man muß sie kennzeichnen und ihnen ferner das Recht nehmen, in Deutschland über Haus- und Grundbesitz oder über Anteile an diesen zu verfügen; denn es kann einem Deutschen nicht zugemutet werden, daß er der Gewalt eines jüdischen Grundherrn untersteht und diesen durch seiner Hände Arbeit ernährt ...

Und wenn wir, was sich als notwendig erweisen wird, die reichen Juden zwingen werden, ihre „armen" Rassegenossen zu erhalten, werden sie allesamt, ihrer ureigensten, blutbedingten Veranlagung gemäß, in die Kriminalität absinken ...

Im Stadium einer solchen Entwicklung [wenn das durch die Regierung geschaffene jüdische Ghetto zu einer Brutstätte des Bolschewismus und zu einer Auffangorganisation für politisch-kriminelles Untermenschentum geworden sei] stünden wir daher vor der harten Notwendigkeit, die jüdische Unterwelt genauso auszurotten, wie wir in unserem Ordnungsstaat Verbrecher eben auszurotten pflegen: mit Feuer und Schwert. Das Ergebnis wäre das tatsächliche Ende des Judentums in Deutschland, seine restlose Vernichtung ...

[In Deutschland gebe es kein freies Land für die Ansiedelung der Juden, die Demokratien müßten hierfür Siedlungsraum zur Verfügung stellen]; denn nur durch und in einem solchen Judenstaat außerhalb Deutschlands können die „deutschen" Juden vor dem ihnen sonst sicher drohenden Untergang gerettet werden ...

Wir wissen aber sehr genau, was es an Geld und Arbeitskraft kostet, Hunderttausende von Verbrechern zu bewachen, in Lager zu sperren und zu beköstigen ...

(Ungezeichneter Artikel) „Juden, was nun?", in: „Das schwarze Korps" (Offizielle Wochenzeitung der SS) Nr. 47 (24. November 1938), S. 1—2.

Nr. 34/35 Judenfeindliche Lieder

Gab's darum eine Hermannsschlacht und all die Türkenkriege,
daß heute gegen Judas Macht das Deutschtum unterliege?

Ward deshalb auf dem Leipziger Feld die Völkerschlacht
geschlagen,
daß wir nun doch aus Judengeld geschweißte Ketten tragen?

O, nein, noch stehn wir fest im Streit und brauchen nicht zu
bitten,
noch gibt es deutsche Ehrlichkeit und gute deutsche Sitten.
Stürmt Juda auch mit Lug und List, bei uns gilt Treu und
Glauben,
und was uns lieb und eigen ist, soll uns kein Jude rauben.

Wohl möchten sie die Fremdherrschaft in unserm Land
errichten,
doch sicherlich wird deutsche Kraft ihr Lügennetz vernichten.
Ja, wollten sie die halbe Welt auch gegen uns verketten,
so werden wir trotz Judas Geld das deutsche Volkstum retten!

Das deutsche Land dem deutschen Sohn, nicht jüdischem
Gelichter!
Kein Bauer mehr in Judenfrohn und freie deutsche Richter!
Zum Schutz und Trutz stehn wir vereint und fordern unsre
Rechte,
wir wollen freie Deutsche sein und keine Judenknechte!

Sturm- und Kampflieder für Front und Heimat. Ausgabe 1941. Propaganda-Verlag Paul Hochmuth Berlin, S. 21—22.

Kommentar: Ein Verfasser ist nicht angegeben, gesungen werden sollte das Lied nach der Melodie von „Der Gott, der Eisen wachsen ließ ...“.

Der Verleger Paul Hochmuth hatte als Propagandaleiter der Berliner SA 1931 zuerst ein Büchlein mit 60 der bekanntesten Kampflieder zusammengestellt, das binnen kurzem eine Auflage von rund 1 Million erreichte. Das Lied geht von der bei Antisemiten immer wiederkehrenden Vorstellung aus, daß die winzige Minderheit der Juden in Deutschland es geschafft habe, das deutsche Volk sich untertan zu machen.

Wetzt die langen Messer, wetzt die langen Messer an dem
Bürgersteig!
Dann geht's umso besser, dann geht's um so besser,
dann geht's umso besser in den Judenleib hinein!
Blut muß fließen knüppelhageldick!
Wir pfeifen auf die Freiheit der Judenrepublik!

Kommentar: Eine gedruckte Quelle ist mir nicht bekannt geworden. Ich habe das Lied 1944 von etwas älteren Jungvolkführern gelernt und glaube mich recht zu erinnern, daß es von uns Angehörigen eines „Wehrertüchtigungslagers" bewußt provozierend in den Straßen des gut katholischen Bilfingen bei Pforzheim gesungen wurde.

Nr. 36 Antisemitische Jugenderziehung

... Nichts wäre verkehrter, als wollte man im Sinne systematischer und schablonenhafter „Durchnahme" der Judenfrage diese damit lehrplanmäßig „erledigen". Sie ist *niemals* zu erledigen, denn sie ist Ausdruck von rassischen Geschehensfolgen und Lebensabläufen und drängt sich uns immer wieder in ihrer ganzen inneren und äußeren Dynamik auf. Stellen wir darum die deutschen Kinder mit ihrem Leben mitten in diese Dynamik hinein! J. von Leers schreibt im 2. Bande seines Buches „14 Jahre Judenrepublik" auf S. 107: „Man wird als alter Judengegner nicht in den Verdacht plötzlich durchbrechender Judenfreundschaft kommen, wenn man die Binsenwahrheit ausspricht, daß der jüdische kleine Kaufmann Rosenbaum oder Aron, daß der alte Sanitätsrat Levi, daß die kleine jüdische Familie in irgendeiner deutschen Stadt an sich durch die notwendig gewordene Trennung des Deutschtums vom Judentum auch menschlich vielfach schweres seelisches Leid getragen haben und noch tragen, mit dem der Neugestaltung an sich nichts gedient ist." Und auf S. 108: „Kleinliche Racheempfindungen, kleinliche Gehässigkeiten einzelner verwischen nur das Bild der großen geschichtlichen Rassenauseinandersetzung, sie sind nicht nur schädlich, sondern auch dumm."

Auch der Lehrer sollte hin und wieder über diese Zusammenhänge nachdenken und sich klar darüber sein, daß die Judenfrage im Unterricht nicht dadurch ihrer Bedeutung entsprechend gewürdigt wird, daß man ebensooft wie hemmungslos auf die Juden „schimpft". Was *gegen* die Juden zu sagen ist, wird von maßgeblicher Stelle zur rechten Stunde, am rechten Orte und mit den rechten Worten von denen gesagt, welche heute die Verantwortung für Deutschland tragen. Uns in der Schule liegt es ob, der deutschen Jugend klare Erkenntnisse *über* den Juden zu vermitteln. Das kann und soll auch mit tiefer und echter Leidenschaft geschehen, aber es bedarf dazu keiner Schmähungen und Haßgesänge. Hart und kompromißlos in der Sache, ruhig und taktvoll in der Form dürfte an dieser Stelle die richtigere Haltung sein und es liegt hier nahe genug, an das historisch bedeutsame Wort: „Immer daran denken, niemals davon reden!" zu erinnern, hinter welchem auch die Leidenschaft eines ganzen Volkes verhalten glühte. — In diesem Zusammenhange ergeben sich zwei Fragen. Die eine betrifft die „anständigen" Juden, die andere führt uns zu dem leidenschaftlichen Kampfe des „Stürmers" gegen Alljuda.

Zu den „anständigen" Juden ist nur wenig zu sagen. Im Kampfe der Völker um ihre nackte Existenz, um die Zukunft ihrer Kinder wird nicht danach gefragt, ob mir gegenüber ein „anständiger" Feind steht oder ein „unanständiger". Der nordrassische Mensch weiß sehr wohl um die Tragik der geschichtlichen Abläufe, welche ihn dazu zwingt, Menschen zu vernichten, welche berufen wären an ihrer Stelle im Leben Werte zu schaffen, welche Ernährer ihrer Familien sind. Und er ist davon überzeugt, daß er unter anderen Verhältnissen in den Reihen der Feinde viele wertvolle Menschen treffen würde, mit denen er Kameradschaft pflegen könnte. Die starken Bande, welche sich um die Frontsoldaten der ehemaligen Feindmächte heute schlingen, sprechen beredt genug von solchem Wissen um die Werte des Gegners. Trotzdem würde derselbe nordische Mensch bedenkenlos jeden Tag von neuem für seines Volkes und seiner Kinder Leben und Zukunft gegen die andere Seite zum Kampfe auf Leben und Tod antreten, und würde nicht untersuchen, ob er nicht etwa auch einen „anständigen" Feind töten könnte. Völkerschicksale gehen über Einzelschicksale hinweg, mitunter so grausam, daß sich Blutsverwandte in den feindlichen Heeren gegenüberstehen, ohne es ändern zu können. — Sollen ausgerechnet für die „anständigen" Juden die Räder der Weltgeschichte angehalten werden? Soll gerade ihretwegen der Rassenkampf, den nicht wir gesucht haben, sondern den uns ein Schicksal auferlegt hat, in der Weise abgebogen werden, daß wir die Hände in den Schoß legen und abwarten, was mit uns geschieht? Das Schicksal mancher jüdischen Familie dieser Jahre mag tragisch und bemitleidenswert sein, aber wer als Deutscher dadurch Hemmungen empfindet, möge sich vor allem im eigenen Volke umsehen. Dort gibt es ebenso tragische und zur Betätigung der Nächstenliebe nicht minder geeignete Fälle. Die „anständigen" Juden können und dürfen uns nicht an der kompromißlosen Bekämpfung des internationalen Judentums hindern.

Wenn an dieser Stelle auf den „Stürmer" Bezug genommen wird, so geschieht das aus doppeltem Grunde. Einmal ist es unmöglich, Vorkämpfer mit Stillschweigen zu übergehen, zum anderen sind die Meinungen über diese Wochenschrift bekanntermaßen geteilt, auch über ihre Verwendbarkeit in der Schule. Wir wollen an dieser Stelle weder in den Fehler derjenigen „Gebildeten" verfallen, welche naserümpfend und achselzuckend aus intellektueller Überheblichkeit an dem bekanntermaßen rauhen Tone des „Stürmers" Anstoß nehmen, noch auch bedingungslos denjenigen Unentwegten zustimmen, die unbesehen jede Stürmernummer in die Hand von Schulkindern legen und sich dann zum Beweise ihrer 100prozentigkeit, Kinder und Lehrer strahlend um den „Stürmer" gruppiert, photographieren lassen. Diese Ablehnung extremer Standpunkte kann deshalb nicht als eine „Einerseits-Anderseits"-Haltung im Stile des Wortes „Vorsicht ist der bessere Teil der Tapferkeit" verstanden werden, weil es [sich] ja hier nicht um eine Stellungnahme an sich handelt, sondern um die ganz andere Frage, ob der Lehrer in der Schule etwas mit dem „Stürmer" beginnen kann, und wenn ja, welchen Nutzen er aus dieser Wochenschrift ziehen kann. Zur Frage des „rauhen Tones": Wer einmal, wie der Verfasser dieses Heftes, erlebt hat, in welcher Weise sich sogenannte deutsche Mädchen und Frauen in einer deutschen Großstadt der Nachkriegszeit an die Neger einer Hagenbeck-Völkerschau herangemacht und was für Gespräche sie mit den farbigen Männern geführt haben, der wird ein für alle Mal davon überzeugt worden sein, daß sich Rasseninstinkt nicht durch wissenschaftliche Vorträge und gelehrte Erörterungen mit Lichtbildern erwecken läßt, sondern daß hier dem instinktlos gewordenen Menschen der abendländischen Zivilisation ganz andere Reize gesetzt werden müssen. Man kann die eingeschlafenen Gewissen und die fast erstickte Stimme des Blutes nicht mit Flüstertönen wecken, sie lassen sich nur durch herzhaftes Zupacken aufrütteln, und es ist ebenso klar, daß ein Rufer im Rassenkampfe die Mannschaft mitreißen wird, wenn er sie mit der Sprache des Kämpfers anreden wird, nicht aber, wenn er wissenschaftliche Reden mit „Wenn und Aber" hält. Vor allem, der einfache Volksgenosse versteht nur eine von keinerlei Gelehrsamkeit beschwerte, ebenso schlichte wie deutsche [deutliche?] Redeweise, auf sie allein hört er; was über seinen Horizont geht, lehnt er aus gesundem Empfinden ab. Deshalb sind wir der Meinung, wenn es in Deutschland noch keine Schrift wie den „Stürmer" gäbe, müßte sie als scharfe und wirksame Waffe für die entscheidungsschwere Auseinandersetzung mit dem Weltjudentum geschaffen werden. Auch der Lehrer sollte sich klar darüber sein, daß er mit kühlen sachlichen Darlegungen allein die Jugend des Volkes kaum im kämpferischen Sinne zur Einsatzbereitschaft und Kompromißlosigkeit hin wird erziehen können. Er lasse sich daher, was leidenschaftliche Kampfeshaltung anbetrifft, den „Stürmer" unbesorgt ein Vorbild sein. Aber damit stehen wir auch schon vor der weiteren Frage: Sollen wir den „Stürmer" unseren Schulkindern in die Hand geben? Hier muß der Verfasser allerdings rundheraus erklären, daß er es für pädagogisch falsch hält, wenn man Kinder im Alter von 10—14 Jahren ohne weiteres an Artikel über Rassenschande heranführt, und es ist doch gerade diesem Kapitel ein besonders großer Raum in den Spalten des „Stürmers" vorbehalten. Die eben geäußerten Bedenken entspringen grundsätzlichen Auffassungen über das sexualpädagogische Vorgehen gegenüber unserer Jugend, welche hier näher auszuführen nicht der Ort ist. Was den reif gewordenen Mädchen — und ebenso natürlich auch den Jungmannen — immer und immer wieder eingehämmert werden muß: Laßt euch nicht mit Juden ein! Sie sind unser Todfeind und unser Verderben! das gehört noch lange nicht vor Kinder, mögen sie nun „aufgeklärt" sein oder nicht. Es wird immer, und vielleicht gar nicht einmal selten vorkommen, daß Kinder gelegentlich oder regelmäßig Stürmernummern in die Hände bekommen oder auch in anderen Zeitungen auf die Tatsache von Rassenschande mit Juden stoßen. Man wird als Lehrer oder Lehrerin, wenn man das Herz auf dem rechten Fleck hat, auf diesbezügliche harmlose oder bewußt verfängliche Fragen der Kinder die rechte Antwort wissen, vielleicht sogar sehr fruchtbare ernste Erörterungen sexualpädagogischer Art anzuknüpfen verstehen. Aber man wird unreife Kinder nicht ohne Not bewußt an Fragen heranführen, welche den rasseschänderischen menschlichen Geschlechtsverkehr betreffen. Um zusammenzufassen: Wenn man fragt, ob der „Stürmer" für die rassische Unterweisung unserer Jugend brauchbar ist, so antworten wir im bejahenden Sinne. Wir fordern aber, daß der Lehrer die Aufsätze und Artikel auswählt, welche er glaubt, an seine Schulkinder herantragen zu sollen — mindestens solange, als er nicht sicher ist, daß durch uneingeschränkte Lektüre der Wochenschrift kein sexualpädagogischer „Flurschaden" in der Klasse angerichtet werden kann.

Ernst Dobers, Die Judenfrage. Stoff und Behandlung in der Schule. 4. Aufl. Julius Klinkhardt Leipzig 1941, S. 73—76 = Neuland in der Schule. Beiträge zur praktischen Schularbeit, Heft 9. (Die erste Aufl. des Büchleins erschien 1936.)

Kommentar: Der von Ernst Dobers zu Eingang zitierte J(ohannes) von Leers war einer der radikalsten antisemitischen Propagandisten der NSDAP, sein angeführtes Buch erschien im NS Druck und Verlag Berlin 1933.

In welchem Umfange in der Schulwirklichkeit judenfeindliche und rassenkundliche „Aufklärung" erfolgte, läßt sich nicht sagen. Ich selbst habe vier Grundschuljahre und die ersten vier Gymnasialjahre bis 1944 in meiner Heimatstadt Karlsruhe erlebt und glaube mich sicher zu erinnern, daß dieses Thema nie behandelt wurde. Allerdings erinnere ich mich auch eines öffentlich aufgestellten Schaukastens, in dem wöchentlich der neue „Stürmer" zu lesen war und von mir als 10—13Jährigem häufig mit dem gruseligen Behagen an einer sonst verpönten Lektüre verschlungen wurde.

Das von Dobers angezogene französische Sprichwort geht auf Léon Gambetta zurück, der es ursprünglich auf das Verhalten der Franzosen gegenüber dem deutschen Feind prägte (1871), später wurde es dann auf das französische Verhältnis zu Elsaß-Lothringen bezogen.

Nr. 37 Die Vernichtung der europäischen Juden

Rede Heinrich Himmlers vor Reichs- und Gauleitern am 6. 10. 1943 in Posen:

[Nach Ausführungen über Chancen und Gefahren einer Unterstützung des zur Zusammenarbeit mit Deutschland bereiten, kriegsgefangenen russischen Generals Wlassow und über Sabotage- und Partisanenkrieg stellt Himmler fest, daß die Bevölkerung zuverlässig und die Polizei auf der Höhe der Situation sei.]

Eine sehr große Rolle spielt die von Kreisen außerhalb der Partei im Frieden so verurteilte Einrichtung der Konzentrationslager. Ich glaube, wir alten Nazis sind uns darüber klar, wenn diese 50 000—60 000 politischen und kriminellen Verbrecher draußen und nicht in den Konzentrationslagern wären, dann, meine Parteigenossen, würden wir uns schwer tun. So aber sind sie zusammen mit rund weiteren 150 000, darunter einer kleinen Anzahl Juden, einer großen Anzahl Polen und Russen und sonstigen Gesindels in den Konzentrationslagern und leisten für den Parteigenossen Speer und seine so lebenswichtigen Aufgaben im Monat jetzt rund 15 Millionen Arbeitsstunden. Auch da werden wir nach dem Kriege vielleicht das eine oder andere in unserem Rechenschaftsbericht auflegen können, was wir arbeiten durften und konnten . . .

[Nach Hinweisen über die Stadt- und Landwacht fährt Himmler fort.]

Ich darf hier in diesem Zusammenhang und in diesem allerengsten Kreise auf eine Frage hinweisen, die Sie, meine Parteigenossen, alle als selbstverständlich hingenommen haben, die aber für mich die schwerste Frage meines Lebens geworden ist, die Judenfrage. Sie alle nehmen es als selbstverständlich und erfreulich hin, daß in Ihrem Gau keine Juden mehr sind. Alle deutschen Menschen — abgesehen von einzelnen Ausnahmen — sind sich auch darüber klar, daß wir den Bombenkrieg, die Belastungen des vierten und des vielleicht kommenden fünften und sechsten Kriegsjahres nicht ausgehalten hätten, wenn wir diese zersetzende Pest noch in unserem Volkskörper hätten. Der Satz „Die Juden müssen ausgerottet werden" mit seinen wenigen Worten, meine Herren, ist leicht ausgesprochen. Für den, der durchführen muß, was er fordert, ist es das Allerhärteste und Schwerste, was es gibt. Sehen Sie, natürlich sind es Juden, es ist ganz klar, es sind nur Juden, bedenken Sie aber selbst, wie viele — auch Parteigenossen — ihr berühmtes Gesuch an mich oder irgendeine Stelle gerichtet haben, in dem es hieß, daß selbstverständlich alle Juden Schweine seien, daß bloß der Soundso ein anständiger Jude sei, dem man nichts tun dürfe. Ich wage zu behaupten, daß es nach der Anzahl der Gesuche und der Anzahl der Meinungen mehr anständige Juden in Deutschland gegeben hat als überhaupt nominell vorhanden waren. In Deutschland haben wir nämlich so viele Millionen Menschen, die ihren einen berühmten anständigen Juden haben, daß diese Zahl bereits größer ist als die Zahl der Juden. Ich will das bloß deshalb anführen, weil Sie aus dem Lebensbereich Ihres eigenen Gaues bei achtbaren und anständigen nationalsozialistischen Menschen feststellen können, daß auch von ihnen jeder einen anständigen Juden kennt.

Ich bitte Sie, das, was ich Ihnen in diesem Kreise sage, wirklich nur zu hören und nie darüber zu sprechen. Es trat an uns die Frage heran: Wie ist es mit den Frauen und Kindern? — Ich habe mich entschlossen, auch hier eine ganz klare Lösung zu finden. Ich hielt mich nämlich nicht für berechtigt, die Männer auszurotten — sprich also, umzubringen oder umbringen zu lassen — und die Rächer in Gestalt der Kinder für unsere Söhne und Enkel großwerden zu lassen. Es mußte der schwere Entschluß gefaßt werden, dieses Volk von der Erde verschwinden zu lassen. Für die Organisation, die den Auftrag durchführen mußte, war es der schwerste, den wir bisher hatten. Er ist durchgeführt worden, ohne daß — wie ich glaube sagen zu können — unsere Männer und unsere Führer einen Schaden an Geist und Seele erlitten hätten. Diese Gefahr lag sehr nahe. Der Weg zwischen den beiden hier bestehenden Möglichkeiten, entweder zu roh zu werden, herzlos zu werden und menschliches Leben nicht mehr zu achten oder weich zu werden und durchzudrehen bis Nervenzusammenbrüchen — der Weg zwischen dieser Scylla und Charybdis ist entsetzlich schmal.

Wir haben das ganze Vermögen, das wir bei den Juden beschlagnahmten — es ging in unendliche Werte —, bis zum letzten Pfennig an den Reichswirtschaftsminister abgeführt. Ich habe mich immer auf den Standpunkt gestellt: Wir haben die Verpflichtung unserem Volke, unserer Rasse gegenüber, wenn wir den Krieg gewinnen wollen — wir haben die Verpflichtung unserem Führer gegenüber, der nun in 2000 Jahren unserem Volke einmal geschenkt worden ist, hier nicht klein zu sein und hier konsequent zu sein. Wir haben aber nicht das Recht, auch nur einen Pfennig von dem beschlagnahmten Judenvermögen zu nehmen. Ich habe von vornherein festgesetzt, daß SS-Männer, auch wenn sie nur eine Mark davon nehmen, des Todes sind. Ich habe in den letzten Tagen deswegen einige, ich kann es ruhig sagen, es sind etwa ein Dutzend — Todesurteile unterschrieben. Hier muß man hart sein, wenn nicht das Ganze darunter leiden soll. — Ich habe mich für verpflichtet gehalten, zu Ihnen als den obersten Willensträgern, als den obersten Würdenträgern der Partei, dieses politischen Ordens, dieses politischen Instruments des Führers, auch über diese Frage einmal ganz offen zu sprechen und zu sagen, wie es gewesen ist. — Die Judenfrage in den von uns besetzten Ländern wird bis Ende dieses Jahres erledigt sein. Es werden nur Restbestände von einzelnen Juden übrig bleiben, die untergeschlüpft sind. Die Frage der mit nichtjüdischen Teilen verheirateten Juden und die Frage der Halbjuden werden sinngemäß und vernünftig untersucht, entschieden und dann gelöst.

Daß ich große Schwierigkeiten mit vielen wirtschaftlichen Einrichtungen hatte, werden Sie mir glauben. Ich habe in den Etappengebieten große Judenghettos ausgeräumt. In Warschau haben wir in einem Judenghetto vier Wochen Straßenkampf gehabt. Vier Wochen! Wir haben dort ungefähr 700 Bunker ausgehoben. Dieses ganze Ghetto machte also Pelzmäntel, Kleider und ähnliches. Wenn man dort früher hinlangen wollte, so hieß es: Halt! Sie stören die Kriegswirtschaft! Halt! Rüstungsbetrieb! — Natürlich hat das mit Parteigenossen Speer gar nichts zu tun, Sie können gar nichts dazu. Es ist der Teil von angeblichen Rüstungsbetrieben, die der Parteigenosse Speer und ich in den nächsten Wochen und Monaten gemeinsam reinigen wollen. Das werden wir genauso unsentimental machen, wie im fünften Kriegsjahr alle Dinge unsentimental, aber mit großem Herzen für Deutschland gemacht werden müssen.

Damit möchte ich die Judenfrage abschließen. Sie wissen nun Bescheid und Sie behalten es für sich. Man wird vielleicht in ganz später Zeit sich einmal überlegen können, ob man dem deutschen Volke etwas mehr darüber sagt. Ich glaube, es ist besser, wir — wir insgesamt — haben das für unser Volk getragen, haben die Verantwortung auf uns genommen (die Verantwortung für eine Tat, nicht nur für eine Idee) und nehmen dann das Geheimnis mit in unser Grab ...

Text der Rede in den Akten des Persönlichen Stabes des Reichsführers SS, ediert von Bradley F. Smith und Agnes Peterson, Heinrich Himmler. Geheimreden 1933—1945. Propyläen Verlag Berlin 1974, S. 168—171.

Kommentar: Rechnet man Himmlers Angaben über die Arbeitsleistung der rund 200 000 Konzentrationslagerinsassen auf die monatliche Stundenzahl um, so hätte jeder Häftling täglich nur 2½ Stunden für die Kriegswirtschaft gearbeitet. Selbst wenn man annimmt, daß ein Teil der Häftlinge arbeitsunfähig war, ein anderer für den Unterhalt der Lager benötigt wurde, so erscheint die genannte Zahl von 15 Millionen Arbeitsstunden im Monat bei 10 und mehr Stunden täglicher Arbeitszeit, wie wir sie aus Berichten Überlebender kennen, sehr niedrig.

Kein Wort sagt Himmler darüber, daß in den KZ-Lagern auch Pfarrer beider Konfessionen, geflüchtete und wieder eingefangene Kriegsgefangene, Homosexuelle, Bibelforscher und viele andere „Mißliebige" saßen.

Neben der aus vielen Lagern bekannten Korruption der SS-Leute, gegen die gelegentlich auch von oben eingeschritten wurde, wurden häufig offiziell die Teilnehmer von „Juden-Aktionen" mit Teilen der Beute belohnt.

Entgegen Himmlers Prognose wurden noch fast das ganze Jahr 1944 hindurch Juden deportiert, zuletzt noch am 8. November eine Anzahl Juden aus Budapest.

VII. Quellen und Darstellungen

Das nachfolgende Verzeichnis soll die wichtigsten gedruckten Quellen und eine Auswahl von Büchern über bedeutende Vorgänge und Personen im Zusammenhang mit dem Nationalsozialismus in Deutschland von 1918—1945 nennen. Auf Aufsätze und schwer erreichbare ungedruckte Dissertationen wurde verzichtet. Da die angeführten Werke der historischen Fachliteratur ausnahmslos über einen wissenschaftlichen Apparat verfügen, ist es möglich, weitere Darstellungen zu finden. Dazu tragen auch die genannten Bibliographien und Zeitschriften bei.

Um das Verzeichnis zu vereinfachen, wurden Herausgeber als Verfasser behandelt, bei Büchern mit mehreren Autoren nur jeweils der erste im Alphabet genannt, die Untertitel weggelassen oder gekürzt und die Reihentitel außer bei Taschenbüchern getilgt. Auch die Verlagsangaben wurden möglichst verkürzt. Folgende Abkürzungen wurden verwendet: U. P. = University Press, VEB = Volkseigener Betrieb, V = Verlag, VA = Verlagsanstalt. Sofern von ausländischen Werken deutsche Übersetzungen vorlagen, wurden nur diese notiert. Hinweise zum Inhalt stehen in [ ].

Innerhalb der beiden Hauptgruppen (Quellen, Darstellungen) wurden die Titel nach sachlichen Gesichtspunkten geordnet, innerhalb dieser Untergruppen nach dem Erscheinungsjahr bzw. bei biographischen Werken nach dem Alphabet der Verfasser bzw. Biographierten. Da alle Verfasser und Herausgeber in das Register aufgenommen wurden, kann der Leser rasch einen Buchtitel finden, dessen Autor er kennt.

Bibliographien

Erich Unger, Das Schrifttum des Nationalsozialismus von 1919 bis zum 1. 1. 1934. Junker und Dünnhaupt Berlin 1934, XII, 187 S.

Deutsche Verwaltung für Volksbildung in der Sowjetischen Besatzungszone, Liste der auszusondernden Literatur. 3 Bände, Zentralverlag Berlin 1946—1948.

Franz Herre, Bibliographie zur Zeitgeschichte und zum Zweiten Weltkrieg für die Jahre 1945—1950. Institut für Zeitgeschichte München 1955, 254 S.

Bibliographie zur Zeitgeschichte. Beilage zu Vierteljahreshefte für Zeitgeschichte. Deutsche VA Stuttgart 1953 ff.
Bücherschau der Weltkriegsbücherei. WKB Stuttgart 1953—1959, fortgesetzt als Jahresbibliographie, Bibliothek für Zeitgeschichte, WKB. Bernard & Graefe Frankfurt 1960 ff.
Wolfgang Benz, Quellen zur Zeitgeschichte. Deutsche VA Stuttgart 1973, 366 S. = Deutsche Geschichte seit dem Ersten Weltkrieg, Band 3.

Quellen

Quellensammlungen 1918—1945

Herbert Michaelis, Ursachen und Folgen. [1916—1945] 23 Bände, Dokumentenverlag Dr. Herbert Wendler Berlin 1958 bis 1976.
Reinhard Kühnl, Der deutsche Faschismus. Pahl-Rugenstein Köln 1976, 512 S.

Quellensammlungen 1918—1933

Werner Jochmann, Nationalsozialismus und Revolution. Ursprung und Geschichte der NSDAP in Hamburg 1922—1933. Europäische VA Frankfurt 1964, 444 S.
Wilhelm Treue, Deutschland in der Weltwirtschaftskrise in Augenzeugenberichten. München 1976, 435 S. = dtv 1161.
Albrecht Tyrell, Führer befiehl ... Selbstzeugnisse aus der Kampfzeit der NSDAP. Droste Düsseldorf 1969, 403 S.
Ernst Deuerlein, Der Aufstieg der NSDAP in Augenzeugenberichten. 2. Aufl. München 1976, 458 S. = dtv 1040.

Quellensammlungen 1933—1945

Paul Meier-Benneckenstein, Dokumente der deutschen Politik [1933—1940], 9 Bände, Junker & Dünnhaupt Berlin 1935—1944.
Alfred-Ingemar Berndt, Deutschland im Kampf. 116 Hefte, Otto Stollberg Berlin 1939—1944.
Walter Anger, Das Dritte Reich in Dokumenten. Europäische VA Frankfurt 1957, 216 S.

Walther Hofer, Der Nationalsozialismus. Dokumente 1933—1945. Frankfurt 1957, 389 S. = Fischer Bücherei 172.
Franz Josef Heyen, Nationalsozialismus im Alltag [Mittelrheingebiet]. Harald Boldt Boppard 1967, 372 S.

Quellensammlungen zur Politik des NS-Regimes

Leon Poliakov, Das Dritte Reich und seine Denker. Arani Berlin 1959, XI, 560 S.
Hans Müller, Katholische Kirche und Nationalsozialismus. Dokumente 1930—1935. München 1965, 374 S. = dtv dokumente 328.
Joseph Wulf, Musik im Dritten Reich. Sigbert Mohn Gütersloh 1964, 448 S.
Hans-Adolf Jacobsen, Der zweite Weltkrieg. Grundzüge der Politik und Strategie in Dokumenten. Frankfurt 1965, 498 S. = Fischer Bücherei 645/646.
Joseph Wulf, Die bildenden Künste im Dritten Reich. Reinbek 1966, 459 S. = rororo 806—808.
Reimund Schnabel, Mißbrauchte Mikrophone. Europa V. Wien 1967, 512 S.
Anna Teut, Architektur im Dritten Reich. Ullstein Berlin 1967, 389 S.
Ernst Loewy, Literatur unterm Hakenkreuz. Frankfurt 1969, 315 S. = Fischer Bücherei 1042.
Fritz Sänger, Politik der Täuschungen. Mißbrauch der Presse im Dritten Reich. Europa V. Wien 1975, 432 S.
Timothy W. Mason, Arbeiterklasse und Volksgemeinschaft. Westdeutscher V. Köln 1975, 1299 S.

Quellensammlungen zur Verfolgung „Unerwünschter“

Buchenwald. Mahnung und Verpflichtung. Röderberg Frankfurt 1960, 621 S.
Joseph Wulf, Das Dritte Reich und seine Vollstrecker. Arani Berlin 1961, 383 S. (Neudruck: 1978).
Gerhard Schoenberner, Wir haben es gesehen. Augenzeugenberichte über Terror und Judenverfolgung. Rütten & Loening Hamburg 1962, 429 S.
Hans G. Adler, Auschwitz. Europäische VA Frankfurt 1962, 423 S.

Hans Christoph von Hase, Evangelische Dokumente zur Ermordung der „unheilbar Kranken“. Evangelisches V.werk Stuttgart 1964, 128 S.
Inge Deutschkron, . . . denn ihrer war die Hölle. Kinder in Ghettos und Lagern. Wissenschaft und Politik Köln 1965, 192 S.
Heinz Boberach, Richterbriefe. Harald Boldt Boppard 1975, XXVIII, 516 S.
Leon Poliakov, Das Dritte Reich und seine Diener. Arani Berlin 1975, XV, 540 S.

Zeitungen und Zeitschriften des NS

Völkischer Beobachter 1920—1945. Franz Eher München, Januar bis Mai 1924 als Großdeutsche Zeitung erschienen, seit 1930 Berliner Ausgabe, seit 1938 Wiener Ausgabe, ab 1933 auch süddeutsche und norddeutsche.
Der Stürmer. Wilhelm Härdel Nürnberg 1923—1945.
Nationalsozialistische Briefe. Kampf V. Berlin 1925—1930.
Die Schwarze Front. ohne V. Berlin 1926—1933.
Illustrierter Beobachter. Franz Eher München 1926—1945.
Hans Dieter Müller, Facsimile-Querschnitt durch das „Reich“. Scherz München 1964, 208 S.
Helmut Heiber, Das Schwarze Korps. Facsimile-Querschnitt. Scherz München 1969, 208 S.

Bildbände 1900—1945

Kurt Zentner. Die ersten fünfzig Jahre des XX. Jahrhunderts. 3 Bände, Franz Burda Offenburg 1950.
Hans-Adolf Jacobsen, Der Zweite Weltkrieg in Bildern und Dokumenten. 3 Bände, Kurt Desch München 1962/1963.
Heinz Bergschicker, Der Zweite Weltkrieg. Eine Chronik in Bildern. Deutscher Militär V. Berlin 1963, 480 S.
Jochen von Lang, Adolf Hitler, Gesichter eines Diktators. Christian Wegner Hamburg 1968, 16+80 S.

Statistik

Statistisches Jahrbuch für das Deutsche Reich. Reimar Hobbing Berlin 39 (1918) — 59 (1941/1942).

Akten zur Außenpolitik Deutschlands 1900—1945

Akten zur deutschen auswärtigen Politik. Serie B. Vandenhoeck & Ruprecht, Göttingen Band 1—13 (1966—1979) [Dezember 1925—1929]; Serie C. 5 Bände (1971—1977) [1933—1936]; Serie D. Imprimerie Nationale Baden-Baden, später Vandenhoeck & Ruprecht Göttingen, 13 Bände (1950—1970) [1937—1941]; Serie E. Band 1—6 (1969—1979) [1942—30. 9. 1943].
Dieter Albrecht, Der Notenwechsel zwischen dem heiligen Stuhl und der deutschen Reichsregierung. Band 1 (Matthias Grünewald Mainz 1965) XXVII, 459 S.
Alfons Kupper, Staatliche Akten über die Reichskonkordatsverhandlungen 1933. Matthias Grünewald Mainz 1969, XLV, 537 S.
Wolfgang Schumann, Griff nach Südosteuropa [1939—1944]. VEB Deutscher V. der Wissenschaften Berlin 1973, 287 S.
Leonidas E. Hill, Die Weizsäcker-Papiere 1933—1950. Propyläen Berlin 1974, 684 S.
Wolfgang Schumann, Weltherrschaft im Visier (1900—1945). VEB deutscher V. der Wissenschaften Berlin 1975, 406 S.

Gesetze und Führerbefehle 1933—1945

Reichsgesetzblatt. Reichsverlagsamt Berlin 1933—1944/1945.
Uwe Brodersen, Gesetze des NS-Staates. Gehlen Bad Homburg 1968, 195 S.
Walther Hubatsch, Hitlers Weisungen für die Kriegführung 1939—1945. Bernard & Graefe Frankfurt 1962, 330 S.

Reichstagsverhandlungen 1932—1936

Der deutsche Reichstag. Verhandlungen, Stenographische Berichte. Julius Sittenfeld Berlin. 6.—10. Wahlperiode 1932—1936.

Protokolle von Führungsentscheidungen

Helmut Heiber, Hitlers Lagebesprechungen. Die Protokollfragmente ... 1942—1945. Deutsche VA Stuttgart 1962, 970 S.
Willi A. Boelcke, Geheime Ministerkonferenzen im Reichspropagandaministerium. Deutsche VA Stuttgart 1966, 765 S.

Tagebücher von Entscheidungsträgern und Opfern des NS

Louis P. Lochner, Goebbels Tagebücher aus den Jahren 1942/43, ... Atlantis Zürich 1948, 528 S.

Helmut Heiber, Das Tagebuch von Joseph Goebbels 1925/1926 ... Deutsche VA Stuttgart 1960, 110 S.

Goebbels Tagebücher 1945. Hoffman & Campe Hamburg 1977, 607 S.

Hans-Günther Seraphim, Das politische Tagebuch Alfred Rosenbergs 1934/1935 und 1939/1940. München 1964, 266 S. = dtv dokumente 219.

Werner Präg, Das Diensttagebuch des deutschen Generalgouverneurs in Polen 1939—1945. Deutsche VA Stuttgart 1975, 1200 S.

Lew Besymenski, Die letzten Notizen von Martin Bormann. Deutsche VA Stuttgart 1974, 344 S.

Hans-Adolf Jacobsen, Generaloberst Halder, Kriegstagebuch. 3 Bände, W. Kohlhammer Stuttgart 1962—1964.

Hildegard von Kotze, Heeresadjutant bei Hitler 1938—1943. Deutsche VA Stuttgart 1974, 157 S.

Georg Meyer, Wilhelm Ritter von Leeb. Tagebuchaufzeichnungen und Lagebeurteilungen aus zwei Weltkriegen. Deutsche VA Stuttgart 1976, 500 S.

Edgar Kupfer-Koberwitz, Die Mächtigen und die Hilflosen [KZ-Tagebuch]. 2 Bände, Friedrich Vorwerk Stuttgart 1957—1960.

Im Feuer vergangen. Tagebücher aus dem Ghetto 6. Aufl. Rütten & Loening Berlin 1958, 608 S.

Briefe von Nationalsozialisten und ihren Gegnern

Hugh R. Trevor-Roper, The Bormann letters (1943—1945). Weidenfeld & Nicolson London 1954, 200 S.

Helmut Heiber, Briefe von und an Heinrich Himmler. München 1970, 399 S. = dtv dokumente 639.

Fred Hahn, Lieber Stürmer! Leserbriefe ... 1924—1945. Seewald Stuttgart 1978, 263 S.

Elisabeth Wagner, Der Generalquartiermeister. Briefe und Tagebuchaufzeichnungen Eduard Wagners. Günter Olzog München 1963, 318 S.

Piero Malvezzi, Letzte Briefe zum Tode Verurteilter aus dem europäischen Widerstand. München 1962, 311 S. = dtv dokumente 34.

Gespräche der NS-Führer

Percy Ernst Schramm, Hitlers Tischgespräche im Führerhauptquartier 1941/1942. Seewald Stuttgart 1963, 546 S.

Edouard Calic, Ohne Maske, Geheimgespräche zwischen Hitler und R. Breiting. Societäts-V. Frankfurt 1968, 160 S.

Hermann Rauschning, Gespräche mit Hitler, Europa V. Zürich 1940, Neudruck 1973, 280 S. Dazu: Theodor Schieder, Hermann Rauschnings „Gespräche mit Hitler" als Geschichtsquelle. Westdeutscher V. Köln 1972, 91 S.

Werner Jochmann, Adolf Hitler: Monologe im Führerhauptquartier 1941—1944. Albrecht Knaus Hamburg 1980, 491 S.

Henry A. Turner, Hitler aus nächster Nähe. Aufzeichnungen eines Vertrauten 1929—1932. Ullstein Berlin 1978, 512 S.

Reden der NS-Führer

Werner Jochmann, Im Kampf um die Macht. Hitlers Rede vor dem Nationalclub von 1919. Europäische VA Frankfurt 1960, 121 S.

Max Domarus, Hitler-Reden und Proklamationen 1932—1945. 2 Bände, Süddeutscher V. München 1965.

Hildegard von Kotze, „Es spricht der Führer". Sigbert Mohn Gütersloh 1966, 379 S.

Erhard Klöss, Reden des Führers ... 1922—1945. München 1967, 335 S. = dtv dokumente 436.

R. Walther Darré, Um Blut und Boden, Reden und Aufsätze, 4. Aufl. Franz Eher München 1942, 599 S.

Helmut Heiber, Goebbels Reden 1932—1945. 2 Bände, München 1978 = Heyne-Bücher 7071.

Hermann Göring, Reden und Aufsätze. Franz Eher, München 1941, 391 S.

Rudolf Hess, Reden. Franz Eher München 1938, 269 S.

Bradley F. Smith, Heinrich Himmler, Geheimreden. Propyläen Berlin 1974, 320 S.

Memoiren von Ministern (1932—1945)

Hans Frank, Im Angesicht des Galgens. 2. Aufl. Brigitte Frank Neuhaus bei Schliersee 1955, 445 S.

Franz von Papen, Der Wahrheit eine Gasse. Paul List München 1952, 678 S.

Franz von Papen, Vom Scheitern einer Demokratie 1930—1933. Hase & Koehler Mainz 1968, 408 S.
Annelies von Ribbentrop, Joachim von Ribbentrop. Zwischen London und Moskau. Druffel-V. Leoni 1953, 336 S.
Ernst Röhm, Die Geschichte eines Hochverräters. Franz Eher München 1928, 348 S. [spätere Auflagen sind vom Autor verändert].
Serge Lang, Alfred Rosenberg [Memoiren aus Nachlaß]. Zollikofer & Co. St. Gallen 1947, 356 S.
Hjalmar Schacht, Abrechnung mit Hitler. Rowohlt Hamburg 1948, 61 S.
Hjalmar Schacht, 76 Jahre meines Lebens. Kindler & Schiermeier Bad Wörishofen 1953, 689 S.
Lutz Graf Schwerin von Krosigk, Es geschah in Deutschland. Rainer Wunderlich Tübingen 1951, 384 S.
Lutz Graf Schwerin von Krosigk, Staatsbankrott. Musterschmidt Göttingen 1974, 410 S.
Lutz Graf Schwerin von Krosigk, Memoiren. Seewald Stuttgart 1977, 344 S.
Albert Speer, Erinnerungen. Propyläen Berlin 1969, 560 S.

Memoiren von Parteiführern

Otto Dietrich, Zwölf Jahre mit Hitler [Reichspressechef]. Isar V. München 1955, 284 S.
Theodor Düsterberg, Der Stahlhelm und Hitler. Wolfenbütteler VA Wolfenbüttel 1949, 157 S.
Ernst S. Hanfstaengl, Zwischen weißem und braunem Haus [Auslandspressechef der NSDAP]. Piper München 1970, 402 S.
Konstantin Hierl, Im Dienst für Deutschland 1918—1945 [Führer des Reichsarbeitsdienstes]. Kurt Vowinckel Heidelberg 1954, 208 S.
Albert Krebs, Tendenzen und Gestalten der NSDAP [1927/1928 Gauleiter in Hamburg]. Deutsche VA Stuttgart 1959, 245 S.
Gerhard Rossbach, Mein Weg durch die Zeit [Bündischer Jugend- und Freikorpsführer]. Vereinigte Weilburger Buchdruckereien Weilburg 1950, 240 S.
Baldur von Schirach, Ich glaubte an Hitler. Mosaik V. Hamburg 1967, 367 S.
Otto Strasser, Exil. Selbst V. München 1958, 192 S.
Karl Wahl, ... „es ist das deutsche Herz“ [Gauleiter in Augsburg]. Selbst V. Augsburg 1954, 475 S.

Fritz Wiedemann, Der Mann, der Feldherr werden wollte [Hitlers persönlicher Adjutant]. blick+bild V. Velbert 1964 270 S.

Memoiren von Beamten

Rudolf Diels, Lucifer ante portas [1. Chef der Gestapo]. Deutsche VA Stuttgart 1950, 449 S.

Walter Hagen [Pseudonym für Wilhelm Höttl], Die geheime Front [hoher Beamter im SD]. Veritas Stuttgart o. J., 516 S.

Rudolf Höß, Kommandant in Auschwitz. München 1963, 188 S. = dtv dokumente 114.

Otto Meissner, Staatssekretär unter Ebert — Hindenburg — Hitler. Hoffmann & Campe Hamburg 1950, 643 S.

Gita Petersen, Walter Schellenberg, Memoiren [Chef des Auslandsnachrichtendienstes]. Politik und Wirtschaft Köln 1959, 421 S.

Memoiren von Diplomaten

Otto Abetz, Das offene Problem [1940—1944 deutscher Botschafter in Paris]. Greven V. Köln 1951, 330 S.

Otto Bräutigam, So hat es sich zugetragen [Konsul in der Sowjetunion und Ministerialbeamter im Ostministerium]. Holzner Würzburg 1968, 720 S.

Herbert von Dirksen, Moskau, Tokio, London. Erinnerungen ... W. Kohlhammer Stuttgart 1949, 279 S.

André François-Poncet, Als Botschafter in Berlin 1931—1938. Florian Kupferberg Mainz 1947, 366 S.

Fritz Grobba, Männer und Mächte im Orient. Musterschmidt Göttingen 1967, 339 S.

Peter Kleist, Zwischen Hitler und Stalin. Athenäum Bonn 1950, 344 S.

Erich Kordt, Nicht aus den Akten ... [Leiter des Büros Ribbentrops]. Deutsche VA Stuttgart 1950, 442 S.

Paul Schmidt, Statist auf diplomatischer Bühne [Chefdolmetscher]. 9. Aufl. Athenäum Bonn 1961, 607 S.

Ernst von Weizsäcker, Erinnerungen [Staatssekretär im AA]. Paul List München 1950, 391 S.

Hermann Neubacher, Sonderauftrag Südost 1940—1945. Musterschmidt Göttingen 1956, 215 S.

Memoiren von Militärs

Karl Dönitz, 10 Jahre und 20 Tage [Befehlshaber der U-Boote]. Athenäum Bonn 1958, 512 S.

Heinz Guderian, Erinnerungen eines Soldaten [1944/1945 Chef des Generalstabes des Heeres]. Kurt Vowinckel Heidelberg 1951, 462 S.

Friedrich Hoßbach, Zwischen Wehrmacht und Hitler [Heeresadjutant]. 2. Aufl. Vandenhoeck & Ruprecht Göttingen 1965, 199 S.

Walter Görlitz, Generalfeldmarschall Keitel ... Erinnerungen ... Musterschmidt Göttingen 1961, 447 S.

Albert Kesselring, Soldat bis zum letzten Tag [Oberbefehlshaber Süd]. Athenäum Bonn 1953, 473 S.

Erich von Manstein, Verlorene Siege [Oberbefehlshaber einer Heeresgruppe]. Athenäum Bonn 1955, 664 S.

Erich Raeder, Mein Leben [Oberbefehlshaber der Kriegsmarine]. 2 Bände, Fritz Schlichtenmayer Tübingen 1956/1957.

Hans Speidel, Aus unserer Zeit [Stabschef Rommels]. Ullstein Berlin 1977, 512 S.

Walter Warlimont, Im Hauptquartier der deutschen Wehrmacht 1939—1945 [Stellv. Chef des Wehrmachtführungsstabes]. Bernard & Graefe Frankfurt 1962, 564 S.

Erinnerungen von Nichtpolitikern

Margret Boveri, Wir lügen alle [Journalistin in Berlin]. Walter V. Olten 1965, 744 S.

George W. F. Hallgarten, Als die Schatten fielen [Emigrant]. Ullstein Berlin 1969, 368 S.

Heinrich Hoffmann, Hitler, wie ich ihn sah [Photograph]. Herbig Berlin 1974, 232 S.

Friedrich Meinecke, Die deutsche Katastrophe. Betrachtungen und Erinnerungen [Historiker]. Eberhard Brockhaus Wiesbaden 1946, 177 S.

Ernst von Salomon, Der Fragebogen [Frememörder]. Rowohlt Hamburg 1951, 807 S.

Erinnerungen von Häftlingen

Ernst Israel Bornstein, Die lange Nacht. Ein Bericht aus sieben Lagern. Europäische VA Frankfurt 1967, 243 S.

Viktor E. Frankl, Ein Psycholog erlebt das Konzentrationslager. V. für Jugend und Volk Wien 1946, 130 S.
Wieslaw Kielar, Anus mundi. 5 Jahre Auschwitz. S. Fischer Frankfurt 1979, 416 S.
Arnold Weiß-Rüthel, Nacht und Nebel. 2. Aufl. Herbert Kluger München 1946, 157 S.

Vorläufer und Ideologen des NS

Houston Stewart Chamberlain, Die Grundlagen des 19. Jahrhunderts. 2 Bände, F. Bruckmann München 1899.
Theodor Fritsch, Handbuch der Judenfrage, 49 Aufl. Hammer-V. Leipzig 1944, 602 S. [zuerst als Antisemiten-Katechismus 1887 erschienen].
Joseph Arthur Graf des Gobineau, Versuch über die Ungleichheit der Menschenrassen. 4 Bände, F. Frommann Stuttgart 1891—1901.
Alfred Kirchhoff, Darwinismus, angewandt auf Völker und Staaten. Gebauer & Schwetschke Halle 1910, XVI, 89 S.
Hans F. K. Günther, Rassenkunde des deutschen Volkes. J. F. Lehmann, München 1922, 440 S.
Adolf Hitler, Mein Kampf, 2 Bände, Franz Eher München 1925—1927.
Gerhard L. Weinberg, Hitlers zweites Buch. Deutsche VA Stuttgart 1960, 227 S.
Hermann Mandel, Deutscher Gottglaube. Armanen-V. Leipzig 1934, 128+31 S.
Arthur Moeller van den Bruck, Das Dritte Reich. Ring-V. Berlin 1923, X, 263 S.
Alfred Rosenberg, Der Mythus des 20 Jahrhunderts. Hoheneichen V. München 1930, 670 S.
Otto Strasser, Aufbau des deutschen Sozialismus. R. W. Lindner V. Leipzig 1932, 101 S.

Akten von Prozessen gegen NS-Führer und Befehlsausführer

Der Prozeß gegen die Hauptkriegsverbrecher vor dem Internationalen Militärgerichtshof ... 42 Bände, IMG Nürnberg 1947—1949.
Alexander Mitscherlich, Medizin ohne Menschlichkeit. Dokumente des Nürnberger Ärzteprozesses. Frankfurt 1960, 295 S. = Fischer Bücherei 332.

Kazimierz Leszczyński, Fall 9. Das Urteil im SS-Einsatzgruppenprozeß. Rütten & Loening Berlin 1963, 258 S.
Martin Zöller, Fall 7. Das Urteil im Geiselmordprozeß. VEB deutscher V. der Wissenschaften. Berlin 1965, 250 S.

Darstellungen

Zeitschriften

Revue d'histoire de la deuxième guerre mondiale. Presse Universitaire de France. Paris 1950 ff.
Vierteljahrshefte für Zeitgeschichte. Deutsche VA Stuttgart 1953 ff.

Nachschlagewerke

Cuno Horkenbach, Handbuch der Reichs- und Staatsbehörden, Körperschaften und Organisationen. Presse- und Wirtschaftsverlag Berlin 1935, 200 S.
Meyers Lexikon, Bibliographisches Institut Leipzig, Band 1—9 (1936—1942) [A — Soxhlet].

Chroniken

Schulthess, Europäischer Geschichtskalender 1919—1940. C. H. Beck München 1923—1942.
Hans Volz, Daten der Geschichte der NSDAP. 9. Aufl. Ploetz Berlin 1939, XVI, 130 S.
Archiv der Gegenwart. Keesing Wien 1931/1932—1945.
Geschichte des Zweiten Weltkrieges. 2. Aufl. Ploetz Würzburg 1960, 171+929 S.
Andreas Hillgruber, Chronik des Zweiten Weltkrieges. Bonn 1978, 196 S. = Athenäum-Droste TB.

Gesamtdarstellungen des NS

Gerd Rühle, Das Dritte Reich. 7 Bände, Hummel V. Berlin 1934—1939 [1918—1938].
Ernst Nolte, Der Faschismus in seiner Epoche. Die action française. Der italienische Faschismus. Der Nationalsozialismus. Piper München 1963, 633 S.

Eugen Weber, Varieties of Fascism. Princeton 1964, 191 S. = Anvil Original 73.

Dietrich Orlow, The history of the Nazi Party 1919—1945. 2 Bände, Pittsburgh U. P., Pittsburgh 1969 und 1973.

Deutschland 1918—1932

Erich Eyck, Geschichte der Weimarer Republik. 3. Aufl. 2 Bände, Eugen Rentsch Erlenbach-Zürich 1962.

Alfred Milatz, Wähler und Wahlen in der Weimarer Republik. Bundeszentrale für politische Bildung Bonn 1965, 152 S.

Albert Schwarz, Die Weimarer Republik, in: Handbuch der deutschen Geschichte. Band 4, 1 (Athenaion Frankfurt 1973), 232 S.

Deutschland 1933—1939

Joachim C. Fest, Das Gesicht des Dritten Reiches. Berlin 1969, 462 S. = Ullstein Buch 4017/4018.

Heinz Huber, Das Dritte Reich. 6 Bände, Kurt Desch München 1969.

Richard Grunberger, Das zwölfjährige Reich. F. Molden Wien 1972, 542 S.

Martin Broszat, Der Staat Hitlers. 8. Aufl. München 1979, 472 S. = dtv Weltgeschichte des 20. Jahrhunderts 9.

Karl Dietrich Bracher, Die deutsche Diktatur. Berlin 1979, XI, 588 S. = Ullstein Buch 35 002.

Deutschland 1939—1945

Deutschland im Zweiten Weltkrieg. Akademie V. Berlin, Bd. 1—3 (1974—1979) [1939—1943].

David Irving, Hitler's war. Hodder & Stoughton London 1977, 926 S.

Sammelbände

Gutachten des Instituts für Zeitgeschichte. I. f. ZG München 1958, 439 S. Band 2. Deutsche VA Stuttgart 1966, 480 S.

Hans Buchheim, Anatomie des SS-Staates. 2 Bände, Walter V. Olten 1965.

James H. McRandle. The track of the wolf. Essays on National Socialism and its leader Adolf Hitler. Northwestern U. P. Evanston (Ill.) 1965, IX, 261 S.
Peter D. Stachura, The shaping of the Nazi state. Croom Helm, London 1975, 320 S.
Alfred Grosser, Wie war es möglich? Carl Hanser München 1977, 272 S.
Otto Dann, Nationalsozialismus und sozialer Wandel. Hoffmann & Campe Hamburg 1978, 241 S.

Biographische Sammelwerke

Das deutsche Führerlexikon 1934/1935. Otto Stollberg Berlin 1934, 552+148 S.
B. H. Liddell Hart, Deutsche Generale des Zweiten Weltkrieges. Econ Düsseldorf 1964, 289 S.
Erich Stockhorst, Fünftausend Köpfe. Wer war was im Dritten Reich. blick+bild V. Velbert 1967, 461 S.
Gustave M. Gilbert, Nürnberger Tagebuch. Frankfurt 1977, 455 S. = Fischer Bücherei 1885.

Kommunisten 1918—1923

Allan Mitchell, Revolution in Bayern 1918/1919. C. H. Beck München 1967, XII, 321 S.
Eric Waldman, Spartacus. Der Aufstand von 1919 ... Harald Boldt Boppard 1967, 318 S.
Werner T. Angress, Die Kampfzeit der KPD 1921—1923. Droste Düsseldorf 1972, 547 S.

Separatisten

Karl Dietrich Erdmann, Adenauer in der Rheinlandpolitik nach dem Ersten Weltkrieg. Ernst Klett Stuttgart (1966), 386 S.

Rechtsradikale

Peter Bucher, Der Reichswehrprozeß ... 1929/30. Harald Boldt Boppard 1968, 608 S.
Hans Fenske, Konservatismus und Rechtsradikalismus in Bayern nach 1918. Gehlen Bad Homburg 1969, 340 S.

Uwe Lohalm, Völkischer Radikalismus. Die Geschichte des deutsch-völkischen Schutz- und Trutzbundes 1919—1923. Leibniz V. Hamburg 1970, 492 S.
Kurt Sontheimer, Antidemokratisches Denken in der Weimarer Republik. München 1978, 330 S. = dtv WR 4312.
Hansjoachim W. Koch, Der deutsche Bürgerkrieg. Die Geschichte der deutschen und österreichischen Freikorps. Ullstein Berlin 1978, 487 S.

Weltwirtschaftskrise

Werner Conze, Die Staats- und Wirtschaftskrise des deutschen Reiches 1929—1933. Ernst Klett Stuttgart 1967, 253 S.

Außenpolitik Deutschlands 1918—1932

Ludwig Zimmermann, Deutsche Außenpolitik in der Ära der Weimarer Republik. Musterschmidt Göttingen 1958, 486 S.

NS-Weltanschauung

Jean F. Neurohr, Der Mythos vom Dritten Reich. J. G. Cotta, Stuttgart 1957, 287 S.
Wilfried Daim, Der Mann, der Hitler die Ideen gab. Isar V. München 1958, 286 S.
Georg Lukács, Die Zerstörung der Vernunft [deutsche Weltanschauung 1789—1945]. Luchterhand Neuwied 1962, 757 S.
Werner Maser, Adolf Hitlers „Mein Kampf". Bechtle München 1966, 344 S.
George L. Mosse, The crisis of German ideology. Grosset & Dunlap New York 1966, VI, 373 S.
Eva G. Reichmann. Die Flucht in den Haß. Die Ursachen der deutschen Judenkatastrophe. 5. Aufl. Europäische VA Frankfurt 1968, 324 S.
Hans-Jürgen Lutzhöft, Der nordische Gedanke in Deutschland 1920—1940. Ernst Klett Stuttgart 1971, 439 S.

Sprache des NS

Viktor Klemperer, LTI. Notizbuch eines Philologen [Sprachgebrauch im Dritten Reich]. 2. Aufl. Aufbau V. Berlin 1949, 287 S.

Cornelia Berning, Vom „Abstammungsnachweis“ zum „Zuchtwart“. Vokabular des Nationalsozialismus. Walter de Gruyter Berlin 1964, VI, 225 S.

NSDAP vor 1933

George W. F. Hallgarten, Hitler, Reichswehr und Industrie. Europäische VA Frankfurt 1955, Neudruck 1962, 130 S.

Ernst August Roloff, Bürgertum und Nationalsozialismus 1930—1933. Braunschweigs Weg ins Dritte Reich. V. für Literatur und Zeitgeschehen Hannover 1961, 174 S.

Rudolf Heberle, Landbevölkerung und Nationalsozialismus ... Schleswig-Holstein. Deutsche VA Stuttgart 1963, 171 S.

Werner Maser, Die Frühgeschichte der NSDAP. Athenäum Frankfurt 1965, 496 S.

Reinhard Kühnl, Die nationalsozialistische Linke 1925—1930. Anton Hain Meisenheim 1966, 378 S.

Harold J. Gordon, Hitlerputsch 1923. Bernard & Graefe Frankfurt 1974, 580 S.

Anselm Faust, Studenten und Nationalsozialismus in der Weimarer Republik. 2 Bände, Schwann Düsseldorf 1971.

Henry Ashby Turner jr., Faschismus und Kapitalismus in Deutschland. Vandenhoeck & Ruprecht Göttingen 1972, 185 S.

Wolfgang Horn, Führerideologie und Parteiorganisation in der NSDAP (1919—1933). Droste Düsseldorf 1972, 464 S.

Jeremy Noakes, The Nazi party in Lower Saxony 1921—1933. Oxford U. P. London 1972, 292 S.

Max H. Kele, Nazis and workers ... 1919—1933. U. of North Carolina P. Chapel Hill 1972, IX, 243 S.

Wilfried Böhnke, Die NSDAP im Ruhrgebiet 1920—1933. Neue Gesellschaft Bonn Bad Godesberg 1974, 240 S.

Georg Franz-Willing, Ursprung der Hitler-Bewegung. 2. Aufl. K. W. Schütz Preußisch Oldendorf 1974, 391 S.

Gerhard Schulz, Aufstieg des Nationalsozialismus. Propyläen Berlin 1975, 921 S.

Udo Kissenkötter, Gregor Strasser und die NSDAP. Deutsche VA Stuttgart 1978, 219 S.

Partei- und Staatsapparat 1933—1945

Peter Hüttenberger, Die Gauleiter. Deutsche VA Stuttgart 1969, 239 S.

Peter Diehl-Thiele, Partei und Staat im Dritten Reich. C. H. Beck München 1969, XIV, 296 S.
Reinhard Bollmus, Das Amt Rosenberg und seine Gegner. Deutsche VA Stuttgart 1970, 360 S.
Hans-Gerd Schumann, Nationalsozialismus und Gewerkschaftsbewegung. Norddeutsche VA Hannover 1958, 219 S.
Hans-Christian Brandenburg, Die Geschichte der HJ. Wissenschaft und Politik Köln 1968, 348 S.
Heinrich Bennecke, Hitler und die SA. Günter Olzog München 1962, 264 S.
Volker R. Berghahn, Der Stahlhelm. Droste Düsseldorf 1966, 304 S.
Enno Georg, Die wirtschaftlichen Unternehmungen der SS. Deutsche VA Stuttgart 1963, 154 S.
Heinz Höhne, Der Orden unter dem Totenkopf. Sigbert Mohn Gütersloh 1967, 600 S.
Reinhard Vogelsang, Der Freundeskreis Himmler. Musterschmidt Göttingen 1972, 182 S.
Marc Hillel, Lebensborn e. V. Paul Zsolnay Wien 1975, 352 S.
Jacques Delarue, Geschichte der Gestapo. Droste Düsseldorf 1964, 379 S.
Alwin Ramme. Der Sicherheitsdienst der SS. Deutscher Militär V. Berlin 1970, 324 S.

Biographien von NS-Führern

Jochen von Lang, Der Sekretär [Martin Bormann]. Deutsche VA Stuttgart 1977, 512 S.
Margarete Plewnia, Auf dem Wege zu Hitler [Dietrich Eckart]. Schünemann Bremen 1970, 155 S.
Helmut Heiber, Joseph Goebbels. 2. Aufl. München 1974, 393 S. = dtv 644.
Heinrich Fraenkel, Hermann Göring. V. für Literatur und Zeitgeschehen Hannover 1964, 402 S.
Günther Deschner, Reinhard Heydrich. Bechtle München 1977, 376 S.
Josef Ackermann, Himmler als Ideologe. Musterschmidt Göttingen 1970, 400 S.
Eberhard Jäckel, Hitlers Weltanschauung. Rainer Wunderlich Tübingen 1969, 160 S.
Axel Kuhn, Hitlers außenpolitisches Programm. Ernst Klett Stuttgart 1970, 286 S.

Werner Maser, Adolf Hitler. Bechtle München 1971, 532 S.
Detlef Grieswelle, Propaganda der Friedlosigkeit. Eine Studie zu Hitlers Rhetorik 1920—1933. F. Enke Stuttgart 1972, 233 S.
Walter Charles Langer, Das Adolf-Hitler-Psychogramm. Fritz Molden Wien 1973, 272 S.
Joachim C. Fest, Hitler. Propyläen Berlin 1973, 1190 S.
Jochen Thies, Architekt der Weltherrschaft. Die „Endziele" Hitlers. Droste Düsseldorf 1976, 221 S.
John Toland, Adolf Hitler. Gustav Lübbe Bergisch-Gladbach 1977, 1204 S.

Biographien von Wehrmachtführern

Heinz Höhne, Canaris. Bertelsmann München 1976, 624 S.
Walter Görlitz, Friedrich Paulus [Oberbefehlshaber der 6. Armee]. Bernard & Graefe Frankfurt 1960, 272 S.
David Irving, Rommel. Hoffmann & Campe Hamburg 1978, 580 S.

Machtergreifung

William Sheridan Allen, Das haben wir nicht gewollt. Die nationalsozialistische Machtergreifung in einer Kleinstadt 1930 bis 1935. Sigbert Mohn Gütersloh 1966, 327 S.
Horst Rehberger, Die Gleichschaltung des Landes Baden 1932/1933. Carl Winter Heidelberg 1966, 162 S.
Karl Dietrich Bracher, Die nationalsozialistische Machtergreifung. 3 Bände. Berlin 1973 = Ullstein Buch 2992—2994.
Ortwin Domröse, Der NS-Staat in Bayern von der Machtergreifung bis zum Röhmputsch. Stadtarchiv München 1974, 398 S.

Reichstagsbrand

Fritz Tobias, Der Reichstagsbrand. G. Grote Rastatt 1962, 723 S.
Walter Hofer, Der Reichstagsbrand. 2 Bände, Arani, Saur Berlin 1972—1978.

Röhm-Putsch

Charles Bloch, Die SA und die Krise des NS-Regimes 1934. Frankfurt 1970, 177 S. = edition Suhrkamp 434.

Ausrottungspolitik

Reinhard Henkys, Die nationalsozialistischen Gewaltverbrechen. Kreuz-V. Stuttgart 1964, 392 S.
Studien zur Geschichte der Konzentrationslager. Deutsche VA Stuttgart 1970, 202 S.
Hans Maršalek, Die Geschichte des KZ Mauthausen. Österreichische Lagergemeinschaft M. Wien 1974, XI, 320 S.
Christian Streit, Keine Kameraden. Die Wehrmacht und die sowjetischen Kriegsgefangenen 1941—1945. Deutsche VA Stuttgart 1978, 445 S.
Gerhard Schmidt, Selektion in der Heilanstalt 1939—1945. Evangelische VA Stuttgart 1965, 152 S.

Judenverfolgung

Hans G. Adler, Theresienstadt 1941—1945. 2. Aufl. J. C. B. Mohr Tübingen 1960, LIX, 892 S.
Helmut Genschel, Die Verdrängung der Juden aus der Wirtschaft des Dritten Reiches. Musterschmidt Göttingen 1966, 337 S.
Uwe Dietrich Adam, Judenpolitik im Dritten Reich. Droste Düsseldorf 1972, 382 S.
Klaus Drobisch, Juden unterm Hakenkreuz. Pahl-Rugenstein Frankfurt 1973, 437 S.
Hans G. Adler, Der verwaltete Mensch. Studien zur Deportation der Juden in Deutschland. J. C. B. Mohr Tübingen 1974, XXII, 1076 S.
Lucy Dawidowicz, Der Krieg gegen die Juden 1933—1945. Kindler München 1980, 448 S.

Kirchenverfolgung

Friedrich Zipfel, Kirchenkampf in Deutschland. Walter de Gruyter Berlin 1965, XIV, 571 S.
Benedicta Maria Kempner, Priester vor Hitlers Tribunalen. Rütten & Loening München 1966, 496 S.
Hans-Günter Hockerts, Die Sittlichkeitsprozesse gegen katholische Ordensangehörige und Priester 1936/1937. Matthias Grünewald Mainz 1971, 224 S.

Meinungslenkung

Erich Murawski, Der deutsche Wehrmachtbericht 1939—1945. Harald Boldt Boppard 1962, 768 S.
Hamilton T. Burden, Die programmierte Nation [Nürnberger Parteitage]. Bertelsmann Gütersloh 1968, 255 S.
Ernest K. Bramstedt, Goebbels und die nationalsozialistische Propaganda 1925—1945. S. Fischer Frankfurt 1971, 629 S.
Jürgen Hagemann, Die Presselenkung im Dritten Reich. H. Bouvier Bonn 1970, 398 S.
Klaus Scheel, Krieg über Ätherwellen. NS Rundfunk und Monopole 1933—1945. VEB Deutscher V. der Wissenschaften Berlin 1970, 316 S.

NS-Kult

Hans-Jochen Gamm, Der braune Kult. Rütten & Loening Hamburg 1962, 224 S.
Klaus Vondung, Magie und Manipulation. Ideologischer Kult und politische Religion des Nationalsozialismus. Vandenhoeck & Ruprecht Göttingen 1971, 256 S.

Kultur

Gerd Albrecht, Nationalsozialistische Filmpolitik. F. Enke Stuttgart 1969, XII, 562 S.
Hildegard Brenner, Die Kunstpolitik des Nationalsozialismus. Reinbek 1963, 287 S. = rowohlts deutsche enzyklopädie 167/168.
Berthold Hinz, Die Malerei im deutschen Faschismus. Carl Hanser München 1974, 320 S.
Dietrich Strothmann, Nationalsozialistische Literaturpolitik. H. Bouvier Bonn 1960, 481 S.
Peter Aley, Jugendliteratur im Dritten Reich. Bertelsmann Gütersloh 1967, 262 S.
Horst Denkler, Die deutsche Literatur im Dritten Reich. Reclam Stuttgart 1977, 528 S.

Universitäten und Wissenschaften

Andreas Flitner, Deutsches Geistesleben und Nationalsozialismus. Rainer Wunderlich Tübingen 1965, 243 S.

Nationalsozialismus und die deutsche Universität. Walter de Gruyter Berlin 1966, 223 S.
Die deutsche Universität im Dritten Reich. Piper München 1966, 282 S.
Helmut Heiber, Walter Frank und sein Reichsinstitut für die Geschichte des neuen Deutschlands. Deutsche VA Stuttgart 1966, 1274 S.
Hans Peter Bleuel, Deutschlands Bekenner — Professoren zwischen Kaiserreich und Diktatur. Scherz München 1969, 255 S.

Schule und Jugenderziehung

Rolf Eilers, Die nationalsozialistische Schulpolitik. Westdeutscher V. Köln 1963, XII, 152 S.
Harald Scholtz, Nationalsozialistische Ausleseschulen. Vandenhoeck & Ruprecht Göttingen 1973, 427 S.
Kurt-Ingo Flessau, Schule der Diktatur. Lehrpläne und Schulbücher des Nationalsozialismus. Ehrenwirth München 1977, 223 S.

Religionspolitik

Hans Buchheim, Glaubenskrise im Dritten Reich. Deutsche VA Stuttgart 1953, 223 S.
Kurt Meier, Die deutschen Christen. VEB Max Niemeyer Halle 1964, XV, 381 S.
John P. Conway, Die nationalsozialistische Kirchenpolitik. Chr. Kaiser München 1969, 383 S.

Recht

Hubert Schorn, Der Richter im Dritten Reich. Vittorio Klostermann Frankfurt 1959, 743 S.
Werner Johe, Die gleichgeschaltete Justiz. Europäische VA Frankfurt 1967, 260 S.
Rudolf Echterhölter, Das öffentliche Recht im nationalsozialistischen Staat. Deutsche VA Stuttgart 1970, 343 S.
Walter Wagner, Der Volksgerichtshof ... Deutsche VA Stuttgart 1974, 992 S.

Wirtschaft

Heinrich Uhlig, Die Warenhäuser im Dritten Reich. Westdeutscher V. Köln 1956, VIII, 230 S.
Gerhard Bry, Wages in Germany 1871—1945. U. P. Princeton 1960, XXVI, 486 S.
Wolfgang Birkenfeld, Der synthetische Treibstoff 1933—1945. Musterschmidt Göttingen 1963, 281 S.
Arthur Schweitzer, Big business in the Third Reich. Indiana U. P. Bloomington 1964, XII, 739 S.
Ingeborg Esenwein-Rothe. Die Wirtschaftsverbände von 1933—1945. Duncker & Humblot Berlin 1965, XVI, 209 S.
Dieter Petzina, Autarkiepolitik im Dritten Reich. Deutsche VA Stuttgart 1968, 204 S.
Doerte Doering, Deutsche Außenwirtschaftspolitik 1933—1935. Hilke Berlin 1970, 377 S.
Avraham Barkai, Das Wirtschaftssystem des Nationalsozialismus. Wissenschaft und Politik Köln 1977, 214 S.
Friedrich Grundmann, Agrarpolitik und Drittes Reich. Hoffmann & Campe Hamburg 1979, 233 S.
Joseph Borkin, Die unheilige Allianz der I. G. Farben [mit Hitlers Reich]. Campus V. Frankfurt 1979, 236 S.

Rüstung und Kriegswirtschaft

Walter Bernhardt, Die deutsche Aufrüstung 1934—1939. Bernard & Graefe Frankfurt 1969, 179 S.
Hans-Eckhardt Kannapin, Wirtschaft unter Zwang [Fremdarbeiter- und Häftlingseinsatz]. Deutscher Industrie V. Köln 1966, XV, 334 S.
Gregor Janssen, Das Ministerium Speer, Ullstein Berlin 1968, 446 S.
Dietrich Eichholtz, Geschichte der deutschen Kriegswirtschaft. Band 1 (Akademie-V. Berlin 1969), XI, 408 S. [1939—1941].
Anja E. Bagel-Bohlan, Hitlers industrielle Kriegsvorbereitung 1936—1939. Wehr und Wissen Koblenz 1975, 144 S.

Sozialstruktur

Hans Mommsen, Beamtentum im Dritten Reich. Deutsche VA Stuttgart 1967, 245 S.
David Schoenbaum, Die braune Revolution. Sozialgeschichte des Dritten Reiches. Kiepenheuer & Witsch Köln 1968, 392 S.

Karlheinz Ludwig, Technik und Ingenieure im Dritten Reich. Droste Düsseldorf 1974, 544 S.
Jill Stephenson, Women in Nazi Society. Croom Helm London 1975, 223 S.
Adelheid von Saldern, Mittelstand im Dritten Reich. Campus Frankfurt 1979, 401 S.

Wehrmacht und Staat

Graf Kielmannsegg, Der Fritschprozeß 1938. Hoffmann & Campe Hamburg 1949, 152 S.
Thilo Vogelsang, Reichswehr, Staat und NSDAP ... 1930—1932. Deutsche VA Stuttgart 1962, 507 S.
Francis L. Carsten, Reichswehr und Politik 1918—1933. Kiepenheuer & Witsch Köln 1964, 484 S.
Manfred Messerschmidt, Die Wehrmacht im NS-Staat. R. von Decker's V. Hamburg 1969, XX, 520 S.
Klaus-Jürgen Müller, Das Heer und Hitler ... 1933—1940. Deutsche VA Stuttgart 1969, 712 S.
Rudolf Absolon, Die Wehrmacht im Dritten Reich. 3 Bände, Harald Boldt Boppard 1969—1975 [1933—1939].
Herbert Molloy Mason jr., The rise of the Luftwaffe. Dial New York 1973, 402 S.
Jost Dülffer, Weimar, Hitler und die Marine. Droste Düsseldorf 1973, 615 S.

Außenpolitik

Robert L. Koehl, RKFDV: German resettlement and population policy 1939—1945. Harvard U. P. Cambridge (Mass.) 1957, XII, 263 S.
Walther Hofer, Die Entfesselung des Zweiten Weltkrieges. S. Fischer Frankfurt 1964, 518 S.
Hans-Adolf Jacobsen, Die nationalsozialistische Außenpolitik 1933—1938. Metzner Frankfurt 1968, XX, 944 S.
Klaus Hildebrand, Vom Reich zum Weltreich. Hitler, NSDAP und koloniale Frage 1919—1945. Wilhelm Fink München 1969, 955 S.
Klaus Hildebrand, Deutsche Außenpolitik 1933—1945. 3. Aufl. W. Kohlhammer Stuttgart 1976, 187 S.
Manfred Funke, Hitler, Deutschland und die Mächte. Kronberg 1978, 861 S. = Athenäum-Droste TB 7213.

Wolfgang Michalka, Nationalsozialistische Außenpolitik. Wissenschaftliche Buchgesellschaft Darmstadt 1978, VII, 579 S.

Beziehungen zu einzelnen Staaten

Heinz Tillmann, Deutschlands Araberpolitik im Zweiten Weltkrieg. VEB deutscher V. der Wissenschaften Berlin 1965, 462 S.
Ludwig Denne, Das Danzig-Problem in der deutschen Außenpolitik 1934—1939. Ludwig Röhrscheid Bonn 1959, 322 S.
Josef Henke, England in Hitlers politischem Kalkül 1935—1939. Harald Boldt Boppard 1973, 346 S.
Eberhard Jäckel, Frankreich in Hitlers Europa. Deutsche VA Stuttgart 1966, 396 S.
Jens Petersen, Hitler-Mussolini. Die Entstehung der Achse Berlin-Rom 1933—1936. Max Niemeyer Tübingen 1973, XVI, 559 S.
Theo Sommer, Deutschland und Japan zwischen den Mächten 1935—1940. J. C. B. Mohr Tübingen 1962, XI, 540 S.
Johann Wuescht, Jugoslawien und das Dritte Reich. Seewald Stuttgart 1969, 359 S.
Jürgen Gehl, Austria, Germany and the Anschluß 1931—1938. Oxford U. P. London 1963, X, 212 S.
Harald von Riekhoff, German-Polish relations 1918—1938. John Hopkins P. Baltimore 1971, XII, 421 S.
Andreas Hillgruber, Hitler, König Carol und Marschall Antonescu. 2. Aufl. Franz Steiner Wiesbaden 1965, XVII, 382 S.
Philipp W. Fabry, Die Sowjetunion und das Dritte Reich. Seewald Stuttgart 1971, 485 S.
Boris Celovsky, Das Münchner Abkommen 1938. Deutsche VA Stuttgart 1958, 518 S.
Helmuth K. G. Rönnefarth, Die Sudetenkrise in der internationalen Politik. 2 Bände, Franz Steiner Wiesbaden 1961.
Lothar Krecker, Deutschland und die Türkei im Zweiten Weltkrieg. Vittorio Klostermann Frankfurt 1963, 293 S.
Hans-Jürgen Schröder, Deutschland und die Vereinigten Staaten 1933—1939. Franz Steiner Wiesbaden 1970, 338 S.

Besatzungspolitik 1939—1945

Alexander Dallin, Deutsche Herrschaft in Rußland 1941—1945. Droste Düsseldorf 1958, 727 S.
Martin Broszat, Nationalsozialistische Polenpolitik 1939—1945. Frankfurt, Hamburg 1965, 228 S. = Fischer Bücherei 692.

Konrad Kwiet, Reichskommissariat Niederlande. Deutsche VA Stuttgart 1968, 172 S.
Detlef Brandes, Die Tschechen unter deutschem Protektorat. 2 Bände, Oldenbourg München 1969—1975.
Alan S. Milward, The Fascist economy in Norway. Clarendon P. Oxford 1972, X, 317 S.
Hans Umbreit, Deutsche Militärverwaltungen 1938/1939. Deutsche VA Stuttgart 1978, 296 S.

VIII. Register

Das Register enthält Personen, Autoren (kursiv), Staaten, Länder und Orte, sowie Sachbegriffe. Es dient gleichzeitig als Verzeichnis der im Text verwendeten Abkürzungen. Bei den handelnden Personen werden auch die Seiten nachgewiesen, auf denen sie nicht mit ihrem Namen, sondern mit einer Umschreibung (z. B. der Führer = Adolf Hitler) erwähnt werden. Die Begriffe Deutschland, Deutsches Reich sind wegen der Häufigkeit ihres Vorkommens nicht verzeichnet worden. Wortprägungen durch den Nationalsozialismus oder ältere Worte, die durch die Nationalsozialisten mit einem neuen Bedeutungsinhalt versehen wurden, sowie Zeitschriften und Zeitungen sind durch „...“ gekennzeichnet. Für Personen, die im Text nicht näher behandelt wurden, enthält das Register die Lebensdaten, soweit sie zu ermitteln waren, sowie die wichtigste Funktion in den Jahren des Nationalsozialismus. Die Umlaute (ä, ö, ü) werden in der alphabetischen Einordnung wie a, o, u behandelt.

Erwartungen

Kritische Rückblicke der Kriegsgeneration

„Dokumente unserer Zeit", Band 4,
herausgegeben von Rudolf Birkl und Günter Olzog,
312 Seiten, Leinen, 29,50 DM

In diesem Band werden die Antworten von Persönlichkeiten der verschiedenen Berufe, Konfessionen und politischen Einstellungen auf die Fragen nach der eigenen Situation im Sommer 1945 und den damaligen Erwartungen in persönlicher und beruflicher Hinsicht sowie im Blick auf die politische und wirtschaftliche Zukunft des deutschen Volkes und die erkennbaren Perspektiven der Weltpolitik in Verbindung mit dem kritischen Rück- und Umblick im Sommer 1980 veröffentlicht.

Es haben geantwortet:

Hans Abich — Hans Bausch — Erik Blumenfeld — Ewald Bucher — Herbert Czaja — Hermann Dietzfelbinger — Wilhelm Ebert — Franz Ebner — Franz Ehrenwirth — Jens Feddersen — Heinrich Festing — Herbert Franke — Burghard Freudenfeld — Liselotte Funcke — Volkmar Gabert — Heinz Galinski — Eugen Gerstenmaier — Leo Goodman — Bruno Heck — Peter Heidenberger — Hermann Heimpel — Hermann Höcherl — Antje Huber —

Friedrich Wilhelm Hymmen — Gerd Kadelbach — Werner Klose — Oskar Kreibich — Heinz L. Krekeler — Ernst Maria Lang — Georg Lanzenstiel — Hanna-Renate Laurien — Gunthar Lehner — Eugen Loderer — Erich Lüth — Ulrich de Maizière — Hans Matthöfer — Kurt Meisel — Felix Messerschmid — Franz Meyers — Eberhard Müller — Heinz-Maria Oeftering — Heinz Dietrich Ortlieb — Erich Potthoff — Willy Purucker — Hans Raupach — Gotthold Rhode — Rolf Rodenstock — Josef Rommerskirchen — Otto Schedl — Günter Schmölders — Oscar F. Schuh — Stefan Schwarz — Johannes Steinhoff — Franz Josef Strauß — Gerd Tacke — Leonore Freiin von Tucher — Karl Ude — Werner Wachsmuth — Bernhard Weinhardt — Gerhard Wessel — Willi Weyer — Jürgen Wichmann — Friedrich Wittig — Franz Wördemann — Otto Wolff von Amerongen — Georg Wulffius.

Diese Antworten sind in ihrer Vielfalt ein faszinierendes Zeitdokument.

„Der Band bietet ein überraschend vielfältiges Spektrum an individuellen wie generationstypischen Erlebnissen und Erwägungen, die mit Recht in die Buchreihe ‚Dokumente unserer Zeit' aufgenommen wurden."

Süddeutsche Zeitung, München

GÜNTER OLZOG VERLAG — 8000 MÜNCHEN 22